Bruckmann's Porzellan-Lexikon
A–K

Bruckmann's Porzellan-Lexikon

A–K

Effi Biedrzynski

Bruckmann München

Schutzumschlagvorderseite:
Der gestörte Schläfer. Nymphenburg, 1756.
Modell von F. A. Bustelli.
München, Bayerisches Nationalmuseum

Schutzumschlagrückseite:
Kühlgefäß aus dem »Vogelservice«. Frankenthal, 1771. München, Residenzmuseum

Den Bildteil stellten Istvan Dombi und
Claudia Freytag zusammen. Die Stichworte
für englisches Porzellan verfaßte
Elfriede Scheil.

Die Marken zeichnete Wolfgang Bayer,
die Ornamentzeichnungen fertigte
Sabine Reuter an.

© 1979 Verlag F. Bruckmann KG, München
Alle Rechte vorbehalten
Herstellung: F. Bruckmann KG, München
Graphische Kunstanstalten
Printed in Germany
ISBN 3 7654 1679 7

Vorwort

Das Porzellan, das seinen Namen vom italienischen »porcellana«, der Bezeichnung für eine weiße Meerschnecke herleitet, hat eine lange und bewegte Geschichte. Wie das Papier oder das Schießpulver ist es eine Erfindung des Fernen Ostens. Im Abendland seit dem 13. Jahrhundert bekannt, wird chinesisches und japanisches Porzellan mit der Entdeckung des Seeweges nach Indien seit dem 16. Jahrhundert zur begehrten Handelsware.

Faszinierend in seinen Formen und der fremdartigen Schönheit seines Materials löste es für Generationen die fieberhafte Suche nach dem Geheimnis seiner Bestandteile aus. Italienische Majoliken und niederländische Fayencen sind ebenso Zeugnisse dieser europäischen Porzellanmanie wie das »Medici-Porzellan« oder das Delfter und Böttgersteinzeug: unbeabsichtigte Ergebnisse einer nahezu 200-jährigen Jagd nach dem »echten« Porzellan. Gewinnsucht und Erkenntnisstreben, alchimistische Beschwörung und wissenschaftliche Forschung, fürstliches Patronat und bürgerlicher Erwerbssinn leiteten die unzähligen geheimnisvollen Rezepturen und Brennversuche. Doch erst 1708 gelang in Dresden Johann Friedrich Böttger in systematischen Reihenversuchen das erste echte Hartporzellan, das wie sein chinesisches Vorbild Kaolin enthielt.

Die weitere Geschichte des Porzellans ist die seiner Verbreitung. Den Erfindungen folgte die Phase der Manufakturgründungen – die erste entstand 1710 in Meißen. Doch war das Arkanum der Porzellanherstellung nicht an einen Ort zu binden. Schon 1718 gelang es in Wien, durch die aus Meißen entflohenen Arkanisten Hunger und Stöltzel beraten, die erste private Manufaktur zu gründen. In Deutschland und Frankreich, und von hier ausstrahlend in Italien, England und Spanien, in den Niederlanden, in Rußland und den skandinavischen Ländern folgte Manufaktur auf Manufaktur. Als Objekten fürstlichen Prestigedenkens fehlte diesen Unternehmungen jedoch vielfach die wirtschaftliche Grundlage, fehlten Kapital und Absatzmärkte. Rasch verschwand die Mehrzahl wieder. In diese erste Phase der Manufakturgründungen fällt jedoch zugleich der erste künstlerische Höhepunkt des neuen Werkstoffes. Geschirre, Geräte und Figuren von Kaendler, Höroldt oder Bustelli sind unerreichte Meisterleistungen europäischer Porzellankunst.

War das Porzellan im 18. Jahrhundert zunächst Requisit höfischer Tafelkultur, so wird es im 19. Jahrhundert zum massenhaften Gebrauchsgut, das sich nun häufig in der Wiederholung älterer Formen erschöpft. Erst das ausgehende Jahrhundert bringt mit dem direkten Rückgriff auf fernöstliche Gestaltungsweisen neue künstlerische Impulse, die bis in die Gegenwart weiterwirken.

Das vorliegende Lexikon befaßt sich in rund 1650 Stichwörtern mit allen hier angedeuteten Bereichen des Porzellans: mit seiner Entwicklungsgeschichte und der Geschichte seiner europäischen Manufakturen bis in die Gegenwart, mit

5

technischen und wirtschaftlichen Problemen, und nicht zuletzt geht es auf künstlerische Fragen ein, auf Stilentfaltung und Stilverfall, auf hervorragende Modelleure und Maler, auf schöpferische Meister und Epigonen.

Vorbildliche Sammlungen in ganz Europa bieten heute dem Liebhaber und Sammler umfassendes Anschauungs- und Vergleichsmaterial. Seine Zusammenstellung aus öffentlichem und privatem Besitz wird der Leser ebenso begrüßen wie die Zusammenfassung neuerer Literatur und Forschungsergebnisse, die am gegebenen Ort zitiert werden.

Der Dank des Verlages gilt der Autorin Effi Biedrzynski und allen Mitarbeitern, die dieses Lexikon unterstützten und in einigen Bereichen ergänzten. Dr. Elfriede Scheil übernahm die Stichwörter zum angelsächsischen Porzellan. Dr. Claudia Freytag stellte die Marken zusammen und wählte mit Dr. Istvan Dombi die Bilder aus. Wolfgang Bayer zeichnete die Signets und Sabine Reuter die Muster, die den Text begleiten. Zu danken ist zahlreichen öffentlichen und privaten Leihgebern, die Aufnahmen aus ihrem Besitz zur Verfügung stellten.

Der Verlag

Hinweise zur Benutzung des Lexikons:
Die Stichwörter sind streng alphabetisch geordnet. Bestehen in ein und derselben Stadt mehrere Porzellanmanufakturen, so werden sie nicht chronologisch nach Gründungsdatum, sondern ebenfalls alphabetisch aufgeführt.

Die mit * versehenen Stichwörter sind notwendig gewordene Ergänzungen des Lektorats, die sich bei Zusammenstellung des Bildteils vor Redaktionsschluß ergaben.

Abkürzungen:

Bd., Bde.	Band, Bände	Kaiserl.	Kaiserliche
bearb.	bearbeitet	KFS	Keramik-Freunde der Schweiz, Mitteilungs-blätter
bez.	bezeichnet		
dat.	datiert		
ders.	derselbe		
ebd.	ebenda	Kgl.	Königliche
ehem.	ehemals	Lothr.	Lothringen
fl	Florin (Gulden)	M'franken	Mittelfranken
gegr.	gegründet	MT	Markentafel
gen.	genannt	N'bayern	Niederbayern
hrsg.	herausgegeben	Obb.	Oberbayern
Jg.	Jahrgang	O'franken	Oberfranken
Jh.	Jahrhundert(s)	o. J.	ohne Jahr

o. O.	ohne Ort
O'schlesien	Oberschlesien
Reg.	Regierung
s.	siehe
Sa.	Sachsen
sämtl.	sämtlich
s. d.	siehe da
Slg.	Sammlung
Slow.	Slowenien
Staatl.	Staatliche
Tl	Taler
ü'glas.	über d. Glasur
u'glas.	unter d. Glasur
vorm.	vormals

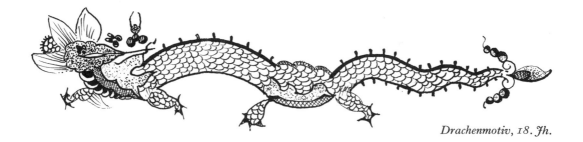

Drachenmotiv, 18. Jh.

Acier, Michel Victor, 20. 1. 1736 Versailles – 16. 2. 1799 Dresden; Bildhauer, Porzellanmodelleur, ausgebildet an der Akademie zu Paris, beeinflußt vom plastischen Werk eines Lemoyne, Falconet, Pigalle und, seiner Themenwahl nach, von Malern wie Chardin, Greuze oder Moreau le Jeune. 1764, auf Veranlassung Ch. W. E. →Dietrichs, der ihm künstlerische Selbständigkeit zusicherte, an die Porzellanmanufaktur von →Meißen berufen. Hier waren →Modelleure, die zu anderen Manufakturen abgewandert waren, zu ersetzen. Außerdem erhoffte man von A. eine Modernisierung des Geschmacks, d. h. die Ablösung des →Kaendlerschen Stils, der jahrzehntelang die Produktion geprägt hatte, nun aber als überholt galt. Zunächst paßte sich A. dem älteren Meister an, drängte aber zugleich, unterstützt von Dietrich und →Zeissig, auf einen klassizistischen Formenkodex, der zwar noch nicht im Sinne Winckelmanns die »Nachahmung der Alten« versuchte, doch eine Begradigung, eine Mäßigung der ausschweifenden, zierlich-bewegten Rokoko-Lineatur vorschrieb. Da A. aber nur über ein schwächliches Talent verfügte, gelang ihm nicht der kraftvolle neue Akzent. Seinen Arbeiten ist eine gewisse, etwas süßliche Anmut nicht abzusprechen, doch es fehlt ihnen an Großzügig-

keit der Auffassung und Geschlossenheit der Silhouette. Sie erinnern, wie Erich Köllmann sagt, en miniature an die in der Epoche beliebten »Lebenden Bilder«. Ihr Thema ist in vielerlei Variationen das Behagen, die Zärtlichkeit im Umkreis der bürgerlichen Familie. (Die junge Braut, Das Liebesorakel, Devisenkinder, Die glückliche Familie usw.) Die Stimmung der kleinen Gruppen: sentimental, moralisierend, bourgeois. In Zuschnitt und Dekor eine geradezu fotografisch genaue Schilderung des Zeitkostüms, die Kleinteiligkeit noch hervorgehoben durch eine Farbgebung, die nicht mit energischem Kontrast eine Zusammenfassung der Flächen wagt, sondern spitzgrifflig dem modischen Detail folgt. Doch im Meißen der Zeit schätzte man A., erfüllte bereitwillig seine überhöhten Gehaltsforderungen und gewährte ihm schon nach anderthalb Jahrzehnten eine Pension, die er von 1781 an in Anspruch nahm. Ein Jahr zuvor war er zum Mitglied der Dresdner Akademie ernannt worden.

Adam, Charles, s. Vincennes, *Porzellanmanufaktur 1738–1756*

Adler, Christian Matthias, 8. 5. 1787 Triesdorf (M'franken) – 4. 3. 1850 Mün-

Schäfer in Rocaille-Rahmen, entworfen von Franz Xaver Habermann, ausgeführt von Martin Engelbrecht; Blatt 1 der Folge 109, Verlag Johann Georg Hertel, um 1755

chen; Maler (Historienfach), Schüler des Klassizisten Friedrich Naumann in Ansbach. 1811 Porzellanmaler in →Nymphenburg und deren Kunstanstalt in München; 1816 zum Malerei-Aufseher ernannt, vorwiegend mit den »artistischen Bestellungen« Ludwigs I. beschäftigt (seit 1827 nahezu ausschließlich Gemäldekopien auf →Porzellan); 1838 pensioniert, trotzdem weiterhin Mitarbeit an der Manufaktur.

Advenier, s. Paris, *Gros Caillou*

Äcker, Christian, s. Arzberg

Ägyptisches Service, Geschirr aus →Sèvres, dekoriert mit Szenen aus Napoleons Feldzug nach Ägypten; 1808 fertiggestellt.

Agam, Yacov, s. Sèvres

Agate ware (Achatware), kein →Porzellan, sondern ein englisches Steingut, eine Imitation von Achat und Marmor, hergestellt durch die Mischung verschiedenfarbigen Tons mit entsprechender Bemalung und →Glasur. Eine Technik, schon im Altertum bekannt, im →England (doch auch auf dem Kontinent) des 17. und 18. Jh.s lebhaft wieder aufgenommen, da die Epoche den Halbedelstein schätzte.

Ahrensborg, Christian, gest. 1803, Blaumaler, ab 1780 an der *Kgl. Porzellanmanufaktur* →Kopenhagen.

Aich/Doubí (Böhmen, ČSSR), Porzellanmanufaktur 1849 bis heute; gegr. von Johann Möhling, einem Prager Bergmeister, der als Mitarbeiter und Schwiegersohn G. Lipperts in →Schlaggenwald zum erfahrenen Porzellanfachmann geworden war. Der Scherben, den er produzierte, war ausgezeichnet, häufig effektvoll durch →Lüster gesteigert. Formal hielten sich Geschirr und Plastik (meist von Möhling modelliert) an Muster des Zweiten Rokoko, diese vorwiegend mit Blumenmalerei dekoriert. – 1860 übernahm H. A. C. Anger die Firma, die 1901 an Ludwig Engel und nach 1918 an die →Epiag überging (Literatur →Böhmen).

Aich

1, 2 Aich
1849–1860
eingepreßt

20. Jh.
gedruckt

Alcora
ab 1786 braun,
schwarz, eingepreßt

Amstel
bis 1800 blau
u'glas.

Marken: 1849–1860 »A«, »Aich« (1), »A M« = Aich Möhling; 1860–1901 »AX«, sämtl. gestempelt; 20. Jh. »Epiag Aich Made in Czechoslovakia« (2), gedruckt.

Aigmont-Desmares, d', s. Caën

Alantkrüge, Gefäße zur Aufbewahrung des Alantweins, eines Getränks, gewürzt mit Alantol, das der Wurzel des schon in der Antike und im Mittelalter angebauten Echten Alant entzogen wird.

Albert, C. G., gest. 1772; ausgezeichneter Porzellanmaler (Federvieh, Vögel), 1767–1772 in →Fürstenberg, wo er als »unentbehrlich« galt. – Signiertes Tableau im Landesmuseum Kassel; außerdem 22 Blätter: »Groupen mit Vögeln gemalt« im Fabrikarchiv.

Alcora (Valencia, →Spanien), Porzellanmanufaktur 1786–1858; ein Betrieb, 1726/27 gegr., in dem unter der Leitung Joseph Olérys (aus Moustiers-Sainte-Marie, einem Zentrum südfranzösischer Töpferei) zunächst Fayencen provençalischen Stils, später Steingut in der Art von →Wedgwood hergestellt wurde. Doch der Ehrgeiz des Grafen Aranda, Besitzer des Unternehmens, zielte auf die Produktion von →Porzellan. 1751 gewann er als Arkanisten den Franzosen F.

→Haly, dem 1764 Chr. →Knipffer aus Sachsen folgte; 1774 wurde F. →Martin eingestellt, der das Unternehmen bis zu seinem Tod (1786) führte. Haly und Knipffer hatten ohne Erfolg laboriert, dagegen scheint Martin bereits 1777 Figuren aus einer Masse, die in den Akten der Firma als →Biskuit oder Demiporcelaine bezeichnet wird, gebrannt zu haben, und kurz vor seinem Tod war ihm wohl auch die Herstellung eines festeren Porzellans gelungen. P. →Cloostermans aber, ein Fachmann aus Paris, 1787 Nachfolger Martins, produzierte als erster →Hartporzellan, einen gelblichen Scherben, dessen →Kaolin aus Katalonien stammte. In Zuschnitt und Dekor folgten das Tafelgeschirr, die Schnupftabakdosen und Riechfläschchen, die A. produzierte, dem modischen klassizistischen Geschmack, wie ihn die →Pariser Manufakturen der Zeit pflegten: glatte Formen, der Fond oft dunkel getönt, gemustert oder marmoriert, in den →Reserven Blumen, kleine Szenen, Landschaften, diese oft nur in Sepia ausgeführt, dazu Goldborten oder Bordüren, mit Lorbeer- und Blütenzweigen oder kargen Blattvoluten belegt. Cloostermans Arbeit in A. wurde 1793 durch den ersten französisch-spanischen Revolutionskrieg unterbrochen. Wahrscheinlich entwich er nach Barcelona, kehrte aber 1795, drei Jahre vor seinem

Vogelmalerei, 18. Jh.

Tod, nach A. zurück. Die Porzellanproduktion scheint im ersten Jahrzehnt des 19. Jh.s weitergegangen zu sein. Als aber 1858 die Gebäude verkauft wurden, war schon seit langem, wie Hermann Jedding mitteilt, kein Porzellan mehr erzeugt worden.

Marken: Seit 1786 »A« = Alcora, verschiedenfarbig, auch eingeritzt und eingepreßt (MT). *Literatur:* M. Escriva de Romani Conde de Casal. Historia de la Ceramica de Alcora, Madrid 1919.

Alençon (Orne, →Frankreich), genauer in Maupertius hatte vor 1750 J.-E. →Guettard ein Kaolinlager mit einer allerdings nicht sehr hochwertigen Erde entdeckt, die 1765 der Herzog →Brancas-Lauraguais für seine Experimente und 1773 J.-G. Robert zur Produktion von →Hartporzellan in seiner Manufaktur zu →Marseille verwandte.

Allen, Robert, 1744–1835, zunächst Porzellanmaler an der englischen Manufaktur von →Lowestoft, deren Leitung er 1780 übernahm. Nach der Stillegung dieser Firma dekorierte er als selbständiger →Hausmaler Weißporzellan, das er aus →China oder anderen englischen Manufakturen bezog.

Allerlei, s. Quodlibet

Alluaud, Jean François, gest. 1799, Besitzer einiger Kaolingruben in →Saint Yrieix; 1788–1793 Leiter der Manufacture Royale des Porcelaines de France in →Limoges; 1788–1790 kurz Teilhaber der Porzellanmanufaktur des Pierre Verneuilh in →Bordeaux; 1797 Gründer der Porzellanmanufaktur in der rue des Anglais zu Limoges.

Aloncle, François, geb. 1734, Porzellanmaler (Tiere, Vögel), 1758–1781 an der Manufaktur in →Sèvres.

Altbrandenstein, →Meißner Geschirrmuster, nach Otto Walcha 1738 zuerst modelliert, eine Sonderform des →Ozier. Der Tellerrand, mit einem lockeren Flechtmuster reliefiert, ist in acht Felder durch gerade Stege unterteilt, von denen jedes zweite Feld nochmals gedrittelt ist.

Alt-Ozier, →Meißner Geschirrmuster, eine Variation der →Ozier-Musterung. Dem →Ordinair-Ozier verwandt, nur daß hier das breitbändrige, schrägliegende Relief durch ein Muster ersetzt wird, das mit seinen geradelaufenden, sich im rechten Winkel kreuzenden »Gerten« an das feine Geflecht eines Weidenkorbs erinnert.

Altrohlau/Stará Role (Böhmen, ČSSR), Porzellanfabrik 1838 bis heute. 1814 als Steingutfabrik gegr., seit 1823 im Besitz von August Nowotny, der 1838 die Herstellung von Porzellangeschirr in sein Programm aufnahm, sich aber, von einigen kostbaren Ausstellungsstücken abgesehen, auf die Produktion einer guten, doch preiswerten Ware für breite Schichten einstellte: der Scherben leicht und rein, die →Glasur weiß und glatt, die Formen modisch, der Dekor gefällig (→Döblersträußel; im Umdruckverfahren Veduten aus Böhmen und Deutschland). – 1884 übernahm das Prager Bankhaus Moritz v. Zdekauer die Firma, die 1909 von C. M. Hutschenreuther →Hohenberg aufgekauft wurde; 1945 enteignet (Literatur →Böhmen).

Marken: 1838–1884 »R«, »Rolau«; gerahmt: »August Nowotny ALTROHLAU bei Karlsbad«, »AN & C« = Altrohlau Nowotny & Co., sämtl. gestempelt; 1884–1920 »M Z« = Moritz Zdekauer, mit Adler, umschrieben: »Austria«, nach 1920 »Czechoslovakia«, sämtl. gedruckt.

Alt-Wien-Vergoldung, auch Reliefgold, s. Wien, *Porzellanmanufaktur 1718 bis 1864*

Amberg (Oberpfalz, →Deutschland) *Fayence-, Steingut- und Porzellanfabrik* (seit 1800), 1759–1910. Die Firma übernahm etwa um 1850 ungefähr hundert Formen aus →Ludwigsburger Besitz, die nach der Schließung der dortigen Porzellanmanufaktur (1824) zunächst im Magazin des Ludwigsburger Schlosses aufbewahrt, später an die Porzellanfabrik Schwerdtner in Regensburg verkauft worden waren und nun in der A.er Firma »herzlich unbeholfen« (wie F. H. Hofmann urteilt) weiterverwendet wurden.

Meist numerierte man doppelt, seltener zeichnete man mit dem Stempel »Amberg«.

Steingutfabrik Eduard Kick, s. Ludwigsburg, *Porzellanmanufaktur 1758–1824*

Amberg, Adolph, s. Berlin, *Kgl. Porzellanmanufaktur*

Amphora-Werke, s. Turn bei Teplitz

Amßler, s. Kelsterbach

Amstel (Nordholland, →Niederlande), Porzellanmanufaktur 1784–1819. Um der günstigeren Lage willen wurde der Porzellanbetrieb von →Oud-Loosdrecht 1784 hier, in nächster Nähe von Amsterdam, installiert. Friedrich Däuber blieb Direktor, hatte vielleicht sogar den Betrieb als Pächter in eigene Regie übernommen. Er muß ein tüchtiger Mann gewesen sein, mit Sachverstand und sicherem Geschmack. Trotz schleppendem Geschäftsgang und finanzieller Misere verlor das A.er →Porzellan nicht an Qualität. Doch die Aufnahmefähigkeit des Marktes, geschwächt durch Revolution und Napoleonische Kriege, schwand immer mehr, und selbst einem Mann wie Däuber war es nicht möglich, die Absatzkrise zu überwinden. – 1801 entschlossen sich darum die Firmeninhaber, zwanzig Jahre zuvor die Gläubiger de Mols in Loosdrecht, die Manufaktur an George Dommer & Co., die Chemikalienfabrik »Nieuwburg« in Nieuwer-Amstel, abzutreten. 1809 verlegte man, um die Betriebskosten zu senken, die Manufaktur in Räume der Dom-

Der Weisse Thannhirsch, vorgestellt und herausgegeben von Johann Elias Ridinger; Blatt 8 aus »Die verschiedenen Arten der Hunden behaezten JagtbareThiere...«, 1761

merschen Fabrik; im gleichen Jahr gelang es, die Aufmerksamkeit Louis Napoleons, damals König von Holland, zu wecken, der eine jährliche Unterstützung von 45000 Francs zusagte. Mit dieser Hilfe wäre eine Sanierung möglich und der Fortgang der Arbeit gesichert gewesen. Da aber Louis Napoleon ein Jahr später den Thron verlassen mußte, fiel der Zuschuß fort, obwohl man sich, Louis zu Ehren, »Koninklijke Porselein Fabriek« nannte. – Als George Dommer 1814 starb, gab man endgültig die Porzellanproduktion auf.

Als Nachfolgerin des Molschen Unternehmens setzte A. die Traditionen von Oud-Loosdrecht fort. Neben Maschinen, Werkzeug, Rohmaterialien und undeko-riertem Porzellan hatte man auch Modelle, Muster und Matrizen übernommen, die man weiter benutzte. Neben den strengen klassizistischen Formen, die man selbst entwickelte, produzierte man auch nach 1784 noch Geschirr in Rokoko-Façon. Die allgemeine Verarmung zwang zur Beschränkung. Hergestellt wurde, außer Putten und den Loosdrechter Biskuit-büsten, fast nur Geschirr für den täglichen Gebrauch. Der Scherben war von einem reinen Weiß, durchscheinend, im Gegensatz zum opaken Loosdrechter Porzellan. Trotz der geraden klassizistischen Formen bildete man die Tassenhenkel rund, später mit Schwanen- und Schlangengriffen, die Kannengriffe sind häufig eckig, merkwürdig linear verschlungen und überhöht. Einfache Geschirre dekorierte man mit lockeren, blauen Ranken, oft mit Kornblumen besteckt; kostbarere →Service zeigen in minuziöser →Schmelzfar-ben-Malerei, die Geschick und Sorgfalt verrät, Blumen, Vögel, Marinen und Landschaften, die allmählich der stärkeren Vergoldung, einem Stilmittel des Empire, weichen (J. Knipschaar Jnz., J. Ph. →Müller, Henricus Franciscus Wiertz).

Marken: »Amstel« (MT); 1784–1800 blau u'glas.; 1801–1809 schwarz, braun, gold ü'glas. – Porzellan aus Oud-Loosdrecht, mit »M. o. L.« bezeichnet, erhielt zusätzlich die Amstel-Marke.
Literatur: W. F. H. Oldewelt. De Porselein-fabriek aan den Amstel. Oud-Holland XLIX (1932).

Andrich, Rochus, s. Frankenthal

Angele, Joseph, s. Höchst, *Porzellan-manufaktur 1746–1796*

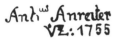

Anton Anreiter
von Zirnfeld

eingepreßt

blau u'glas.

1758–1790
Hofgeschirr

Anger, A. C., s. Aich

Angoulême, Louis Antoine de Bourbon, Duc d', s. Paris, *rue de Bondy*

Anreiter von Zirnfeld, Anton, 27. 1. 1727 Wien – 24. 5. 1801 ebd., Sohn von J. K. W. →Anreiter; Porzellanmaler. 1737 in →Doccia; 1746 zurück in →Wien: 1747 Buntmaler an der Manufaktur, 1754 Malereivorsteher, 1777 Brennhausinspektor. Ein versierter Maler; von dem sich signierte und datierte Arbeiten erhalten haben: aus Doccia zwei Schüsseln, dekoriert mit Reptilien zwischen Pflanzenwerk (auch ein Dekor mit Orientalen); aus Wien Medaillons mit Reitern in einer Landschaft, auch mit Bildnissen und Wappen. Heute in den Museen von London (British Museum), Stuttgart, Wien (MT).

Anreiter von Zirnfeld, Johann Karl Wendelin, 1702 Schemnitz (Slow.) – 4. 10. 1747 Wien; hier 1724/25 und 1737 an der Porzellanmanufaktur →Wien, folgte 1737 dem Ruf des Marchese Carlo Ginori nach →Doccia, kehrte 1746 nach Wien zurück, wo er ein Jahr später, vom Schlag getroffen, starb, noch ehe er sein Angebot an München, »schenes porcellan zu machen, als derley in Sachsen zu ha-

ben ist«, in die Tat umzusetzen vermochte. In zeitgenössischen Quellen wird er als ein Arbeiter bezeichnet, »wie sich wenige in Europa fürfinden, die ihme an Form, Kunst und Schönheit gleich machen.« Vor allem aber hat er »Treffliches« (F. H. Hofmann) als Porzellanmaler geleistet. Seine →Laub- und Bandelwerk-Ornamente in →Schwarzlot oder →Eisenrot, seltener polychrom, wurden häufig von Malern der Wiener Manufaktur nachgeahmt. Außerdem hatte er sich auf »Chinesen« und Ruinenlandschaften, die er mit Figuren belebte, spezialisiert. Er zeichnete oft seine Arbeiten mit vollem Namen und einem beigefügten VZ (von Zirnfeld), samt der Ortsangabe: Wien oder Firenze. Unter diesen Stücken findet sich außer dem →Porzellan der Manufakturen von Wien oder Doccia auch →Blanc-de-Chine und →Meißner Geschirr, was annehmen läßt, daß A. auch als →Hausmaler gearbeitet hat. Mit, neben und nach ihm waren verschiedene A. in der Wiener Manufaktur bis zu ihrer Auflösung beschäftigt.

Literatur: Friedrich H. Hofmann. Notizen zu »Anreiter«, im Anzeiger des Landesmuseums in Troppau II, 1930 (Festschrift E. W. Braun).

Ansbach (M'franken, →Deutschland), *Braun-Porcellain-Fabriquen 1742–1769.* Die Firma des Fayencemalers J. V. Bontemps, um 1751/53 von dem Dreher

Johann Leonhard Gottlieb Hollring übernommen, produzierte eine dunkel glasierte Irdenware mit aufgeschmolzener Gold- und Silbermalerei, die an →Bayreuther Arbeiten erinnert.

Eine zweite Firma, 1743–1759 von dem Fayencemaler Wenzeslaus Preiß und seinen Söhnen gegründet und geführt, dekorierte die Braunware kalt.

Porzellanmanufaktur 1758–1860. Carl Alexander, der letzte der A.er Markgrafen, jung, kultiviert, viel gereist, beschloß bei seinem Regierungsantritt, 1757, der altberühmten A.er Fayencefabrik (seit 1710) eine Porzellanmanufaktur anzugliedern. Aus ökonomischen Überlegungen versuchte man zunächst, die Firmen im gleichen Gebäudekomplex unterzubringen, was aber in der Praxis zu Komplikationen und Reibereien führte, so daß man sich genötigt sah, die Manufaktur 1763 nach Bruckberg, einem Jagdschloß 11 km östlich von A., zu verlegen. – Der jungen Firma war von der markgräflichen Schatulle ein großzügiger Kredit eingeräumt worden. Mit Johann Friedrich Kaendler, einem Neffen des →Meißner Modellmeisters, der mit »einigen künstlichen und verständigen Arbeitern« aus Sachsen entwichen war, fand die Manufaktur den Arkanisten (1757–1791), dem ohne zeit- und geldraubende Experimente die Herstellung eines brauchbaren, zartgelben Scherbens gelang, während J. C. →Gerlach, neben den Meißner Farben, als hervorragender Miniaturist seine künstlerische Erfahrung mitbrachte. – Nach einigen tastenden Versuchen hatte man bei der Geschirrbildnerei, von dem Meißner →Dulong-Zierathen ausgehend, eine Variante, das »Ansbacher Muster«, entwickelt, an dem man dann jahrzehntelang festhielt: ein Relief aus symmetrisch angeordneten, durch Stege getrennte Rocaille-Kartuschen, die, bereichert durch schmale →Ozier-Bänder, das behaglich gerundete Gefäß umschlangen. Die Henkel der Tassen und Kannen bildet eine meist durch ein aufgelegtes Akanthusblatt verstärkte Rocaille; die Griffe der großen Terrinen sind oft, ebenso wie die Schnauben der Kaffee- und Milchkannen, mit dem Köpfchen einer Rokokodame dekoriert, während die Tüllen der Schokolade- und Teekannen in einem Doggen- oder Drachenkopf enden. – Fast nur eine Kopie, doch als Berliner Muster fester Bestand des A.er Repertoires, ist die Nachahmung des berühmten →Berliner Tafelgeschirrs, →Reliefzierat mit Spalier, das Friedrich der Große 1766 seinem Neffen Carl Alexander geschenkt hatte. – Die Maler, denen der plastische Schmuck reichlich Raum ließ, nutzten die Chance. Neben Blaumustern, meist auf geripptem Grund, neben Streublümchen, Bukett, Blütenmonogramm und Girlande (Johann Jakob Schreitmüller, 1779–1807) finden sich klar und ausdrucksvoll die →Indianischen Blumen des hervorragenden Fayence- und Porzellanmalers Johann Wolfgang Meyerhöffer (ab 1757); neben der Früchtemalerei des Alexander Telorac (ab 1768) ausgezeichnete Tiere und Vögel von Gottlob Büttner (1785–1793) und Albrecht Hutter (ab 1780); schließlich, von Goldornamenten gerahmt, die aufs feinste gepinselten bunten (auch in Ultramarin- oder Purpurcamaïeu) Landschaften, die Watteau- und Genreszenen von J. M. →Schöllhammer und Johann Eberhard Stenglein (1765–1795). – In den ersten Jahren ihres Bestehens hatte sich die Manufaktur auf die Produktion der »Caffee- und Thee-Zeuge«, auf »Butter-Büchsen-Körblein« und auf vielerlei →Galanterien beschränkt; doch um 1765 war man technisch soweit, selbst vollständige Tafelservice mit allem Zubehör offerieren zu können. Auch in A. gehörte die Versorgung des Hofs mit figuralem Schmuck zu den vordringlichsten Aufgaben der Manufaktur. Götterserien entstanden (zum Teil Kopien der →Wegely-Plastiken, die der Markgraf besaß), ebenso Genre- und »Modefiguren«, Putten, Musikanten und Komödianten, doch auch jugendliche Paare im noblen Habit – der Rocksaum der Dame kokett aufgeschlagen – vor Baumkulissen oder in der Rokokolaube; vor allem aber, originell und vergnüglich, die Türkischen Figuren nach den Ferriolschen →Stichvorlagen. – Kaendler sind wohl die Zweiergruppen zuzuschreiben; Carl Gottlieb Laut (1757 bis 1802) dagegen die schlanken Figürchen mit den seltsam zugekniffenen, rotgerändelten Augen und den schmalen Krallenhänden, während die übrigen →Modelleure Bruckbergs (G. L. →Bartholomae; Georg Dengler, um 1785; Johann Friedrich Scherber, 1764–1766) die gleichen Themen kräftiger und mit rund geöffneten Augen abhandeln. Karl August Weidel, der erst 1793 zur Manufaktur kam, fügte dem Programm einige Porträtmedaillons bei (Hardenberg, Friedrich Wilhelm II. von Preußen usw.), die er signierte. – Obwohl man sich mühte, durch Eröffnung von Niederlassungen, Lotterien oder Annoncen den Geschäftsgang zu beleben, obwohl man durch Lieferung unbemalten →Porzellans an Malstuben (Regensburg, →Höchst, →Den Haag) und durch Produktion der billigen Türkenkoppchen versuchte, den schleppenden Absatz zu steigern, war die Manufaktur wirtschaftlich in mißlichster Lage, als A. 1791 durch den kinderlosen Markgrafen an das verwandte Preußen abgetreten wurde. Selbst die Aufgabe veralteter Rokokoformen und die halbherzige Anpassung an den modischen Klassizismus schuf keine Besserung. Doch Hardenberg, Statthalter der neuen Provinz, sanierte die zerrütteten Finanzen, reorganisierte und modernisierte (unterstützt durch den jungen Alexander von Humboldt) den Betrieb. Hardenbergs Anstrengungen führten unter der Leitung Schöllhammers, der vom Malerei-Inspektor zum Ersten Direktor avanciert war, anfänglich zum Erfolg, wurden aber 1806 durch den Einmarsch der Franzosen und die Angliederung der fränkischen Fürstentümer an Bayern zunichte gemacht. – München, das neben →Nymphenburg keine zweite Staatsmanufaktur im Lande wünschte, ließ Bruckberg 1807 versteigern. Christoph Friedrich Löwe, bis dahin kaufmännischer Direktor der Fabrik, kaufte das Unternehmen. Er konzentrierte die Produktion auf gängige Artikel, vermied jedes Experiment und förderte vor allem den Export in die Levante. Die Firma reüssierte. Etwa sieben Jahre, nachdem Löwe Bruckberg übernommen hatte, hatte sich die Zahl der Angestellten fast verdoppelt, der Absatz vervierfacht. Doch als er 1821 stirbt und sein Sohn ihm zehn Jahre später in den Tod folgt, findet sich in der Familie kein unternehmerisches Talent mehr, das den Aufschwung der Firma hätte halten oder fortsetzen können. – 1860 hörte Bruckberg auf, als Porzellanmanufaktur zu existieren.

Marken: Figuren wurden, wenn sie nicht ungemarkt blieben, mit dem eingepreßten Stadtwappen Ansbachs gezeichnet: ein Bach mit drei Fischen quer durch das Feld (1, 2); Geschirr mit einem »A« = Ansbach, blau u'glas. (3); Hofgeschirr zusätzlich mit dem brandenburgischen Adler (4).

Literatur: Adolf Bayer. Ansbacher Porzellan, 2. Aufl., Braunschweig 1959; Ansbacher Fayence und Porzellan. Gesamtkatalog der Sammlung Adolf Bayer (bearb. von Martin Krieger), Ansbach 1963.

Ansbacher Service, s. Berlin, *Kgl. Porzellanmanufaktur*

Anstett, Franz Anton, 18. 1. 1732 Straßburg – 6. 7. 1783, Fayencemaler. Er trat noch unter P. A. →Hannong in die →Straßburger Fayencefabrik ein, wechselte aber, von dem Besitzer, dem Baron Beyerlé, berufen, nach →Niderviller über und leitete die Firma, die ab 1765 auch →Porzellan produzierte, bis 1770 (nach O. Riesebieter bis 1779). 1778/79 gründete er schließlich in Hagenau, mit den Teilhabern Violet und Barth, eine eigene Fayencefabrik, die nach seinem Tod zunächst bis 1786 von seiner Witwe und dann bis zum Ausbruch der Französischen Revolution von seinen beiden Söhnen weitergeführt wurde.

Anth(e)aume, Jean-Jacques, geb. um 1726, Porzellanmaler (Landschaften, Tiere); 1752–1758 an den Manufakturen in →Chantilly, →Vincennes und →Sèvres.

Antheaume de Surval, s. Chantilly

Antikglatt, s. Berlin, *Kgl. Porzellanmanufaktur*

Antikzierat, ein →Berliner Geschirrmuster, jahrzehntelang viel benutzt, variiert und an vielen Orten nachgeahmt. Es wurde 1767 für das Breslauer Service entwickelt, dem rasch im gleichen Muster, nur durch die Farbe der Randzwickel und den Blumendekor unterschieden, das Gelbe und Rote Service folgten. In der größeren Geschlossenheit der Geschirrformen, der eine entschiedenere Symmetrie im dekorativen Detail entspricht, werden erste klassizistische Tendenzen spürbar. Die Geschirränder scheinen durch leicht bewegte, dünne Stabbündel, die ein Band lose umschlingt, verfestigt; sparsame Rocaillen, von schütterem Gezweig umspielt, begrenzen vier einander gegenüberliegende Felder, von denen Rippen, wie mit dem Lineal gezogen, zur Mitte laufen. Während die freien Flächen durch Girlanden, einzelne Blüten und volle Buketts belebt sind, werden die schmal ausgezogenen Felder nur mit Schuppenmosaik oder einem einheitlichen Farbton gefüllt. Der Rand des Dessert-Services ist gitterartig durchbrochen, die Punkte, an denen sich die Stäbe kreuzen, mit winzigen Blüten besetzt.

Antonibon, Pasquale, s. Le Nove (MT)

Apfelsinenbecher, kleine, steilwandige

Schale auf hohem Fuß, in der die bereits geschälte Apfelsine serviert wurde; um 1740 in →Meißen als Zubehör eleganter Tafelservice modelliert.

Appel, Michael, gest. vor 1802 Frankenthal, Keramikmaler; 1762–1785 an der Porzellanmanufaktur →Frankenthal; 1777 an der Fayencefabrik in Hagenau tätig (MT).

Aranda, Graf von, s. Alcora

Arcanum, s. Arkanum

Archangelskoje (Gouv. Moskau, →Rußland), Porzellanmanufaktur 1814 bis 1831; von Fürst Nicolai Yusupow auf seinem Besitz in der Nähe von Moskau (nach L. R. Nikiforova) mit der Absicht eingerichtet, lediglich →Porzellan für den eigenen Bedarf zu produzieren, d.h. unbemaltes Geschirr, zunächst aus →Frankreich, später von →Gorbunow, durch talentierte Leibeigene dekorieren zu lassen. Meist wurde die Innenseite der Gefäße (Tee-, Kaffeegeschirr, Vasen, Schalen) solide vergoldet; den malerischen Schmuck bildeten exquisit gemalte Porträtmedaillons, Veduten, elegante Blumenarrangements (darunter Teller nach den Tafeln eines botanischen Atlas), verbunden mit den modischen klassizistischen Bordüren und Randmustern.

Arendt, Karl, s. Nymphenburg

Arentz (Arent), Johan, 1746–2.6.1798 Kopenhagen; ausgezeichneter, vielseitiger Porzellanmaler, 1777–1788 an der

Pasquale Antonibon   _Michael Appel_

Kgl. Manufaktur zu →Kopenhagen. Dort signierte Arbeiten.

Arita (Hizen, Japan). Nach Entdeckung mächtiger Kaolinvorkommen im frühen 17. Jh. entwickelte sich in und um A. die lebhafteste Porzellanindustrie, die ab 1646 über den nahen Hafen Imari, das sog. →»Imari-Porzellan«, nach Europa exportierte (→China).

Arkanist, s. Arkanum

Arkanum (von lat. arcanum, das Geheimnis), Bezeichnung aller Geheimrezepturen der mittelalterlichen Alchemie. Im 18. Jh. verengt sich der Begriff auf das Gebiet der Porzellanherstellung, und zwar umfaßte das A. die Arcana der Masse, der →Glasur und der Farben. – Der Arkanist ist Erfinder oder Kenner dieser geheimen Rezepte, bis ins 19. Jh., dann der Mitarbeiter einer Porzellanfabrik, der mit den verschiedenen Herstellungsabläufen vertraut ist.

Arnhold (Arnold), Johann Samuel, aus Löthain (Sa.), gest. 1.1.1828 Meißen; Porzellanmaler (Blumen), seit 1785 in →Meißen; 1806 Zeichenlehrer, zum Hofmaler ernannt. Er gab eine Anleitung zur Blumen- und Früchtemalerei heraus (2. Aufl. 1808); entwickelte 1817 den Weinlaubdekor und arbeitete 1819/20 am Wellington-Service mit.

A R *de Pemer l'an 1771*
A R

1, 2 Arras

blau, purpur,
karmin

blau u'glas.

Arzberg
Bavaria

Arzberg
gedruckt

Arnold, Joseph, s. Frankenthal und Nymphenburg

Arp, Hans, s. Sèvres

Arras (Pas-de-Calais, →Frankreich), Porzellanmanufaktur 1770–1790; unter der Protektion von de Calonne, dem Intendanten Flanderns und des Artois, durch den Fayencier Joseph François Boussemart aus Lille in der Absicht gegründet, die Konkurrenz von →Tournai zu behindern, dessen →Porzellan in Mengen über die französische Grenze drang. 1772 übernahmen die vier Desmoiselles Delemer, Keramikhändlerinnen in A., das Unternehmen. – Produziert wurde in →Pâte tendre Tafelgeschirr und Toilettenartikel, das im Stil an Tournai orientiert war: stets sorgfältig gearbeitet, Tellerfahne und Gefäßwand häufig mit zarter Rippung; der malerische Dekor (Streublumen, Girlanden, Wappen), meist monochrom in Blau oder Rosa, ahmt ostasiatische Muster, doch auch die Ranken von →Chantilly nach. Farbige Blumenmalerei ist selten.
Marken: »AR« = Arras (1); »delemer l'an 1771 AR«, blau u'glas., purpur, karmin u'glas. (2).

Artois, Charles Philippe Comte d', s. Limoges, *Porzellanmanufaktur 1771–1796* und Paris, *rue du Faubourg-Saint-Denis*

Arzberg (O'franken, →Deutschland), Porzellanfabrik, gegr. 1839 durch Christian Äcker, 1918 der Carl Magnus Hutschenreuther AG →Hohenberg angegliedert (MT).

Asselin, Charles-Eloi, 1742–1803 (?), Porzellanmaler (Figuren, Porträts); 1765 bis 1803 an der Manufaktur von →Sèvres.

Aubergine (frz. auch Violet d'évêque, engl. Bishops purple), Porzellanfarbe, ein tiefes Lila, aus gereinigtem Manganoxid gewonnen; in →China seit der Sung-Zeit bekannt, um 1770 in →Sèvres entwickelt, in der Folge auch andernorts verwandt.

Aubiez, Maurice des, s. Vincennes, *Porzellanmanufaktur 1765–1788*

Aue, bei Schneeberg, im westlichen Erzgebirge, am Zusammenfluß von Schwarzwasser und Zwickauer Mulde, wo 1698 Veit Schnorr, Besitzer mehrerer Eisenhüttenwerke, auf →Kaolin stieß, was zur Gründung der »Weißen-Erden-Zeche St. Andreas« führte. Proben des Materials lagen bereits um 1700 →Tschirnhaus und 1706 auch →Böttger vor. 1709 stellte das »Königliche Geheim Cabinett« für den Transport der Erde Passierscheine nach →Meißen aus, wo das Kaolin aus A., oft auch Schneeberger oder Schnorrsche Erde genannt, langsam den Colditzer Ton verdrängte, der endgültig 1717 nicht mehr zur Porzellanherstellung verwandt wurde. Die Schwindungstendenz der mit diesem Ton hergestellten Masse erwies sich auf die Dauer als zu stark; außerdem kam der Scherben, um geringer Eisenbeimengungen willen, gelblich aus dem Brand. Erst als man 1764 bei Seilitz, einem Dorf in Meißens Nähe, auf Kaolin stieß, lockerten sich die Beziehungen zu A., die im 19. Jh. endgültig erloschen. – Trotz strenger Verbote (1729, erneut 1745) war immer wieder »Schnorrsche Erde« über die sächsischen Grenzen gelangt. Manufakturen wie →Wien, →Straßburg, →Venedig oder →Berlin haben in ihren Anfängen, bis sie eigene Vorkommen erschließen konnten, Kaolin aus A. verwandt.

Auer, Anton, s. Nymphenburg (MT)

Auer v. Welsbach, Alois, s. Wien, *Porzellanmanufaktur 1718–1864*

Aufenwerth, Anna Elisabeth, geb. 1696 Augsburg, Tochter des J. →Aufenwerth, seit 18.. 5. 1722 Frau des Goldschmieds Jakob Wald aus Nürnberg. Sie war eine talentierte Fayence- und Porzellan-Hausmalerin und um 1720–1728 wohl in der väterlichen Werkstatt beschäftigt. Vom Dekor einer Tasse und Untertasse seiner Sammlung (mit dem Spiegelmonogramm »EAW«) ausgehend, weist ihr S. Ducret eine Gruppe könnerisch gemalter, an →Höroldt orientierter, farbiger →Chinoiserien auf frühem →Meißner →Porzellan zu. Darunter sind Tassen und Schalen, eine Teekanne, eine Deckelterrine, Gueridoneinlagen, Sakeflaschen, auf deren Wandungen sich in →Eisenrot, Grün und Gold, mit wenig Gelb und Blau eine heitere Traumwelt entfaltet: exotisch-muntere Szenen, possierliche Figurinen zwischen blühendem Gebüsch und unter doldenbehangenen, zartstämmigen Bäumen.

Literatur: Siegfried Ducret. Anna Elisabeth Wald, eine geborene Aufenwerth, Keramos 50/1970.

Aufenwerth, Johann, um 1659 Augsburg – 17. 5. 1728 ebd., Goldschmied und Porzellan-Hausmaler. Er dekorierte, gemeinsam mit seinen Töchtern Anna Elisabeth (Wald) und Sabina (Hosennestel), etwa seit 1715 →Porzellan aus →Meißen, und zwar, gerahmt von magerem Bandelwerk, sowohl mit →radierten Gold- und Silberchinesen wie mit polychromen →Chinoiserien, mythologischen Motiven oder Komödianten-, Watteau- und Genreszenen, meist in →Eisenrot und Purpurviolett. Nach Tassen und Untertassen zu urteilen, mit »IAW Augsburg«

19

Randmuster, 18. Jh.

(MT) bezeichnet (British Museum London; Slg. Dr. E. Schneider, Düsseldorf), sind, wie S. Ducret nachweist, unter den Arbeiten der Werkstatt Johann A. die Dekore von geringerer künstlerischer Qualität zuzuschreiben: Goldchinesen, simpel wie Kinderzeichnungen, und, meist in Vierpaß-Kartusche, Landschaften mit schwerfällig gemalter Staffage.
Literatur: Siegfried Ducret. Die Hausmaler Aufenwerth in Augsburg, Die Weltkunst 15.11.1966.

Aufenwerth, Sabina, 1706 Augsburg – 11.6.1782 ebd., Tochter des J. →Aufenwerth, seit 3.12.1731 Frau des Augsburger Goldschmieds und Handelsmanns Isaac Hosennestel. Wie ihre Schwester Anna Elisabeth Wald war sie eine begabte Porzellan-Hausmalerin, der S. Ducret die sorgfältiger dekorierten →Porzellane (Genre- und Watteauszenen, mythologische Motive) der A.-Werkstatt zuweist, nachdem er das goldene Spiegelmonogramm »SAW« auf Tasse und Untertasse eines Teegeschirrs (heute im Schweriner Museum) als »Sabina Aufenwerth« deuten konnte.

Aufglasurfarben, s. Schmelzfarben

Augenkühler, ovales Schälchen mit hö-

herem Fuß, oft reizvoll bemalt, für das Augenbad bestimmt.

Auliczek d. Ä., Dominikus, 1.8.1734 Polička (Böhmen) – 15.4.1804 München, Bildhauer, Porzellanmodelleur. Nach der Lehre bei Franz Pacáks in Leitomischl 1752–1762 Arbeit und Studien in den Ateliers und Akademien von Prag, Wien, Paris, London, Rom. 1762 Rückkehr nach München, 1763, als Nachfolger F. A. →Bustellis, Bossierer und →Modelleur in →Nymphenburg. Seit 1767, nach der Großen Reduktion, die auch A.s Arbeitsmöglichkeiten beschnitt, zusätzlich mit Aufgaben der Großplastik im Park von Nymphenburg beschäftigt. 1772 Hofbildhauer, 1773 Inspektor und Leiter der Manufaktur, 1787 Hofkammerrat. – Abgesehen von dem Perlservice, das A. 1792–1795 schuf, war die Masse seiner Porzellanmodelle im ersten Nymphenburger Jahrzehnt entstanden: neben zahlreichen Einzeltieren, diese meist auf profilierten »Terrassen«, 25 Hatzgruppen, in Aufbau und Thematik – auch mit dem eleganten, dünnen, geschweiften Sockel – seinem Vorgänger nachempfunden; neben 15 »Cupidines« (Putten) 36 sitzende Figuren, einzeln, doch auch zu Gruppen vereint, durch unterschiedliche Attribute als Götter oder Allegorien ausgewiesen; neben Kruzifixen, neben einem überladenen, großen →Tafelaufsatz (mit Pyramide und Figuren als vier Weltteile) 16 zeitgenössische Porträts; Reliefs, die in ihrer Feinheit dem Medaillenstil des Münchner Münzmeisters F. A. Schega verpflichtet sind. – Verglichen mit Bustelli war A. ein

Eklektiker, nicht ohne Talent und Virtuosität, doch trocken, ein Akademiker ohne Witz, Einfall und Charme. Da auch seine Experimente mit Masse, →Glasur und Farben, die unter seiner Regie immer mehr die einstige Qualität verloren, nicht befriedigten und er sich außerdem kaum mehr der Verwaltungsgeschäfte annahm, versuchte Graf Haimhausen ihn bereits 1789 abzuschieben. Dies gelang aber erst ein Jahrzehnt später, 1797, mit seiner Pensionierung.

Literatur: E. Bassermann-Jordan. Dominikus Auliczek. Sein Leben und seine Kunst, München 1902.

Ayrschmalz, Ulrich, s. Nymphenburg

Bachelier, Jean-Jacques, 1724 Paris – 13.4.1806 ebd., Maler und Zeichner. 1748 an die Porzellanmanufaktur in →Vincennes berufen, hier 1751 zum künstlerischen Direktor ernannt; durch die Jahrzehnte wohl maßgeblich an der Entwicklung immer neuer Formen und Dekore beteiligt. Er führte um 1752 zur Figurenbildung das →Biskuit ein; siedelte 1756 mit der Firma nach →Sèvres über und übernahm hier zusätzlich 1766 nach Falconets Ausscheiden, bis zur Einstellung →Boizots 1774, die Funktionen des Modellmeisters. 1785 wird ihm J.-J. →Lagrenée zugeteilt. 1793 zieht sich B., dessen Geschmack und Organisationstalent wohl an entscheidender Stelle das Niveau von Sèvres garantiert hatten, von der Arbeit zurück. – B.s »Mémoire historique sur la Manufacture Royale de porcelaine de France« (Paris 1878) ist eine wichtige Quelle zur Geschichte der Manufaktur.

Baden-Baden
blau u'glas.

Baden-Baden (Baden-Württemberg, →Deutschland), Porzellanmanufaktur 1770–1778, eine der kurzlebigen, kleinen Gründungen, wohl durch den Wunsch hervorgerufen, die Tonlager in der Nähe der Stadt nutzbringend abzubauen. Nach einigen erfolglosen Anläufen um 1750 wagte Zacharias Pfalzer aus Straßburg 1770 eine »Probmachung«, erhielt auch 1771 das Privileg zur Einrichtung einer Fayence- und Porzellanfabrik, wurde aber bereits ein Jahr später, um den Absatz der Durlacher Fayencefabrik nicht zu gefährden, gezwungen, sich auf die Porzellanherstellung zu beschränken. Der Betrieb, der sich sehr bald als unrentabel erwies, besaß wohl zwei Brennöfen und beschäftigte bis zur Stillegung im April 1777 etwa 30 Arbeiter. Pfalzer verließ ein Jahr später B.-B.; die Materialvorräte und die halbfertige Ware wurden aber auf Befehl des Landesherrn, Markgraf Karl Friedrich von Baden-Durlach, aufgearbeitet. – Der Scherben ist graustichig; produziert wurden Kaffee- und Teegeschirr, Tafelzubehör, →Galanterien, kleine Büsten; die Formen sind schlicht, der Dekor beschränkt sich nahezu ganz auf Blumenmalerei. Als Blaumaler werden Kohmann, Joseph Nabor, Winkler, als Buntmaler Franz Michael Glück, Carl Göhringer und Kamm genannt.

Marken: 1770–1777 anscheinend keine →Marke; 1778 das badische Wappen (MT).
Literatur: O. Schmitz. Baden-Badener Porzellan, Oberrheinische Kunst 2, 1925.

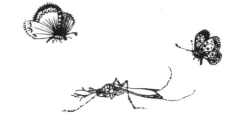

Insekten und Schmetterlinge, 18. Jh.

Bader, Anselm, s. Böttgerporzellan

»Bäckerey von Holländischen Platten und Gefäßen«, s. »Delffter Rund- und Stein Backerey zu Altendreßden«

Bäuml, Albert, s. Nymphenburg

Baignol, Etienne, 1750–1821; anscheinend zunächst Porzellanarbeiter, dann 1789–1794 Porzellanfabrikant in →La Seynie; 1797–1821 Besitzer der Porzellanmanufaktur im Couvent des Grands Augustins zu →Limoges (*Porzellanfabrik 1797–1854*).

Bailly père, s. Vincennes, *Porzellanmanufaktur 1738–1756*

Baranowka (Wolhynien, ehemals →Polen), Porzellanmanufaktur 1804–1939; eine Gründung der Geschwister Adam und Josephine Wallewski, die mit der Leitung der Firma die Brüder →Mezer betrauten. 1820, nach dem Tod von Michael Mezer, ging das Unternehmen, von seinen Söhnen Constantin und Severin aufgekauft, in den Besitz der Familie Mezer über: ab 1845 in Pacht gegeben, 1895 an den Staat verkauft, 1939 erloschen. – Die Produktion war Ge-

brauchsgeschirr – abgesehen von der Ware, meist Kaffee- und Teeservice, die etwa bis 1830 hergestellt wurde und von ausgezeichneter Qualität war. Formal war sie am Beispiel englischen und französischen Porzellans ausgerichtet; der malerische Dekor, im klassizistischen Geschmack, bestand aus Blumen, Veduten, Porträts.

Marken: Lateinisch und kyrillisch Ortsname, auch »Mezer« oder »C. M.« = Constantin Mezer, oft mit Datum, auch mit russischem Doppeladler, verschiedenfarbig, eingepreßt, eingeritzt.

Barbeaux-Dessin (engl. cornflower), auch Angoulême-Dessin genannt, da in der Manufaktur des Herzogs (in der →Pariser *rue de Bondy*) viel benutzt. Angeblich wurde es 1782 von Jean-Jacques Hettlinger, Inspektor in →Sèvres, für Marie-Antoinette entworfen und dann von den meisten Porzellanfabriken in Paris übernommen, ebenso in →Niderviller, →Amstel, →Korzec und verschiedenen englischen Manufakturen.

Barbin, François und Jean-Baptiste, s. Mennecy

Barlach, Ernst, s. Meißen, *Staatl. Porzellanmanufaktur*

22

Barr & Flight, s. Worcester

Bartholmäi (auch Barthelmei), Dr. Jacob, gest. 1742 in Dresden, Leibarzt Augusts des Starken, seit 1708 ärztlicher Betreuer →Böttgers; außerdem aus Neigung und Interesse ein eifriger und gelehrter Mitarbeiter des Arkanisten, für den der Medicus noch dazu einen Zugang zum König bedeutete. B. hatte in seiner »Instruktion« vielerlei Pflichten übernommen, denen er umsichtig nachkam. Auf ausgedehnten Studienreisen, deren Spesen ihm nicht vergütet wurden, besichtigte und zeichnete er keramische Ofenanlagen; er spürte neue Kaolin- und Tonlager auf, orientierte sich an Ort und Stelle über deren Umfang und Qualität; er suchte qualifizierte Arbeitskräfte anzuwerben und zu halten; aus Hamburg brachte er sogar ein Porzellanrezept mit, das ihm von einem »curiösen Töpfer« zugesteckt worden war und selbstverständlich nichts taugte. In den Hofräumen seines großen Grundstücks in der Moritzstraße lagerte er außerdem einen Teil der Materialien, von denen er, wie er selbst schreibt, »vielmahls etliche Zentner Massa abgewogen und selber eingemachet und durchgeknätet« hat. – Bei Gründung der Manufaktur wurde ihm das Geheimnis der Masse, Dr. Nehmitz das der →Glasur mitgeteilt, damit das →Arkanum, wenn dem kränkelnden Böttger etwas zustoßen sollte, nicht wieder verlorenginge. – Er gehörte bis zu Böttgers Tod (1719) der Manufaktur als Arkanist an, hatte sich allerdings bereits 1712, der Quertreibereien des ehrgeizigen Dr.

Nehmitz müde, von →Meißen zurückgezogen. 1735 waren ihm noch nicht die hohen Auslagen, die ihm durch die Zusammenarbeit mit Böttger erwachsen waren, zurückerstattet; erst ein Jahr vor seinem Tod wurde die Schuld abgetragen, zum Teil in →Porzellan, unter dem sich nicht wenig Brack befand.

Bartholomae (Barthelmeß), Georg Ludwig, 1744–24.8.1788 Fulda, Porzellanmodelleur. 1767–1770 in →Ansbach; 1770–1788 in →Fulda, hier Nachbildungen der Winzer, Tänzer und Musikanten des C. G. →Lück, alle ebenso zierlich wie die Originale, doch ohne deren Frische und »Stimmigkeit« in Ausdruck und Haltung.

Barwig, Franz, s. Wien, *Wiener Porzellan-Manufaktur Augarten*

Basdorf (Mark Brandenburg, →Deutschland), »Glas-Porzellan-Manufaktur«, 1751 von Carl Christian und Johann Friedrich Schackert gegründet, beide Glasschneider, die zwar versuchten, →Porzellan herzustellen, aber nur ein Milchglas produzierten, dem sie durch Mattschliff und bunte Bemalung Porzellancharakter gaben.
Literatur: Richard Steiskal-Paur. Basdorfer Glas-Porzellan, Alte und moderne Kunst 109, 1970.

Battersea, heute südlicher Vorort von London, wo, wie die Autoren Rouquet in »L'Etat des Arts en Angleterre« und Dr. Pococke in »Travels through England« mitteilen, um 1753 eine Porzellanmanufaktur bestanden haben soll. Bisher wurde aber, nach H. Jedding, noch kein

J. C. Bayer   Joh. Christoph Bayer

B.-Porzellan festgestellt. Vielleicht liegt eine Verwechslung mit der Email-Manufaktur vor, die von 1753 bis 1756 hier arbeitete (→England).

Bau, Nicolai, 1759–6. 8. 1820, Porzellanmaler (Tiere, Landschaften, Bauernszenen, Silhouetten, häufig in Purpurcamaieu); seit 1788 an der Kgl. Manufaktur zu →Kopenhagen, 1812 zum Obermaler ernannt.

Bauer, Adam, geb. 1743 Ludwigsburg, Bildhauer und Modelleur. Um 1758 Schüler →Lejeunes, rückt zum Hoffiguristen auf; um 1765–1777 auch Mitarbeit an der Porzellanmanufaktur →Ludwigsburg; wird 1772 zum Hauptlehrer, 1774 zum Professor der Bildhauerei auf der Solitüde ernannt, entweicht 1777 aus dem württembergischen Dienst, wird Modellmeister in →Frankenthal, hier noch 1780 erwähnt; geht weiter zu J. Ch. W. →Beyer nach Schönbrunn, ist später in Sterzing am Brenner. – An Porzellanen werden ihm mythologische oder allegorische Figuren und Gruppen, doch auch Volkstypen (Obstbauer, Metzger, Gärtner) zugeschrieben. Eine derbe Gesellschaft: die Körper schmächtig, mit rundem Rücken und kurzem Hals, die Stirn niedrig, das Kinn fliehend, die Haare zottig, die Gewänder lappig, doch auch wieder mit scharfen Gratfalten, Wülsten und steif abstehenden Nähten; disparate Elemente eines Stils, der M. Landenberger aus »der

kräftigen Durchdringung der plastischen Form mit malerischen Tendenzen« zu resultieren scheint.
Literatur: Paul Wilhelm Enders. Der Bildhauer Johann Adam Bauer und seine Modellentwürfe für die Porzellanmanufaktur Frankenthal, Keramos 45/1969; Mechthild Landenberger. Ludwigsburger Porzellanmodelle von Adam Bauer, Keramos 34/1966.

Baumgartner, Andreas, s. Wien, *Porzellanmanufaktur 1718–1864*

Bauscher, s. Selb, *Porzellanfabriken Lorenz Hutschenreuther AG*

»Bavaria«, häufig gebrauchte, zusätzliche Bezeichnung modernen, in Bayern hergestellten →Porzellans.

Bayer, Johann Christoph, 1738 Nürnberg – 20. 12. 1812 Kopenhagen, Maler, Buchillustrator und Porzellandekorateur; Schüler des Johann Christoph Dietzsch in Leipzig. Ab 1768 in →Kopenhagen; 1776 bis 1804 Porzellanmaler (Landschaften) an der dortigen Kgl. Manufaktur; seit 1789 Hauptmaler des Flora-Danica-Services. – B. illustrierte Theodor Holm of Holmskjolds Werk über Pilze; Blumen- und Früchteaquarelle im Staatlichen Kunstmuseum zu Kopenhagen (MT).

Bayer, Johann Ernst, s. Closter Veilsdorf

Bayeux, s. Valognes

Bayreuth/St. Georgen am See (O'franken, →Deutschland), »Braune Porcelain

*1 Flötenvase mit
Indianischen Blumen.
Meißen, um 1730*

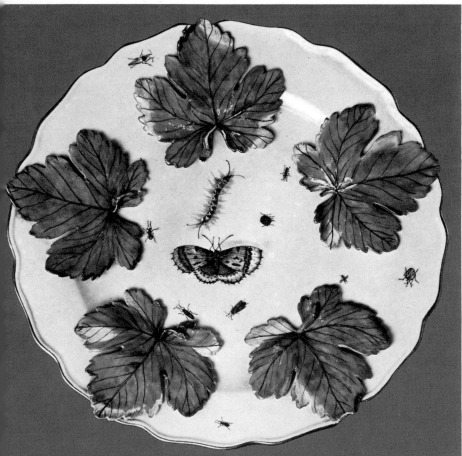

7 Bildnismedaillon des Zaren
Peter d. Großen. Meißen,
Böttgersteinzeug, um 1712.
Modell von Christian
Kirchner

8 Kännchen. Meißen,
Böttgersteinzeug,
um 1710–1720

9 *Kaffeekanne. Wien, Du Paquier,*
um 1725–1730

10 *Kaiserbecher. Wien, um 1720.*
Bemalung von Ch. C. Hunger

11 *Deckelschale. Wien, Du Paquier, um 1735*

12 *Tasse und Teller aus dem Schwanenservice. Meißen, um 1740*

13 *Suppentasse mit Untertasse. Meißen, um 1730. Bemalung von J. G. Höroldt*

14 *Wandleuchter. Chantilly, um 1740*

15 *Kaffeekanne. Wien, Du Paquier, um 1725–1735*

Fabrique«, um 1714–1800. Sie war keine selbständige Firma, sondern ein Produktionszweig der Fayence-Manufaktur, wo man, vielleicht mit Hilfe S. →Kempes aus →Meißen, versuchte, →Böttgersteinzeug nachzuahmen, aber nur zu einem Scherben aus feingeschlämmtem, rotem Ton gelangte, der porös blieb und der →Glasur bedurfte. Doch die Glasur dieser Butter-, Pomaden- oder Apothekerbüchsen, der gut gearbeiteten Krüge, Uhrgehäuse, Schreibzeuge, Teller, Kannen, →Koppchen oder →Kummen bot in ihrer sattbraunen, manchmal auch gelben oder schwarzen Glätte geschickten »Gold- und Silbereinschmelzern«, Malern wie Johann Andreas Fichthorn oder den Mitgliedern der Familie Wanderer aus dem Fichtelgebirge, einen Malgrund, auf dem sich, säuberlich in Gold und Silber radiert, ein Dekor aus →Laub- und Bandelwerk entfaltete, das üppig Wappen, Monogramme, Jagdszenen oder →Chinoiserien umrandete. – Um 1745 bis 1755 muß hier, vielleicht unter Mitwirkung von Ch. D. →Busch, auch →Hartporzellan hergestellt worden sein, wenn es sich bei der graustichigen, fehlerhaften Ware, die B.er →Hausmaler (J. Chr. →Jucht, J. F. →Metzsch) neben →Wiener und Meißner →Porzellan dekorierten, nicht doch um billiges chinesisches Exportgeschirr handelt.

Literatur: Friedrich H. Hofmann. Geschichte der Bayreuther Fayencefabrik St. Georgen am See, Augsburg 1928.

◁ △ *16 Teekanne. Meißen, um 1710–1715. Modell von J. F. Böttger, Bemalung etwas später*
◁ *17 Platte. Wien, Du Paquier, um 1730–1735*

Beaupoil de Saint-Aulaire, s. La Seynie

Bechdolff, Johann Andreas, s. Ellwangen

Becker, Johann Gottfried, Former und Modelleur; 1740 Formerlehrling in der Porzellanmanufaktur →Meißen, 1746 Flucht nach →Höchst, hier bis 1755 mehrere Male anläßlich seiner Hochzeit und verschiedener Taufen als »plastis«, d. h. als Bossierer und →Modelleur der Firma eingetragen; 1756 dann in →Berlin, 1757 in Plötzkau, 1758 in Höxter und 1759/60 wieder in Höchst genannt. Obwohl keine signierte Arbeit vorhanden ist, glaubt S. Ducret diesem geschickten Kaendlerschüler die kraftvollen Höchster Tierplastiken aus Fayence und →Porzellan zuschreiben zu dürfen.

Behrens, Hans, s. Nymphenburg

Belgien, im 18. Jh. noch die österreichischen Erblande mit den alten Provinzen Flandern und Brabant, wo in →Tournai F. J. Peterinck wagen durfte, abgeschirmt durch Wien, eine Porzellanmanufaktur zu eröffnen. In Konkurrenz zu →Sèvres erzeugte sie ein ausgezeichnetes Frittenporzellan. Außerdem arbeiteten in den 80er Jahren in →Brüssel einige kleinere Hartporzellanfabriken, und 1785 hatte sich P. L. →Cyfflé in →Hastière-sur-Meuse niedergelassen.

Benckgraff, Johann Kilian, 1708 Mellrichstadt (U'franken) – 6. 6. 1753 Fürstenberg, Arkanist und Bergrat. Er war anscheinend mit J. J. →Ringler von

C Berlin
*Gotzkowsky
blau u'glas.;
blau, gold,
rot ü'glas.*

→Wien über →Künersberg und →Ellwangen nach →Höchst gekommen; hier 1750–1753 Leiter der Manufaktur, wo er ebenso wie anschließend 1753 in →Fürstenberg die Porzellanproduktion einführte.

Benjamin, s. Paris, *rue du Faubourg-Saint-Denis*

Bérain, Jean d. Ä., 1637–1711, Architekt, Zeichner und Stecher in Paris. Gemeinsam mit seinem Sohn, Jean B. (1678 bis 1726), entwickelte er unter Verwendung und Umformung italienischer und niederländischer Schmuckformen einen neuen, weithin wirkenden Dekorationsstil, der die schwere Barock-Ornamentik ablöste und bezeichnend für den Leichtigkeit bevorzugenden Régence-Stil wurde. Die B.schen Grotesken liegen gesammelt vor in: »Œuvres de Jean Bérain, recueillies par les soins du Sieur Thuret, Paris 1711«.

Béranger, Antoine, s. Sèvres

Bergdoll, Adam, gest. 1797. Er begann als »Anordner und Former« in →Höchst, avancierte hier zum Buchhalter, wurde 1762 als technischer Direktor der Porzellanmanufaktur nach →Frankenthal berufen, 1775 jedoch wieder entlassen, da seine keramischen Kenntnisse nicht ausreichten. – Trotzdem entstand unter seiner Leitung, gestützt auf einen Kreis begabter Facharbeiter, schönstes →Porzellan. Die besten Stücke ließ B. mit seiner Direktorialmarke »AB« zeichnen. – 1795 übernahm er, durch Peter van Recum berufen, noch einmal kurz die Firmenleitung.

Berger, Johann Friedrich, s. Fürstenberg

Berlin
Gotzkowskys »Fabrique de Porcelaines de Berlin« 1761–1763. Dem Wunsch Friedrichs des Großen, 1760 bei einer Inspektion →Meißens im Beisein →Gotzkowskys geäußert – ein Wunsch, der, wie dieser sagte, für ihn einem Befehl gleichkam –, verdankt die zweite B.er Porzellanmanufaktur ihr Entstehen. Obwohl man sich in der unglücklichsten Phase des Siebenjährigen Krieges befand und die Lage Preußens zur Installation eines Betriebs der Luxusindustrie kaum geeignet war, machte sich Gotzkowsky mit dem ihm eigenen Wagemut sofort an die Realisation des königlichen Wunsches. Nach B. zurückgekehrt, erwarb er 1761 in der Leipziger Straße das seinem Besitz benachbarte Dorvillesche Anwesen, wo er die geplante Fabrik zu bauen gedachte. E. H. →Reichard überließ ihm das →Arkanum (für 4000, nach anderer Version 10000 Tl); Joachim Duwald, ein Brenner, baute wohl die Öfen; die Leitung übernahm J. G. →Grieninger. Als Vorsteher der Malstube wurde I. J. →Clauce gewonnen. Die Verpflichtung gerade dieser beiden Männer, denen aus Meißen der Bildhauer F. E. →Meyer so-

wie die Maler C. W. →Boehme, J. B. →Borrmann und K. J. C. →Klipfel folgten, bewies Gotzkowskys Talent, für jede Aufgabe den richtigen Mann zu finden. Nach einer Äußerung Grieningers ist anzunehmen, daß die Fabrikation 1762 angelaufen war. Im Dezember erteilte Friedrich die Konzession; doch bereits im August 1763 sah sich Gotzkowsky außerstande, die Manufaktur weiterzuführen. Riskante Geschäfte, gefordert und gefördert durch die Kriegssituation, waren seiner Kontrolle entglitten; das Ende des Krieges sah den reichen Mann als Bankrotteur. Friedrich, dem er in schwierigsten Situationen durch oft verwegene Finanzmanipulationen mancherlei Dienste geleistet hatte, übernahm sofort, im September 1763, zu dem großzügig bemessenen Preis von 225 000 Tl, die Manufaktur. Das Personal, 146 Angestellte, blieb. An Fertig- und Halbfertigprodukten waren vorhanden: 30 000 rohe und verglühte Geschirre, 10 000 gebrannte weiße und 4866 bemalte Porzellane, dazu 133 Modelle figuralen Porzellans, meist Schäfer- und Kinderstatuetten. Da Gotzkowsky neben dem Arkanum von Reichard auch einen Restposten Wegely-Porzellan übernommen und fertiggestellt hatte, andererseits die Kgl. Manufaktur mit dem großen Vorrat an Gotzkowsky-schem Porzellan begann, sind die Grenzen zwischen den einzelnen Perioden kaum exakt anzugeben. Nur die mit dem Gotzkowsky-G gezeichneten Stücke sind mit einiger Sicherheit der kurzen Frist seiner Fabrikation zuzuordnen, wobei zu bedenken ist, daß die Bemalung späteren Datums sein kann. Wenig ist erhalten.

Kannen, Tassen, Vasen finden sich in den Kunstgewerbemuseen von B., Köln und Hamburg. – Der Scherben aus Passauer Erde ist gelblich-grau, die →Glasur leicht getrübt; die Formen schlicht, doch der malerische Dekor ausgezeichnet.

Marke: »G« = Gotzkowsky, blau u'glas., doch auch blau, gold, rot ü'glas (MT).

Königliche Porzellanmanufaktur 1763 bis 1918; Staatliche Porzellanmanufaktur 1918 bis heute. Der Betrieb, den Friedrich übernommen hatte, war trotz des Bankrotts seines einstigen Besitzers intakt und funktionsfähig. Schnell und gezielt erteilte Anleihen (knapp 250 000 Tl) halfen die Stockung überwinden und verschafften dem Unternehmen die gesunde wirtschaftliche Basis. Die Monopolstellung der Manufaktur in Preußen (bis 1810), die Befreiung von Steuern und Zöllen und das Einfuhrverbot für auswärtiges Porzellan (bis 1818) sicherten Umsatz und Gewinn. Daß der König, anders als August der Starke, von ihm bestelltes Porzellan stets mit vollem Preis aus eigener Schatulle bezahlte, trug wesentlich zur Stabilisierung bei, besonders da Friedrich, wie er selbst sarkastisch bemerkte, »sein bester Kunde« war. Ordnung und Leistung im Innern beruhten auf großzügig bemessenen Löhnen, die auch in Notzeiten (was nicht selbstverständlich war) pünktlich gezahlt wurden; weiter auf dem Ausbau einer Kranken- und Altersversicherung und einer internen Gerichtsbarkeit, durch die Bagatellsachen (bis 1814) rasch und ohne bürokratischen Aufwand geregelt werden konnten. Vor allem aber bewirkte die

fast ausschließlich blau u'glas., ab 1837 gedruckt

Reihe erfahrener und tüchtiger Männer, mit Umsicht und Glück in die Leitung des Unternehmens berufen, trotz der Flauten und Krisen, die auch diesem Werk nicht erspart blieben, eine Stetigkeit beim Gang der Geschäfte, wie sie in der Geschichte der Porzellanmanufakturen nicht häufig zu beobachten ist. An der Spitze, bis 1786, stand Friedrich selbst, der, unterstützt von J. G. Grieninger, nicht müde wurde, technisch und künstlerisch die Qualität seines Porzellans zu steigern und durch unablässige Aufmerksamkeit die Rentabilität der Fabrik zu erzwingen. Ihm folgten bedeutende Technologen wie Friedrich Anton von Heinitz, der 1797 den ersten Etagen-Rundofen und 1799 die erste 10-PS-Dampfmaschine einführte, außerdem die Entwicklung des Gesundheitsgeschirrs, eines billigen Porzellan-Ersatzes (1795–1865 produziert), anregte. Diesem schlossen sich große Keramiker an, wie Georg Friedrich Christoph Frick (1832–1848) oder Hermann Seger und in neuester Zeit Alfred König (1909–1954), die durch Entwicklung ausgezeichneter Farben, neuer Glasuren und neuer Massen, gerade auch technischer Porzellane, der Firma frischen Auftrieb gaben. Sie wechselten mit einfallsreichen und geschickten Organisatoren wie Friedrich Philipp Rosenstiel (1796 bis 1832), der die Manufaktur durch die Jahre der napoleonischen Besatzung hindurchrettete, oder Gustav Ferdinand Hermann Möller, der 1873 die Verlegung der Fabrik aus der Leipziger Straße an den Alten Schafsgraben am Tiergarten beendete. Zu den tüchtigen Organisatoren gehörten ebenfalls die Direktoren Nicola Moufang (1925–1928) und Günther von Pechmann (1929–1938), unter deren Regie, nach der Epoche des Jugendstils mit Theo Schmuz-Baudiss, B. den Anschluß an die Neue Sachlichkeit gewann. Schließlich zählten auch M. A. Pfeiffer und mit und nach ihm Werner Franke dazu, die im November 1943 die Zerstörung des Werkes sahen, dessen Aussiedlung nach →Selb und dem böhmischen Mayerhofen betrieben, die Produktion aber trotz aller Widrigkeiten und Einbußen in Gang hielten und die Firma, nach Kriegsende modernisiert und 1955 aufs neue vereint, am alten Standort wieder aufbauten.

Gotzkowskys graustichiger Scherben aus Passauer →Kaolin konnte den König, der reines Weiß liebte, nicht befriedigen. Noch im September 1763 erteilte er den Auftrag, im eigenen Land nach brauchbaren Erden zu suchen. Im schlesischen Ströbel (Sträbel) am Zobten fand sich ein weißes, mageres Kaolin, dem man, um seine Formbarkeit zu erhöhen, Passauer Erde beifügte. Sie verlieh jedoch der

KPM   KPM

1837–1844   *1844–1847*   *1847–1849*   *1849–1870*   *ab 1870*

»neuen Masse«, um 1765 von Theodor Gotthelf Manitius entwickelt und zu Lieferungen für die Schlösser von Potsdam und Breslau verwandt, einen warmen, zu jener Zeit noch unerwünschten Gelbton. Erst die Erden aus den Lagern bei Brachwitz, Morl und Sennewitz, 1771 nördlich von Halle entdeckt, ergaben ein weißes, fast bläulich schimmerndes Porzellan. Heute, wo der Geschmack milde Tönungen bevorzugt, verarbeitet die Manufaktur Massen aus verschiedensten Erden; komplizierte Mischungen, denen die jeweilige Glasur angepaßt ist.

Obwohl um 1760 →Sèvres, nun unbestritten Arbiter elegantiarum unter den Porzellanmanufakturen, bereits das gemessene Louis-seize pflegte, bewirkte Friedrichs Freude am bewegten, feingliedrigen Rokoko-Ornament in B. eine letzte Blüte dieses dem Porzellan so gemäßen Stils. Von Gotzkowsky hatte die friderizianische Fabrik gut proportionierte, praktikable Geschirrformen übernommen: schlank geschweifte Kaffee-, bauchige Teekannen, deren Maskaron-Tüllen und geflochtene Asthenkel allmählich der Rocaille wichen; dazu eine niedrige und eine höhere Tassenform; Teller, Schalen, Platten, selbst Terrinen, schlicht im Umriß, die Ränder glatt oder leicht geschwungen und eingezogen, die Griffe, meist aus der Muschel entwickelt, fest

und handlich, die Knäufe eine Blüte oder Frucht – nur die Wärmeglocken der →Service Antikzierat krönt verspielt ein Putto. Auch der Dekor, der dem B.er Rokoko-Geschirr das festliche Gepräge gibt, beeinträchtigt nicht die »Zweckform«. Die Muster (→Reliefzierat, →Neuzierat, →Antikzierat, →Neuglatt), spürbar orientiert an Nahls und der beiden Hoppenhaupts Innenausstattung von Sanssouci, hat zwischen 1763 und 1771 wohl F. E. Meyer entworfen. Grundgedanke dieser Muster ist die enge Verknüpfung plastischer und malerischer Elemente, ist das, wie Jedding sagt, schwerelose Übereinandergleiten scheinbar getrennter, dünner Schichten. Über dem Fond, »sichtbar« nur in den schmalen, einfarbig gefüllten, oft goldgehöhten →Mosaiken der Zwickel und Randbordüren (K. J. C. Klipfel), entfaltet sich ein Relief aus Rocaillen, Stegen, Stäben, die sich zu Kartuschen, Spalieren und, bei den Dessertgeschirren, zu vielfältig durchbrochenen Gittern formieren. Die Spaliere und Gitter überspinnen wiederum blühendes Gezweig und flatternde Gewinde; locker gebündelte Buketts akzentuieren die Mitte. – Dieser Blumenflor aus Ranunkeln, Tulpen, Narzissen, aus Rosen und Mohn – beim Roten Service vermehrt um Flieder und Nelken, wenig später beim Gelben Service abge-

37

löst durch Malven, Glockenblumen, Winden und Gräser – ist deliziös gemalt. Zunächst in einem etwas blassen Rosa, Grün, Rot und Gelb in fast impressionistischer Manier; dann festigen sich die Umrisse, die Zeichnung gewinnt an Bestimmtheit, die Palette (mit der 1764 gefundenen Couleur de rose und dem feurigen →Eisenrot) gewinnt an Fülle und Strahlkraft. Nicht ohne Raffinement, gleichsam eine Variante der →Camaïeumalerei, ist der Gebrauch von nur zwei kontrastierenden Farben: Grau und Gold, Schwarz und Rot, Violett und Grün. Neben dieser Blumenmalerei, die, wie Köllmann sagt, »zu den Höchstleistungen der Porzellankunst überhaupt gehört« (Martin Cadewitz, 1770–1780; Johann Baptist Pfürtzel, 1764–1802; Johann Friedrich Raschke, 1763–1786), finden sich, mit gleicher Akkuratesse in einer diffizilen Tupftechnik gemalt, bunt oder auch en camaïeu, die Fliegenden Kinder (nach Boucher) von I. J. Clauce. Es erscheinen die »verspäteten« →Chinoiserien des Japanischen Service (um 1770); seltener sind Früchte, Vögel, Tiere, häufig dagegen nach Watteau, Nilson, Teniers oder Wouwerman galante, ovidische oder dörfliche Szenen. Schließlich finden sich auch, die Theaterwelt einbeziehend, die steif-zierlichen Figurinen nach Chodowieckis Illustrationen zur Lessingschen »Minna von Barnhelm«. Die wichtigsten Namen sind hier C. W. Boehme, J. B. Borrmann, Franz Ludwig Close, wie sein Vater I. J. Clauce ein ausgezeichneter Miniaturist (1788 bis 1811), P. H. B. →Lehmann, Carl Friedrich Thomaschefsky (1765–1780), Carolus Toscani (1763–1765). – Bestellungen des Königs waren meist erster Anlaß zur Entwicklung der verschiedenen Dekore, die dann, vielfältig abgewandelt, auch vereinfacht oder verschmolzen, zum festen Bestand des B. er Programms wurden. Die Reihe der berühmten Service, von W. B. Honey als »landmarks of european porcelain« bezeichnet, beginnt 1765 mit dem Ersten Potsdamer Service in Reliefzierat, die Zwickel auf ockerfarbenem Grund goldgehöht. 1766 folgt im gleichen Dekor, nur mit grünen Zwikkeln, das Ansbacher Service, ein Geschenk für den Neffen Friedrichs, den Markgrafen von Ansbach. Das gleiche wird 1767 als Zweites Potsdamer oder Grünes Service für die Tafel Friedrichs wiederholt. 1767–1771 entstehen in Antikzierat nach- und miteinander ein Service mit blauem Mosaik für das Stadtschloß in Breslau (Breslauer oder Blaues Service), eines mit purpurroten Schuppenfeldern für das Neue Palais in Potsdam (Rotes Service) und ein drittes mit zitronengelben Randfeldern für das Potsdamer Stadtschloß (Gelbes Service). Kaffeegeschirre von erlesener Schönheit setzen die Reihe fort, darunter 1767 ein Tête-à-tête (→Déjeuner) in Neuzierat für den General de la Motte Fouqué, weiter in Neuglatt das Weimarer Frühstücksgeschirr (Schloß Belvedere, Weimar). Obstkörbe und Fruchtschalen, die →Plats de menage, mit ihren Schälchen, Töpfchen, mit Zuckerstreuer, Öl- und Essigkännchen, Bestecke mit hübsch dekoriertem Griff, die Butterstecher oder Sieblöffel, die Tischväschen oder Tisch-Blumentöpfchen, beide mit Porzellanblumen gefüllt, vervollständigen das Ge-

KPM   SgrP

ab 1832 rot,   *ab 1882*   *Jubiläumsmarke 1913*   *1945–1955*
braun ü'glas.

schirrangebot der Manufaktur. Hinzu kam noch 1768 als »Tafelservis mit relief Bluhmen« (seit 1860 Flora-Service genannt) eine Nachbildung von →Gotzkowskys erhabene Blumen und 1769 das →Neu-Ozier, eine der vielen Varianten des Meißner Korbgeflechts. – Außerdem fehlen nicht die →Galanterien: Löschhütchen, Nadeldöschen, Augenwännchen bis zur vollständigen Toilettengarnitur; es fehlen nicht die Schnupftabakdosen, Pfeifenköpfe, Stockgriffe, nicht die exquisiten Spiegelrahmen, die großen Vasen, Leuchter, Wandappliquen, Stutzuhren oder →Brûle parfums.

Sosehr Form und Dekor in ihrer beschwingten Rokoko-Eleganz dem verwöhnten Geschmack des Königs entsprachen, drängte er doch die Manufaktur, damit der »Debit poussiret werden könne«, zur Weiterentwicklung der Modelle »im neuesten Goût«. Antikzierat mit den geraden Stegen und dem bandumschlungenen Stabbündel war bereits ein Schritt in Richtung des modischen Louis-seize; Neuglatt, samt Königsglatt und Englischglatt, reduzierte die Rocaille zu flachen Bogen, die graziös, doch unauffällig am Geschirrand entlangglitten. Antique Kante schließlich, 1782 dem König bei einem Fabrikbesuch vorgelegt, war ebenso wie Mit Perlen glatt ein erster Versuch mit klassizistischen Ornamenten, die dann

1776 das Kaffeegeschirr Vasenförmig mit Stäben aufnahm und, in Anlehnung an englisches Silber und →Wedgwoods Jasperware, fortbildete. Die Tassen, Kannen, Dosen waren als »antikische Urnen« aufgefaßt, noch eirund im Umriß, doch senkrecht kanneliert, der Knauf ein Pinienzapfen, der Dekor ein Fries mit Perlschnüren und Tuchbehängen, dazu ein umkränztes Medaillon. Das →Kurländer Muster, um 1790 als Tafelgeschirr entworfen, verwandte Perlschnur und Tuchbehang, verband sie aber mit Formen strengster klassizistischer Konvenienz. Die Teller sind glatt, die Gefäßwand steil, die Henkel à la grecque, der Deckelknauf ein Pinienzapfen oder ein kantig gebildeter Griff. Abgesehen von der Erfindung einiger Tassenformen – Campanerform und Tasse Etrurisch, aus der Eiform entwickelt, beide mit einem Henkel, der wie ein Band im sanften Schwung aus dem Gefäßerand emporgezogen scheint – begnügt sich die Manufaktur nach 1800 mit einfachsten Geschirrformen. Antikglatt geht vom Zylinder, Konisch vom Kegel als Grundform aus. Angestrebt wird eine Façon, die, wie Köllmann formuliert, als »neutraler Träger für die wechselnden Moden der Malerei« zu dienen vermag. Selbst die Feldherrnservice, das berühmte Wellington-Geschirr nicht ausgenommen, die Friedrich III. nach

39

1815 zur Auszeichnung verdienter Generale arbeiten ließ, nutzten die schlichten Modelle. Nur Terrinen, Fruchtschalen und Eisgefäße wurden gesondert angefertigt. Ihre Formung ist anspruchsvoll und verrät wie andere Ziergefäße der Epoche einen Hang zu Größe und Pathos: die Kandelaber feierlich, die Obstkörbe von Musen oder Grazien gestützt; Tische aus Porzellan, deren Platten zu Trägern kopierter Gemälde werden, und die Vasen, unter eifriger Befolgung archäologischer Belehrung, sind nun als Kratere, Urnen oder Amphoren gebildet. Mit den Entwürfen war meist Hans Christian Genelli, ein entschlossener Klassizist, beauftragt, seltener wohl Schinkel selbst, was nicht ausschließt, daß der große preußische Baumeister durch Beispiel, Korrektur und Rat die Produktion der Manufaktur nachhaltig beeinflußt hat. – Auch der malerische Schmuck folgte dem klassizistischen Kanon. Silhouetten, meist von Wilhelm Friedrich Dittmar (ab 1751), wechselten mit antiken, gemmenartigen Köpfen von Leonhard Posch oder Franz Tittelbach (ab 1766). Veduten, exakt und »poetisch« zugleich, wechseln mit Johann Hubert Anton Forsts Landschaften im romantischen Geschmack; die Szenen aus Mythologie und Geschichte, häufig in Sepiabraun oder en →grisaille, nehmen jetzt einen Hauch der Gelehrsamkeit an, die sie suggerierte. Die Blumenmalerei, auf die keine Manufaktur, in welcher Epoche auch immer, verzichten kann, hatte mit dem schwindenden Rokoko an sinnlicher Fülle und Leichtigkeit verloren. Die Farben werden blasser, die Anordnung schematisch. Eine Ausnahme

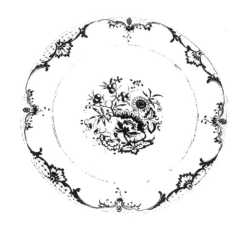

Tellerentwurf, deutsch, 18. Jh. Pinselmalerei in Blau. Staatsgalerie Stuttgart

bilden die Blumen en terrasse, ein neues Muster, um 1790 von Johann Friedrich Schulze (1762–1823) entworfen und die nächsten 20 Jahre viel verwandt, das zwar auch Blumen und Gräser, dichtgereiht wie in Rabatten, ordnet, sie aber dennoch bunt und heiter vom unteren Gefäßrand aufsprießen läßt. Dieser Dekor scheint eine Vorwegnahme der Bordüren, der wohl praktikabelsten Erfindung der klassizistischen Ornamentik. In Anlehnung an pompejanische Beispiele sind sie aus unterschiedlichsten Elementen, immer anders, immer neu, zusammengesetzt. Streifen, Perlschnüre, Punktreihen verbinden sich mit Palmetten, Mäandern und Arabesken, mit Kränzen aus Rosen, Weinlaub oder Lorbeer, vor allem aber mit schütteren Ranken, geflochten aus Blättern des Efeus, der Eiche oder der Olive, deren dekorativer Reiz eben erst entdeckt worden war. Stets ist die Zeichnung präzis, die Naturform stilisiert, der ornamentale Charakter durch Symmetrie gewahrt. – Als Fond wird jetzt, in Verbindung mit reichster Vergoldung, die Steinimitation, ein scheinbares Lapislazuli, ein vorgetäuschter Achat, Porphyr oder Malachit beliebt. Die billigeren Chinémuster, der →Décor bois, selbst die Unterglasur-Blaumalerei (1770 in das Programm nur zögernd aufgenommen) und das Umdruckverfahren dagegen werden selten benutzt; doch es wächst die Neigung, mit den Mitteln der Porzellanmalerei – auf Porzellan als Malgrund – den Wirkungen der Ölmalerei nachzueifern. Die »Blumenporträts« eines Gottfried Wilhelm Völker, strotzende Arrangements, verdrängen die »kleinen Blumen, kleinen Blätter«; der peinlich genauen Kopie berühmter Tafelbilder weichen die winzigen Vignetten, die so subtil wie unprätentiös Geschirr und Gerät geschmückt hatten. Die Entdeckung neuer Farben, darunter um 1815 Chromgrün und Iridiumschwarz, ermöglichen maltechnisch verblüffende Leistungen, aber Anmut und Spontaneität vergehen; die Anstrengungen führen zu ödem Historismus.

Die B.er Porzellanplastik verdankte ebenso wie die dortige Geschirrbildnerei – obwohl sie nicht deren Niveau erreichte – ihre erste Prägung F. E. Meyer. 1761 war er aus Meißen, wo er 13 Jahre unter dem großen →Kaendler gearbeitet hatte, zu Gotzkowsky nach B. gekommen. Bis zu seinem Tod 1785 war er Modellmeister der Manufaktur. Seine Neigung galt einer Spielart des Rokoko, in deren manieristischen Zügen sich bereits der aufsteigende Klassizismus ankündigte. Er bildete die Figur, besonders geschmeidig auch den Akt, mit einer lebhaften, fast outrierten Drehung; die Glieder sind lang und schlank, der Kopf klein, der Gesichtsausdruck liebenswürdig, klug, wach. Der Mercur vom »Schreibezeuge« (1763), das Friedrich II. gern verschenkte, die rokokosüße Venus von 1766 oder aus dem gleichen Jahr die Gruppe Zeit und Ruhm, auch die Chinesen (1768), eine besänftigte, doch sehr elegante Wiederholung der Meißner Malabaren von 1748, sind Beispiele seiner auf schmalem Grat zwischen zwei divergierenden Stiltendenzen verharrenden Formgebung. Hierher gehören auch die Porträtreliefs (1766), liebenswerteste Zeugnisse des Meyerschen Talents: ein Selbstbildnis, das Porträt seiner Frau und das Grieningers mit dessen Familie. Selbst die Voltairebüste von 1774 oder die des Marquis d'Argens (1775) verdanken Charme und Esprit einer Sensibilität, wie sie dem Rokoko eigen war, während die Fridericus-Büste, nur drei Jahre später entstanden, in ihrer »Idealität« erstarrt und ein Selbstporträt von 1785 die Trockenheit zeigt, von der aller Klassizismus bedroht ist. Bestärkt und beschleunigt wurde die Wendung zur klassizistischen Regeldetri durch die Mitarbeit seines jüngeren Bruders W. Ch. →Meyer, Bildhauer wie er, mit verwandter künstlerischer Handschrift, den er 1766–1772 mit vielerlei Aufträgen bedachte. Gemeinsam schufen sie ihre Modelle, und zwar nahezu ausschließlich mythologischer und allegorischer Art; gemeinsam arbeiteten sie auch 1770–1772 an dem vielfigurigen →Tafelaufsatz für Katharina II., einem Geschenk des Königs für die Zarin (Eremitage, Leningrad). Beiden gehören auch die quicklebendigen Putten und Kinder, die in unterschiedlichen Serien Berufe, Jahres- und Tageszeiten, Monate, Elemente, Gottheiten oder die Freien Künste darstellen. – Unter den vielen Namen, die die Lohnlisten nennen, sind nur wenige mit bestimmten Arbeiten zu verbinden. Pedrozzi, 1765–1767 »Poussirer und Massa Arbeiter« in B., modellierte, an Kaendler ausgerichtet, eine Reihe Vögel und versah einige Vasen mit zarten Reliefs mythologischen Inhalts. Samuel Gottlieb Poll (1771–1774) wird mit einer Freimaurer-Statuette erwähnt, Johannes Eckstein (1775) mit Hunden, Pferden, samt ihren Reitern und Stallburschen. Johann Georg Müller aber, 1763 wohl als Lehrling in die Manufaktur eingetreten, bald die rechte Hand Meyers, 1785–1789 als Modellmeister dessen Nachfolger, ist sicher zu Recht für das Gewimmel der Götter und Helden, der ovidischen Gruppen und vielerlei Allegorien verantwortlich zu machen, die mit ihrer faden Puppenhaftigkeit nur noch Langeweile erregen. Um dieser abzuhelfen, drängte Freiherr von Heinitz, seit des Königs Tod für das Gedeihen der Firma verantwortlich, auf intensivere Mitarbeit bekannter Bildhauer und Architekten. Der Modellmeister der Fabrik, von 1789 bis 1834 Johann Carl Friedrich Riese, ein Berliner, von Jugend auf (seit 1770) in der Manufaktur, selbst nur ein mittelmäßiges Talent, war beweglich und auch bescheiden genug, um Anregungen, Skizzen oder Modelle von Genelli und Schadow, von Schinkel, Leonhard Poll oder Christian Rauch an-

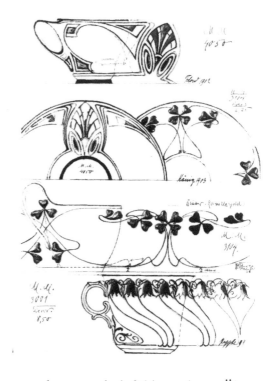

zunehmen und einfühlsam deren Übersetzung in Porzellan zu fördern. Am Figurenaufgebot der Tafelaufsätze wie Das Reich der Natur (1788–1791), Der Berg Olympos (um 1800) oder dem Wellington-Aufsatz (1817–1819) ist abzulesen, wie schwierig es selbst für diese begabten Klassizisten war, Winckelmanns Devise von der »edlen Einfalt und stillen Größe« zu genügen, ohne der Glätte, Schablone und Kälte zu verfallen. Es entstanden aber auch Plastiken wie Schadows bezaubernde Iris aus dem Tafelaufsatz Das Reich der Natur oder die berühmte Prinzessinnengruppe von 1795, ein Werk, das bis in die Regung jeder Falte vom lieblichsten Leben erfüllt ist. Die farbige Fassung des figuralen Porzellans, selbst unter Meyers Direktion von schwanken-

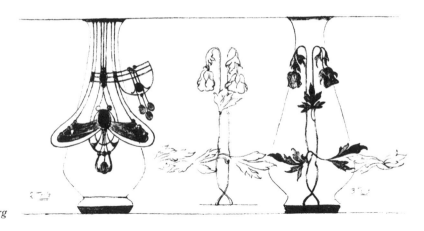

der Qualität, verdrängte gegen Jahrhundertende allmählich der weißglasierte, unbemalte Scherben und das matte, marmorähnliche →Biskuit. – Neben dem zügig mit der Skulptur verbundenen Rocaillesockel benutzte Meyer auch die einfache Plinthe, meist mit einer Spur von Gras bedeckt. Daneben wurde das Podest, später vor allem die kantige Platte, verwandt. Die Sockel waren häufig farbig staffiert, in der Frühzeit selten mit Gold gehöht.

Wie überall bedeutete das 19. Jh. auch für B. den Abstieg. Zwar hinterließ Georg F. Ch. Frick, jahrzehntelang Arkanist und ab 1832 Direktor der Firma, 1848 einen Betrieb, der, modernisiert, die Manufaktur in eine »ausgedehnte Fabrikanstalt« verwandelt hatte, so daß sie den technischen Ansprüchen des Industriezeitalters genügte. Aber mit der technischen Perfektion ging ein Verlust an Stil einher, an künstlerischem Niveau, den bereits 1855 eine Jury anläßlich der Pariser Weltausstellung rügte und den die Kommission, 1878 vom preußischen Abgeordnetenhaus zur Überprüfung der ästhetischen Qualitäten des B.er Porzellans eingesetzt, aufs neue konstatierte. Als Wurzel der Fehlleistungen wurde auf den fragwürdigen Ehrgeiz hingewiesen, historische Vorbilder in andersartigem Material und zu anderen Zwecken nachahmen zu wollen und sie nachahmend zu verfälschen. In der Nachfolge Gottfried Sempers, der bereits 1851 nach der Londoner Industrieausstellung grundsätzlich diesen kritischen Einwand formuliert hatte, forderte das »Berliner Protokoll« Übereinstimmung von Material, Zweck, Dekor und Form. Jedoch kamen dieser Forderung nicht Künstler wie der Bildhauer Paul Schley oder die Maler Alexander Kips und Paul Miethe nach, die mit ihren Porzellanen einem zum gleichen Zeitpunkt noch geradezu exzessiven Neurokoko frönten; die Befreiung vom Ballast historisierender Schmuckformen bewirkte vielmehr ein Techniker. Im April 1878 war Hermann Seger, einer der bedeutendsten Keramiker der Epoche, zum Leiter der kurz zuvor gegründeten Chemisch-Technischen Versuchsanstalt der Manufaktur bestellt worden. In wenigen

Jahren schuf er mit dem Instrumentarium exakter Naturwissenschaft, der Porzellanindustrie, die sich bis dahin lediglich auf einen Fundus tradierter Erfahrungen stützte, die wissenschaftliche Grundlage. Von dieser ausgehend, fand er, im regen Wettbewerb mit Sèvres, →Kopenhagen und Meißen, die neuen Glasuren (darunter das Seladon und →Sang-de-bœuf); außerdem erweiterte er die Unterglasurpalette, die dann Alfred König um 1900 durch kräftige Gelb-, Rot- und Brauntöne bereicherte. Er fand, angeregt durch die Analyse japanischer Scherben, um 1880 das Segerporzellan mit der niedrigen Garbrandtemperatur von 1250 °C, dessen Formbarkeit Albert Heinecke noch im eigenen Experiment steigerte. Auf dieser Masse mit dem geringen Kaolingehalt, auf Gefäßen, nach dem schlichten Beispiel ostasiatischer Keramik geformt, entfalteten die neuen Glasuren, fließend, tropfend oder stockend, in breiten Flächen oder schmalen Rinnsalen, geflammt, kristallisiert oder gekrackt, eine in unerwarteten Nuancen aufbrechende, von jeder gegenständlichen Anspielung befreite Schönheit. Unseren durch das »abstrakte Sehen« geschulten Augen wollen diese Seger-Gefäße moderner scheinen als das Jugendstilporzellan, dessen technische Voraussetzung sie sind. – 1902 hatte die Manufaktur Theo Schmuz-Baudiss berufen, mit dessen Hilfe künstlerisch der Anschluß an die Moderne gewonnen werden sollte. Pflege und Ausbau der Unterglasurmalerei waren ihm anvertraut, die eine Vereinfachung aller Gefäßformen nach sich zog; eine Reduktion, der Schalen, Vasen, Do-

sen, doch auch Tafelgeschirr, wie das Ceres-Service von 1912, unterworfen wurden. Der großzügige Dekor, mit dem Ärographen über den verglühten Scherben gesprüht, bedurfte der glatten Fläche, der reinen Kontur. In der Farbe gedämpft, in Umriß und Detail scharf konturiert, reihen sich betont flächig und bewußt symmetrisch Blatt und Blüte, Vogel und Fisch. Die Naturform ist klar erfaßt, doch durch eine »erlesene Ornamentphantasie« in ein »dekoratives Gespinst verwandelt« (Robert Schmutzler). Nach dem gleichen Prinzip behandelte Schmuz-Baudiss auch Elemente des Landschaftdekors. Wiese, Baumwipfel, Bergmassiv, Wolke verschmelzen im schleierigen Dunst zu farbigen Massen, die sich wohlponderiert in die Fläche breiten, so besonders geeignet als Schmuck der Wandteller und Bildplatten, doch auch der Vasen und Dosen. Neben Schmuz-Baudiss nahm Franz Türcke, ebenfalls in Unterglasurmalerei, das alte Thema der Vedute wieder auf. Muffelfarben, meist in kräftigen Kontrasten, nutzten die Blumen- und Ornamentemaler der Manufaktur; darunter Willy Stanke, Heinrich Lang und Adolph Flad, der, wie Max Vopel, Anregungen des Wiener und Darmstädter Jugendstils verarbeitete. – Dieser Erneuerung von Form und Dekor folgte, besonders seit Schmuz-Baudiss 1908 (bis 1926) zum artistischen Direktor ernannt worden war, die energisch vorangetriebene Wiederbelebung der Porzellanplastik. Die kleinen Figurinen tauchen nun wieder auf, neu empfunden, neu gesehen, mit dem Willen zur entschiedenen Vereinfachung gebildet:

44

eine Schlittschuhläuferin von Hermann Hubatsch, ihr verwandt die Schneeballwerferin Rudolf Marcuses; eine Moderne Dame und ein melancholischer Pierrot von Josef Wackerle; daneben vielerlei Getier von den zärtlich-verkuschelten Rußköpfchen Wilhelm Robras über die Vogelsatiren von Eduard Klablena bis zu Anton Puscheggers kraftvoll-gespannten Leoparden, seinem liegenden Königstiger und Eisbären; allen voran aber Adolph Ambergs Hochzeitszug, 1904/05 zur Hochzeit des deutschen Kronprinzen entworfen, vom Hof zwar abgelehnt, doch von der Manufaktur angekauft und 1908 bis 1910 ausgeformt. Dieser Tafelaufsatz, wieder wie im 18. Jh. für den festlich gedeckten Tisch gedacht, bestand aus einem Ensemble mit zwei Girandolen, zwei flachen Fruchtschalen, einer →Jardinière und den 18 Figuren, die im huldigenden Reigen der Braut und dem Bräutigam (diese zwei Reiterstatuetten) voraneilen oder nachfolgen. Die einzelne Figur, straff, federnd, vital, in großen Flächen und weichen Rundungen modelliert, ist trotz ihrer Geschlossenheit, die die breit angelegte Unterglasurbemalung noch steigert, trotz ihres individuellen Gepräges mit der lebhaften Drehung von Oberkörper und Kopf, mit dem weitausholend tänzerisch leichten Schritt einer zusammenfassenden Choreographie unterworfen. Sie ist in Gestus, Gedanke und Stil zu einem »Gesamtkunstwerk« vereint, das Köllmann zu den bedeutendsten Arbeiten moderner Porzellanplastik zählt.

Der Ausbruch des Krieges 1914/18 unterbrach diese fruchtversprechenden Ansätze. Abgesehen von wenigen, stilistisch stark unterschiedenen Arbeiten, die Ludwig Gies, Richard Scheibe, auch Edwin Scharff in den zwanziger Jahren und Paul Scheurich 1940–1942 (Geburt der Schönheit) für B. schufen, konzentrierte sich die Manufaktur – seit 1918 »Staatlich Berlin« – besonders unter der Leitung Günther von Pechmanns auf die Entwicklung moderner Gefäße und Geschirre. 1927 entstand das Teeservice Halle-Form von Marguerite Friedländer-Wildenhain, 1930 das Urbino-Service von Trude Petri; 1938 von ihr und Sigmund Schütz, mit zierlichsten Biskuitmedaillons an klassizistische Traditionen anknüpfend, das Arkadische Teegeschirr. 1941 entwarf Gerhard Gollwitzer ein Tafelservice mit Feldblumenrelief, 1952 schuf Hubert Griemert das Mokkaservice Krokus. Alle diese Geschirre, Vasen, Schalen oder Lampen basieren auf Forderungen und Theorien der Neuen Sachlichkeit. In aller Entschiedenheit sind sie durch Material, Funktion und durch den Zwang des Fabrikationsprozesses bestimmt, nahezu schmucklos, scheinbar sehr einfach, in Wahrheit aber durch genauestes Kalkül der Proportionen von schönster Vollkommenheit.

Marken: 1763 bis heute das Zepter, dem brandenburgischen Wappen entnommen, in unterschiedlichster Zeichnung, blau u'glas. (1–9); ab 1837 blau u'glas. gedruckt; 1837 bis 1844 mit Beischrift »KPM« (10); 1844–1847 preußischer Adler mit »KPM« (11); 1847 bis 1870 Rundmarke mit Adler und Umschrift »Königl. Porzellan Manufaktur« und Zepter (12, 13); ab 1870 Zepter mit schrägem Querstrich, gestempelt (14). Sondermarken: ab 1832 zusätzlich der Reichsapfel mit Beischrift »KPM«, rot ü'glas., für Porzellan, das in der Manufaktur bemalt wurde (15); ab 1882 Zepter mit Beischrift »Sgr. P« für Seger-Porzellan

(16); 1913 Jubiläumsmarke »1763 FR 1913«, rot oder grün ü'glas. (17); 1945–1955 Zepter mit »S« = Selb für dort produziertes Porzellan (18).

Literatur: Auguste Dorothea Bensch. Die Entwicklung der Berliner Porzellanindustrie unter Friedrich dem Großen, Berlin 1928; Berliner Porzellan 1751–1954, Kunstgewerbemuseum Köln 1954 (bearb. von Erich Köllmann); Berliner Porzellan des 18. Jahrhunderts aus dem Kunstgewerbemuseum, Berlin/Ost 1961 (bearb. von Gisela Krienke); Jubiläumsausstellung des Kunstgewerbemuseums Berlin im Schloß Charlottenburg zum 200jährigen Bestehen der Staatlichen Porzellan-Manufaktur Berlin 1963 (bearb. von Wolfgang Scheffler); Berliner Porzellan des 18. Jahrhunderts. Ausstellung zum 200jährigen Jubiläum der Manufaktur, Kunstgewerbemuseum Berlin/Ost 1963 (bearb. von Götz Eckardt); Georg Kolbe. Geschichte der königl. Porzellanmanufaktur zu Berlin, Berlin 1863; Erich Köllmann. Berliner Porzellan. Ein Brevier, Braunschweig/Berlin 1963; Ders. Berliner Porzellan 1763–1963, 2 Bd., Braunschweig 1966; Georg Lenz. Berliner Porzellan. Die Manufaktur Friedrichs des Großen 1763 bis 1786, 2 Bd., Berlin 1913; Wolfgang Scheffler. Berlin im Porzellanbild seiner Manufaktur, Berlin 1963; Irene von Treskow. Die Jugendstilporzellane der KPM, München 1971.

Porzellanfabrik Schumann 1832 bis 1880. Produzierte hauptsächlich Tafelgeschirr.*

Porzellanmanufaktur Wegely 1751–1757. Abgesehen von der Fabrik des preußischen Ministers Görne in →Plaue liefen in B. erst nach 1740, dem Regierungsantritt Friedrichs II., Versuche zur Por-

zellanherstellung an, da der vorsichtig-sparsame Soldatenkönig für Experimente mit ungewissem Ausgang nicht zu gewinnen gewesen wäre. Friedrich aber bewunderte das schöne Material, das er von jung auf in erlesenen Beispielen aus den Sammlungen seiner Familie kannte. Als Kronprinz soll er sich auch für Görnes Unternehmen interessiert haben; doch an die Macht gekommen, bewies er, im Gegensatz zu vielen seiner Standesgenossen, bei der Abschätzung der Möglichkeiten Geduld und Skepsis. Ch. C. →Hunger, der 1741 auftauchte, wurde abgewiesen; Heinrich Pott, ein erfahrener Chemiker aus B., nur kurz (1745/46), unterstützt. J. C. →Gerlach und der »Fabrikant« Gottlieb Kayser, die Friedrich 1746 nach dem Zweiten Schlesischen Krieg von Meißen nach B. gefolgt waren, erhielten ein knappes Jahr Zuwendungen aus der königlichen Schatulle; die Brüder Schackert aber mußten als Domizil →Basdorf wählen. Erst W. C. →Wegely, einem reichen Wollenzeug-Fabrikanten, von dem man annehmen durfte, daß er über ausreichende Mittel zum Betrieb einer Manufaktur verfügte, wurde 1751 das Privileg erteilt. Ihm schenkte der König außerdem das Grundstück (neben Wegelys Wohnhaus gelegen) mit dem Kommandantenhaus am ehemaligen Königstor in der Neuen Friedrichstraße

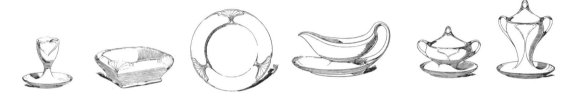

(nahe dem Alexanderplatz), wo die Fabrik ihren Sitz fand. Für die Einfuhr der Rohstoffe wurde ihm Zollfreiheit gewährt. – Die Nachrichten über Anlauf, Fortgang und Umfang der Produktion sind spärlich, Beispiele des erzeugten Porzellans selten (Kunstgewerbemuseen Hamburg, Köln; B., Schloß Charlottenburg und Märkisches Museum; Nationalmuseum Stockholm; Eremitage Leningrad). Arbeiter und Künstler kamen wohl aus Meißen und →Höchst, letztere vielleicht vermittelt durch J. K. →Benckgraff, den Höchster Direktor, der B. auch das Modell eines Brennofens und Dosenmasse geschickt haben soll. Wie die Analyse eines Klumpens Porzellanmasse zeigte, der 1880 beim Stadtbahnbau auf dem einstigen Wegelyschen Fabrikgelände gefunden wurde, hatte die Firma das Kaolin aus →Aue bezogen. Der Scherben mit dem ungewöhnlichen Versatz aus etwa 80% Porzellanerde und nur 20% →Feldspat und →Quarz ist weiß, kaum durchscheinend, häufig verzogen, mit der Neigung zu Rissen; die Glasur mager, graustichig, oft blasig und ungleich geflossen. Produziert wurden Geschirr, Vasen, Figuren. Die Formen sind schlicht, Kaffee- und Teeservice meist glatt, Tafelgeschirr dagegen reliefiert (darunter ein Service für Graf Gotter); der malerische Dekor ist häufig Purpurcamaïeu, doch auch bunt mit lebhaftem Grün, Blau, Gelb und Braun. Die Muster (neben der einfachen Blaumalerei) erscheinen minutiös hingetupft: Putten, Watteauszenen, Landschaften, wohl von I. J. Clauce; außerdem, wahrscheinlich ein Höchster Muster, Blumensträuße mit gefüllter, üppiger Mohnblüte. Die Vasen präsentieren sich bereits in beträchtlicher Größe, mit Durchbruch oder in Rocaillen gebildet, mit aufgelegten Ranken, Vögeln, Putten und mit possierlichen, kleinen Kavalieren als Deckelknauf versehen. Der plastische Schmuck ist meist farbig gehöht (bisweilen in kalter Lackmalerei), während der Vasenkörper unbemalt bleibt. – Das figurale Porzellan, Burschen und Dirnen, Putten und Kinder oder auch Götter und Göttinnen verraten mit ihren kurzen Beinen, dem großen Kopf und gedrungenem Körperbau Lust am Ländlich-Deftigen. Die Sockel sind glatt, mit Blüten und Blättern verziert, doch finden sich auch höhere Postamente oder die geriefelte Rocaille. E. H. Reichard, dem die besten Arbeiten zuzuschreiben sind, nutzte wohl Meißner Vorbilder, variierte sie aber auf selbständige Weise. Auch die Bemalung der Figuren erinnert an die kräftigen Kontraste der frühen Meißner →Staffierung. – Der König, dessen Geschmack einem verfeinerten Rokoko zuneigte und den technische Mängel empfindlich stör-

W

1, 2 Berlin
Wegely

blau u'glas.   *eingepreßt*

ten, verlor bald das Interesse an Wegelys Fabrik. Er ermöglichte ihm auch nicht 1756, nach der Besetzung Sachsens durch die preußische Armee, den Zugriff auf Meißen, sondern verkaufte kurzerhand die beschlagnahmten Porzellanvorräte an den Armeelieferanten Schimmelmann und gab diesem die sächsische Manufaktur in Pacht. – Die wirtschaftliche Lage zwang Wegely 1757, seinen Betrieb zu schließen.

Marken: »W« = Wegely, blau u'glas. (1); dazu häufig drei übereinanderstehende Zahlen, meist durch Querstrich getrennt (vielleicht Masse- und Modellnummern), eingepreßt (2). *Literatur:* Gisela Zick. Berliner Porzellan der Manufaktur von Wilhelm Caspar Wegely 1751–1757, Berlin 1978.

Berthevin, Pierre, französischer Keramiker, wahrscheinlich aus →Mennecy, der sich, obwohl kein Arkanist, als »chimiste et artiste en porcelaine« bezeichnete, 1765 kurz in →Kopenhagen arbeitete und 1766–1769 Leiter der schwedischen Fayencefabrik →Marieberg war. Dort produzierte er eine →Pâte tendre nach Rezepturen von Mennecy und erprobte, unterstützt durch den Keramikmaler Anders Stenman aus →Rörstrand, die englische Technik des Transferprinting (→Druckdekor) – die B. häufig als eigene Erfindung ausgab – auf dem Fayencegeschirr der Firma in Schwarz, Rot und Dunkelbraun. H. →Sten, sein

Nachfolger, verfeinerte und bereicherte diesen Dekor durch die Aufnahme von Wappenmustern, Boucher-Putten und →Chinoiserien. – 1769 tauchte B. in →Den Haag auf, von wo ihn der pfälzische Gesandte Baron Cornet nach →Frankenthal empfahl. Hier demonstrierte B. das Umdruckverfahren, nun in Kobaltblau unter der →Glasur auf →Porzellan, eine Anwendung des Transfer-printing, auf die er wohl selbst gekommen war. Da die Porzellanmaler der Manufaktur Widerstand gegen die Mechanisierung ihres Handwerks leisteten, schob die Firmenleitung B. nach Mosbach ab, wo er 1770 mit kurfürstlicher Hilfe eine Fayencefabrik eröffnete, die das Umdruckverfahren für ihre Produkte übernahm. Nach Zwistigkeiten mit der aufsichtführenden Behörde wurde B. 1772 entlassen. 1774 ist er dann Leiter der Manufacture des poteries pour les colonies in →Sèvres; doch bereits 1777 bewirbt er sich, allerdings vergeblich, um die Stelle eines Direktors der Porzellanmanufaktur von →La Seynie.

Bertrand, Porzellanmaler (Blumen); 1757–1774 an der Porzellanmanufaktur von →Sèvres.

Bettignies, Jean Maximilien Joseph de, s. Saint-Amand-les-Eaux und Tournai

Beuchel, Christian Gotthelf, s. Fürstenberg

Bey, de, s. Sceaux

Beyer, Johann Christian Wilhelm, 27.12.

*18 Teekanne.
Meißen, um 1725.
Bemalung von
Ch. F. Herold;
Montierung von
Elias Adam,
Augsburg 1735/36*

*19 Hausmaler-
Teller.
Meißen, um 1735.
Hausmalerei von
F. F. Mayer-
Preßnitz, um 1755*

20 *Jagdvase mit
Deckel. Meißen,
1739.
Modell von J. J.
Kaendler und
J. F. Eberlein,
Bemalung wohl
von J. G. Heintze*

21 *Walzenkrug ▷
mit Genreszenen.
Meißen, um
1723/24.
Bemalung wohl
von J. G. Höroldt*

22 Dessertteller mit plastischem
Dekor. Meißen, gegen 1750

23 Zuckerdose.
Berlin, Wegely, um 1755

24 *Vase mit Reiher in Landschaft.*
Vincennes, um 1750

25 *Déjeuner. Wien, um 1765–1770*

27 Gläserkühler.
Meißen, um 1735

◁ 26 Kühlgefäß aus
dem »Vogelservice«.
Frankenthal, 1771

28 Muschelbecken
mit Chinoiserie-
Dekor.
Meißen, um 1730

29 Suppenteller mit Rotem Drachen.
Meißen, um 1730–1735

30 Teller mit Phönixdekor. Meißen, um 1735

31 Schale mit gelbem Löwen.
Meißen, um 1740–1750

32 Teller mit Kakiemon-Dekor.
Meißen, um 1735

1725 Gotha – 23. 3. 1806 Schönbrunn, Maler, Bildhauer und Porzellanmodelleur. Als Sohn eines Hofgärtners zum Gartenarchitekten bestimmt, kam er früh über Dresden nach Stuttgart, ging von hier, auf Wunsch des Herzogs Carl Eugen, 1747 zum Studium der Baukunst nach Paris. Anschließend begab er sich, um sich »ein Mehreres in der Mahlerey zu habilitieren«, 1751 nach Rom und gehörte hier zu dem lebensvollen prägenden Kreis um Winckelmann, unter dessen Einfluß er sich der Bildhauerei zuwandte. Nach Stuttgart zurückgekehrt wurde er im November 1759 als »Statuaire« in den herzoglichen Dienst übernommen. 1761 wirkte er zusätzlich als Lehrer an der Kunstakademie und als Inspizient der Bossierer in der Porzellanmanufaktur Ludwigsburg, mit der Aufgabe, das Repertoire an figuralem Porzellan durch eigene Modelle und Entwürfe zu bereichern. In zwei Foliobänden, 20 Jahre später in Wien herausgegeben (Österreichs Merkwürdigkeiten, die Bild- und Baukunst betreffend, 1779; Die neue Muse oder der Nationalgarten, 1784), nimmt B. Bezug auf einige dieser Arbeiten, die er »für Se. herzogl. Durchlaucht von Württemberg in Porzellanerde gemacht« hatte. Unter Bacchanten, Musen, Grazien finden sich eine Trauernde Artemisia, ein die Syrinx blasender, ein die Zimbel schlagender Satyr, eine Ariadne und Lenae, ein Harpokrates, die Gruppe »Amor und Psyche«. Von diesen gesicherten Beispielen ausgehend, die alle den gleichen entschiedenen Stilwillen bezeugen, ist es möglich, dem Bildhauer – neben antikisierenden Figuren – auch unter den Ludwigsburger Volkstypen Jäger, Fischer, Gärtner, samt ihrem weiblichen Gegenüber, zuzuweisen. Diese Plastiken verbindet (worauf M. Landenberger hinweist) das Interesse des →Modelleurs an schwierigen Bewegungsabläufen und die souveräne Beherrschung der Mittel, die ihm gestattete, Wendungen und Drehungen des Körpers als wohllautenden Rhythmus sichtbar zu machen. – B. kam aus Rokoko-Traditionen, drängte aber, wohl durch Winckelmann gewonnen, dem klassizistischen Kunstevangelium zu. Doch ehe er mehr und mehr der Kühle und Glätte erlag, von denen der »Goût grec« bedroht ist, gelang ihm mit seinen sieben Musiksoli (1765/66) die glücklichste Synthese von Norm und warmer, rokokohafter Regung. Diese Figurinen, in sich versunken, auf ihre Lektion konzentriert, öffnen den Blick für den Charme bürgerlicher Lebensweise; innerhalb der Porzellanplastik eine neue Dimension. – 1767 verließ B. den württembergischen Dienst. Er wandte sich nach Wien und wurde hier 1770 zum Kaiserlichen Statuarius und Hofmaler ernannt. 1773–1780 schuf er, unterstützt von einer großen Werkstatt, die Parkplastik von Schönbrunn.

Literatur: Otto von Falke. Ludwigsburger Porzellanfiguren von Joh. Christ. Wilh. Beyer, Amtliche Berichte aus den königlichen Kunstsammlungen, Berlin, 38. Jg. 1916.

Beyerlé, Jean Louis Baron de, s. Niderviller

Bibra, Heinrich VIII. v., Fürstbischof, s. Fulda

Billingsley, William, 1758 Derby – 1828

Coalport, englischer Porzellanmaler und Gründer der Porzellanmanufakturen in →Pinxton, Brampton-in-Torksey (Lincolnshire) und →Nantgarw. Er begann seine Laufbahn als Porzellanmaler in →Derby (Blumen und Landschaften), eröffnete eine eigene Malereiwerkstatt in Mansfield, wo er für auswärtige Manufakturen arbeitete und begab sich dann in die Dienste von J. → Rose in →Coalport, nachdem ihn geschäftliche Mißerfolge immer wieder zwangen, seine eigenen Unternehmen aufzugeben. Seine Blumendekors zeichnen sich durch kräftige Farben aus; für Landschaften ist →Boreman sein Vorbild.

Binet, geb. 1731, Porzellanmaler (Blumen); 1750–1775 an den Manufakturen →Vincennes und →Sèvres.

Biourge, s. Brüssel, *Porzellanmanufaktur Schloß Monplaisir*

Birkner, Gottlob Sigismund, s. Meißen, *Staatl. Porzellanmanufaktur*

Birnbaum, Johann Christian August, s. Meißen, *Staatl. Porzellanmanufaktur*

Biskuit (von ital. biscotto, zweimal gebacken), unglasiertes →Porzellan, im Scharffeuer gebrannt, dessen matte Oberfläche an Alabaster oder Marmor erinnert; 1751 von →Bachelier in →Vincennes zur Herstellung figuralen Porzellans verwandt. Mit dem aufkommenden Klassizismus, der das marmorähnliche Material schätzte, wurde es bald in allen größeren Manufakturen nachgeahmt.

Blanc-de-Chine, produziert in Tê-hua, dem Töpfereizentrum der südchinesischen Provinz Fukien; ein →Weichporzellan mit weißem Scherben und sahnigglatter →Glasur; in Europa so benannt, da es, vor allem im 17. und 18. Jh., meist unbemalt importiert wurde. Beliebt waren neben Vasen, Bechern oder Weihrauchgefäßen, die im Relief aufgelegte Prunusblüten zierten, vor allem kleine Statuetten aus dem Umkreis buddhistischer Frömmigkeit: die Kuan Yin, Göttin der Barmherzigkeit, und die →Pagoden, die, in ihrer religiösen Bedeutung unverstanden, in vielen europäischen Manufakturen abgeformt, variiert und kopiert wurden (→Meißen, →Saint-Cloud, →Chantilly, →Mennecy, →Vincennes, →Buen Retiro und →Bow).

Blancheron, E., s. Paris, *rue de Crussol*

Blankenhain (→Thüringen, DDR), VEB Porzellanwerk »Weimar-Porzellan«; 1790 gegr. als Porzellanmanufaktur B. von Christian Andreas Wilhelm Speck aus Magdeburg, der als Arbeiter in →Großbreitenbach begann und dem in der eigenen Firma die Produktion eines ausgezeichneten, sparsam dekorierten →Porzellans gelang.
Marken: Schriftzug »Weimar-Porzellan«, mit Wappen, gestempelt (MT).

Blaues oder Breslauer Service, s. Berlin, *Kgl. Porzellanmanufaktur*

Bleiglasur, transparent, oft allerdings durch Beigabe von Metalloxiden gefärbt: eine →Glasur aus Sand, Salz, Wasser und

Bleiglanz, seit der Antike bekannt, viel benutzt, häufig auch die Glasur einfacherer Irdenware.

Bleu agate, ein blasses Kobaltblau, in →Sèvres während des 19. Jh. auf →Hartporzellan verwandt.

Bleu céleste (auch Bleu nouveau, Bleu de →Sèvres, Beau bleu), ein lichtes Blau, um 1752 als Fondfarbe, aus Kobalt, durch Zinkoxid aufgehellt, von J. →Hellot in →Vincennes entwickelt.

Bleu lapis (auch Bleu de Vincennes), ein Blau, dem Lapislazuli ähnlich, manchmal mit zartem Goldeinschuß, um 1750 in →Vincennes benutzt.

Bleu royal (auch Bleu de roi), ein volles Überglasur-Kobaltblau, um 1750 unter J. →Hellot in →Vincennes entwickelt, das weitgehend das →Gros bleu ablöste.

Blondeau, s. Vincennes, *Porzellanmanufaktur 1738–1756*

Blumenthal, Adam Heinrich, s. Böttgerporzellan

Boberg, Anna Katarina, s. Rörstrand

Boccaro-Ware, ursprünglich die Bezeichnung einer unglasierten, roten Töpferware aus Mexiko, die Portugiesen nach Europa importierten; dann übergegangen auf eine ähnliche keramische Ware, produziert im spanischen Talavera, und schließlich irrtümlich für das →Rote Steinzeug aus I-hsing gebraucht.

1, 2   Blankenhain
gestempelt

Böck, Josef, s. Wien, *Wiener Porzellan-Manufaktur Josef Böck*

Boehme, Carl Wilhelm, 1720 Großpörten (Sa.) – 29. 11. 1795 Berlin; Schwager von Ch. W. E. →Dietrich, seit 1736 an der Porzellanmanufaktur zu →Meißen, ein geschickter und begabter Landschafts- und Figurenmaler. Im Dezember 1761 geht er, wahrscheinlich verärgert über Schikanen finanzieller Art, zu →Gotzkowsky nach →Berlin, wird von der Königlichen Manufaktur übernommen: 1763 neben I. J. →Clauce Malereivorsteher, 1764 zum Preußischen Hofmaler ernannt. – 19 Radierungen kleinen Formats, zwischen 1744 und 1766 entstanden, haben sich erhalten, holländischen Vorlagen nachempfunden: Uferlandschaften, konventionell bestückt mit altem Gemäuer, zerzausten Bäumen, mit Kähnen, Segelschiffen und winzigen Staffagefigürchen. Wahrscheinlich waren sie als Vorlagen für Porzellanmaler gedacht.

Böhmen. Trotz der ausgezeichneten Kaolinvorkommen, besonders im nordwestlichen B., auf die das Prager Gubernium bereits 1749 und noch einmal 1762 durch Berichte unbekannter, vermutlich sächsischer »Projektanten« hingewiesen worden war, setzte die böhmische Por-

59

Francoesische par Force Hunde, Blatt 6 aus »Entwurf Einiger Thiere...«,
herausgegeben von Johann Elias Ridinger, 1738–1740

zellanproduktion erst um die Jahrhundertwende ein, und auch dann nur zögernd und häufig mit der Herstellung von Steingut gekoppelt. Rigoros unterband (bis etwa 1810) die Monopolpolitik →Wiens alle Versuche, die für die eigene Manufaktur zur Konkurrenz hätten werden können; duldete aber inkonsequenterweise die Einfuhr fremden, vor allem des billigen →Thüringer →Porzellans. Von Thüringen, vermittelt durch böhmische Porzellanhausierer, gingen dann auch die ersten Anstöße zur Gründung böhmischer Porzellanbetriebe aus: 1789 →Rabensgrün, 1792 →Schlaggenwald, ein Jahr später →Klösterle, 1802 →Pirkenhammer, 1803 →Gießhübel. Die Anfänge waren überall schwierig; bedrängt durch das Desinteresse der staatlichen Stellen, durch unzureichende finanzielle Mittel, häufig auch durch unzureichende Fachkenntnisse und die geringe kaufmännische Erfahrung. Nur mühsam holten die böhmischen Manufakturen den Vorsprung auf, den die Porzellanindustrie andernorts besaß. Doch um 1820, nach dem Ende der Napoleonischen Kriege und nach der Überwindung der schweren Wirtschaftskrise, zeigte sich, daß die Kalamitäten des Anfangs überwunden waren. Die Fabriken produzierten einen ausgezeichneten Scherben (→Elbogen, Gießhübel) und fanden in Form wie Dekor für Gefäß und Gerät den Anschluß an das modische Empire (Pirkenhammer, Schlaggenwald). Sie machten die Wandlung über das Biedermeier zum Zweiten Rokoko mit (Klösterle) und gewannen, obwohl sie sich abgeleiteter Muster bedienten, durchaus

Eigenart und Frische, woran selbst die Porzellanplastik teilnahm (→Chodau, →Prag). – Hatten um 1800 die Porzellanfabriken – meist als Deckung Wien gegenüber – noch Steingut mitfabriziert, so stellten sich nun, in den dreißiger Jahren, die Steingutbetriebe auf das begehrtere und darum rentablere Porzellan um (→Altrohlau, →Budau, Prag, →Dallwitz). – Doch wie überall schwand auch in B. mit der steigenden Produktion, die die Wünsche und Bedürfnisse breiter Schichten respektierte, der künstlerische Impetus, die künstlerische Selbständigkeit. Zum Ende des Jahrhunderts war auch hier das Porzellan zu einem wichtigen Industrieprodukt geworden und blieb es bis heute: technisch meist gut, ästhetisch jedoch nur noch selten interessant. – Wichtige Sammlungen böhmischen Porzellans finden sich im Kunstgewerbemuseum Prag und im Schloßmuseum Klösterle.

Literatur: Hans Mayer. Böhmisches Porzellan- und Steingut, Leipzig 1927; Gustav E. Pazaurek. Nordböhmisches Gewerbemuseum, Keramik, Reichenberg 1905; Emanuel Poche. Böhmisches Porzellan, Prag 1956; G. Weber. Die Entstehung der Porzellan- und Steingut-Industrie in Böhmen (Beiträge zur Geschichte der deutschen Industrie in Böhmen III), Prag 1894.

Böhngen, Franz Paul Leonhard, s. Nymphenburg

Börner, Paul, s. Meißen, *Staatl. Porzellanmanufaktur*

Böttger, Johann Friedrich, geb. 4. 2. 1682 im thüringischen Schleiz, Alchimist, dann Arkanist, bedeutend als Erfinder des europäischen →Hartporzellans. Ein Mann, lange und oft erbittert umstritten, der einen Partei ein Genie, anderen ein Windmacher und Betrüger. Mit Sicherheit aber hochbegabt, einfallsreich, geschickt, doch auch labil, gefährdet, ruhmsüchtig, unkritisch und zu jeder Scharlatanerie verführbar in einer Zeit, die noch nicht grundsätzlich mystische Spielereien von der exakten naturwissenschaftlichen Erfahrung trennte. Dann aber doch intelligent und beweglich genug, um unter der Leitung eines →Tschirnhaus rasch das Zukunftsträchtige der neuen Forschungsmethoden und die Fruchtbarkeit nüchternen Experimentierens zu begreifen und für seine Zwecke zu nutzen.

Der Vater, Münzwardein der Reußer Prinzen, stirbt früh; der Stiefvater, Jost Friedrich Tiemann, preußischer Stadtmajor, Ingenieur und Münzverwalter zu Magdeburg, übernimmt die Erziehung B.s, sorgt, daß er die »Sprachen und Wissenschaften erlernt«, und gibt den Sechzehnjährigen, zur Vorbereitung eines künftigen Medizinstudiums, nach Berlin zu dem Apotheker Zorn in die Lehre. Aufgeweckt, wißbegierig laboriert der junge Bursche verstohlen in der »Geheymen Küche« seines Herrn und bringt mit Hilfe der »Rothen Tinktur«, die er von Lascaris, einem dubiosen griechischen Bettelmönch, erhalten haben will, angeblich Gold zustande. Augenzeugen sind bereit, das gelungene Experiment zu bestätigen; Johannes Kunckel, Erfinder des schönen Rubinglases, holt den Adepten in seine Werkstatt auf der Pfaueninsel bei Potsdam; selbst zu Leib-

niz dringen Gerüchte von dem B.schen Erfolg, und Friedrich, der erste König von Preußen, streckt seine Hand nach dem jungen Goldmacher aus, der sich aber schleunigst diesem Zugriff entzieht. Ende Oktober taucht B. in Wittenberg auf, damals noch kursächsische Universität, an deren medizinischer Fakultät er sich ordnungsgemäß immatrikuliert. Doch der preußische König fordert seine Auslieferung. August der Starke aber, durch die Bitte des königlichen Vetters aufmerksam geworden, befiehlt die Inhaftierung des interessanten Studenten. Vier Wochen nach der Flucht aus Berlin, am 27. November, trifft B. unter militärischem Geleit in Dresden ein, wo man ihn in »honneter custodie« festhält.

Erst 13 Jahre später, im Juni 1714, wird August seinem Häftling, dem er an sich durchaus wohlwollte, die Freiheit wiedergeben. Noch 1709, als B. schon längst die Wendung zur exakten Forschungsarbeit vollzogen hatte und dem König als erfolgreicher Keramiker immer nützlicher zu werden versprach, forderte dieser von ihm die »Herstellung der Urtinktur« und mit Hilfe dieses Wundermittels 60 Millionen blanke Taler in seine leeren Kassen. Die Jahre zuvor hatte B. (nur einmal, 1703, durch einen Fluchtversuch unterbrochen) wechselnd in den alchimistischen Küchen verbracht, die man ihm großzügig einrichtete: zunächst in Dresden, dann 1705/06 in verschärfter Haft auf der Albrechtsburg zu →Meißen und schließlich 1706/07, als eine Art Wertobjekt vor den im Lande hausenden Schweden in Sicherheit gebracht, auf dem festen Königstein. Er hatte probiert und laboriert. Große Summen waren in sinnlosen Experimenten verschwendet worden. Man liest von 40000, an anderer Stelle sogar von 400000 Talern.

Tschirnhaus (neben den Bergräten Pabst, Nehmitz und dem Arzt Dr. →Bartholmäi), seit 1704 B. als Berater und Aufsichtsperson attachiert, lenkte, wahrscheinlich mit aller Vorsicht (da der Landesherr nicht brüskiert werden durfte), das Interesse des Laboranten *und* des Königs mehr und mehr auf keramische Probleme, die ihn selbst so lange schon beschäftigten. Langsam verlor die alchimistische Schatzsucherei ihre Anziehungskraft. Hellwach, begabt für »die Mathematica«, fügte sich B. der kritischen wissenschaftlichen Disziplin und entfaltete, nachdem er im September 1707 das Laboratorium in den Kasematten der Dresdner Venusbastei bezogen hatte, Scharfsinn und Erfindungsgabe. Es zeigte sich, daß er, nun wohl endgültig befreit von den Zwängen mittelalterlicher Spekulation, durchaus die Fähigkeit besaß, die theoretischen Erkenntnisse der Gelehrten in die Praxis umzusetzen.

Unter (für heutige Begriffe) schädlichsten Arbeitsbedingungen, in feuchten Gewölben, ohne rechten Abzug, vor rauchenden Öfen und am Brennspiegel, wo heimische Erden auf ihre Brauchbarkeit hin untersucht und die verschiedensten Mischungen erprobt wurden, entwickelte er beinahe sofort ein Material, das der Delfter Fayence ähnelt und im Juni 1708 zur Gründung der »Bäckerey von Holländischen Platten und Gefäßen« führt. Noch im November 1707 hatte er entdeckt, daß ein Versatz aus »Nürnberger Bolus« mit zwölf Prozent leicht fließendem Lehm im scharfen Brand einen völlig dichten, mit Stahl nicht ritzbaren, hellklingenden Scherben ergab. Ihm war damit die Nacherfindung eines →Roten Steinzeugs, des →Böttgersteinzeugs, wie man es später nannte, gelungen. Ihm war klar, daß er auf dem rechten Weg war. Ersetzte er den unschmelzbaren roten Ton durch eine ebenfalls unschmelzbare weiße Erde und fügte als Flußmittel statt des Lehms Kreide, Alabaster oder Marmor hinzu, so mußte das Resultat ein Scherben sein: weiß und durchscheinend wie das chinesische →Porzellan. Endlich, am 15. Januar 1708, abends fünf Uhr, ist es soweit, daß B. von den Schälchen, den »Patellulae«, die er nach zwölfstündigem, ununterbrochenem Feuer aus dem Ofen zieht, sagen kann, sie seien »albae et pellucitadae«, also weiß und durchscheinend. Es ist die Geburtsstunde des europäischen Porzellans. Wie wenig diese Erfindung dem Zufall, wie sehr sie aber dem bohrenden Fleiß, der produktiven Phantasie des Arkanisten zu danken ist, machen Blätter deutlich, die sich im Meißner Werkarchiv erhalten haben. Es sind sieben Bogen, im Kanzleiformat des 18. Jh., doppelt gefaltet und von B.s Handschrift, zwischen dem 15. 1. 1708 und dem 30. 11. 1710, über und über mit Zahlen, Formeln, lateinischen Anmerkungen und Notizen bedeckt: wie Otto Walcha nachweist, immer neue, immer andere Proportionsversuche keramischer Massen.

Das Porzellan, das B. im Juli 1708 vorweisen kann, ist noch ohne echte →Glasur; ein Jahr später, am 28. März, teilt er aber in einem »Memoriale« dem König mit, daß er ein »guthes« weißes Porcellain samt der allerfeinsten Glaßur und allem zubehörigen Mahlwerke, welches dem Ost-Indianischen wo nicht vor, doch wenigstens gleich kommen solte, bewerkstelligen« könne. Das stimmte und stimmte nicht. Zwar schickt er im Juni 1710 August nach Warschau zwei Porzellangefäße, das eine glasiert, das andere ohne Glasur, beide mehrfarbig bemalt; doch erst 1713 gelingt es, das →Böttgerporzellan im großen herzustellen. Und was das »Mahlwerk«, die farbige Dekoration, angeht, verstreichen noch Jahrzehnte, bis die Fragen der Unter- und Aufglasurfarben gelöst sind.

Die Porzellanmanufaktur, zunächst notgedrungen nur eine Steinzeugfabrik, war auf Befehl des Königs am 23. 1. 1710 in Dresden gegründet und im Juni desselben Jahres auf die Albrechtsburg nach Meißen verlegt worden. Sie unterstand wie die »Platten- und Gefäßbäckerey« und die Glasschleiferei an der Weißeritz der Administration B.s, der aber selten nach Meißen kam. Er arbeitete, immer noch ein Häftling des Königs, in seinem von Wachtposten umstellten Laboratorium auf der Venusbastei, wenn auch seine Wohnung wie die einer »Standesperson« möbliert und er in der Lage war, sich eine Orangerie zu leisten und exotische Tiere zu halten. Unterstützt von Dr. Bartholmäi, seinem Arzt, und von →Steinbrück, seinem Vertreter in Meißen, reihte B. unermüdlich Experiment an Experiment, mischte, rechnete, brannte, verbesserte Öfen und Glasuren, suchte verbissen nach den Farben, die die hohen Temperaturen aushielten, wandte viel Mühe und Geduld an die Ausstattung seines Porzellans, trieb seine Mitarbeiter vorwärts, machte sich viel Gedanken über die »Commercien«, das heißt über Werbung und Verkauf der Meißner Ware.

Am 31. März 1719, noch nicht 40 Jahre alt, starb B. nach jahrelangem Kranksein: verbittert, hoffnungslos verschuldet (22663 Tl), erschöpft, fast blind, ein Mann, wahrscheinlich tief vergiftet durch die Abgase der Öfen, vergiftet durch den jahrzehntelangen unvorsichtigen Umgang mit scharfen Chemikalien, zerstört durch Nikotin und Alkohol – ein launenhafter, oft leichtfertiger Mann, doch ein fanatischer Arbeiter, von dem Steinbrück, der ihn als engster Mitarbeiter (und seit 1716 sein Schwager) genau kannte und der sicher oft unter B.s Unstetigkeit gelitten hatte, dennoch schrieb, daß er »zu dieser Arth Leuthen gehöre, wovon man alle hundert Jahre nur einen zu sehen bekombt«.

Literatur: Eugen Kalkschmidt. Der Goldmacher Joh. Fr. Böttger und die Erfindung des europäischen Porzellans, 15. Aufl., Stuttgart 1929; Martin Mields. Johann Friedrich Böttger, der Erfinder des europäischen Hartporzellans. In: Glas-Email-Keramo-Technik, Juni 1957; Ernst Zimmermann. Johann Friedrich Böttger, der Erfinder des Meißner Porzellans nach der Schilderung eines Zeitgenossen (Steinbrück 1717). In: Neues Archiv für sächsische Geschichte und Altertumskunde, Bd. 33, Dresden 1912.

Böttgerporzellan (1708–1719), ein Kalk-, noch kein Feldspatporzellan, im Laboratoriumsversuch am 15. 1. 1708 von →Böttger dargestellt. 1709 ist die →Glasur, die chemisch der Porzellanmasse ähnelt, gefunden und 1710 zeigt die neugegründete Manufaktur von →Meißen auf der Leipziger Ostermesse erste Proben des »ächten Porcellains«. 1713 kann die industrielle Produktion anlaufen; die allzu große »Schwindungstendenz« des Materials ist beseitigt und ein brauchbarer Brennofen konstruiert. Doch erst 1717 ist der Masseversatz (Schnorrsche Erde statt Colditzer Ton und als Flußmittel Alabaster von Nordhausen) so eingestellt, daß die Ausschußquote, das »ungerathene Guth«, in tragbaren Grenzen bleibt.

Der Böttgersche Scherben ist rahmfarben, fast gelblich, eine Folge der winzigen Metallbeimengungen, die im Feuer oxidierten. Er hatte einen warmen Farbton, für unser Auge reizvoll, für den Erfinder aber, von dem der Zeitgeschmack ein reines, kaltes, strahlendes Weiß forderte, ein Übel, das er nicht zu beheben vermochte; denn ihm, der nicht über Analysen moderner Farbchemie verfügte, blieb die Ursache verborgen. Die Glasur, Böttgers eigenste Erfindung, geriet halbwegs. Sie verteilte sich in schöner Glätte über das Gefäß; doch es finden sich auch Beispiele, wo sie sich an Rändern, Kanten und Ecken verdickte, grünlich verfärbte und Blasen warf. Im Gegensatz zur chinesischen Technik, die den luftgetrockneten Scherben glasierte, verglühte Böttger (wohl durch die Praxis der Fayenceherstellung zu dieser grundlegenden Neuerung angeregt) das →Porzellan in einem ersten Brand bei 900 °C, ehe er in einem Tauchbad die Glasur auftrug.

Wenn man von ein paar zaghaften Versuchen, die sofort wieder aufgegeben wurden (eine große Schale, Terrinen,

Becher mit durchbrochener Wandung) absieht, scheinen weder Erfinder noch Publikum die Notwendigkeit, dem neuen Material eine neue Form zu geben, als vordringlich empfunden zu haben. Obwohl die Struktur der beiden keramischen Massen nach unterschiedlicher Bearbeitung verlangte, benutzte man ohne Skrupel das →Böttgersteinzeug als Modell, wiederholte gleichsam noch einmal in Porzellan das Programm, das für das →Rote Steinzeug entworfen worden war. Den plastischen Dekor, der unter der Glasur zum Verschwimmen neigte, höhte und akzentuierte man mit Lackfarben, die kalt aufgetragen wurden. Doch das Publikum (besonders dessen wichtigster Exponent, der König), verwöhnt durch den Anblick des bemalten und kostbar kolorierten ostasiatischen Porzellans, verlangte nach einem reicheren farbigen Dekor. Das bedeutete: man erwartete von Böttger die Lösung des Problems der einbrennbaren Farben. Er selbst hatte sich unbedachterweise in dem Memorial vom 28. 3. 1709 gerühmt, daß er neben Porzellan und Glasur auch das »zubehörige Mahlwerk, welches dem Ost-Indianischen, wo nicht vor, so doch gleich kommen sollte, bewerkstelligen« könne. Und mit der gleichen Zuversicht, die an Leichtsinn grenzte, stellte er 1711, ohne die technischen Voraussetzungen, also Farben, geschaffen zu haben, Adam Heinrich Blumenthal, Johann David Stechmann und Johann Christoph Schäffler, ein Jahr später Johann David Strohmann und Anselm Bader als »Schilderer des guthen Porcellains« ein. Diese Maler, sicherlich keine sonderlich begabten Burschen, verschwanden, ohne daß durch ihre Mitarbeit Fortschritte erzielt worden wären. Böttger aber, festgelegt durch seine prahlerische Ankündigung und vorwärts gehetzt durch Wünsche und Befehle Augusts des Starken, suchte auf vielerlei Wegen weiterzukommen. Er hoffte beim Studium der »Ars vitraria experimentalis«, wo Johannes Kunckel Rezepte zur Herstellung gefärbter Gläser mitteilte, einen Hinweis zu finden. Er umgab sich mit »Goldarbeitern«, darunter der Emailleur Chr. C. →Hunger und der Metallurg G. →Meerheim, die im Emaillieren auf Metallgrund erfahren waren. Ebenso zog er D. →Köhler, einen tüchtigen Bergmann, zu Experimenten mit den verschiedensten Metalloxiden heran und ermunterte J. G. →Funcke, einen Dresdner Emailleur und Vergolder, der zwischen 1713 und 1719 in eigener Werkstatt immer wieder Porzellan für Meißen dekoriert hatte, nach Farben zu suchen, die die hohen Temperaturen des Scharffeuers aushielten. Endlich, 1717, sind die ersten →Schmelzfarben gewonnen: die beiden Edelmetalle Gold und Silber, →Schwarzlot aus Bleiasche und Braunstein, →Eisenrot aus Eisenerz, Rost oder Stahlspänen, dazu ein Grün, Gelb, Blau und Purpur, alle lebhaft, doch etwas trocken. Ihnen fehlte, von einer zarten violett-rosa Lüsterfarbe abgesehen (die Böttger allein gehört und bis 1740 gebraucht wurde), der Schmelz, der später die Meißner Palette auszeichnete. Die Frage, wem das Verdienst zukommt, der Manufaktur ihre ersten einbrennbaren Farben geliefert zu haben, ob Böttger, ob Funcke oder Köhler, ist nicht eindeutig

zu beantworten. Das Unterglasurblau aber, nach dem der König besonders heftig verlangte, wollte, trotz verschiedener Anläufe, nicht gelingen. Böttger mußte dieses Problem seinen Nachfolgern hinterlassen.

»Sonderlich mit dem Vergulden Versilbern« käme man gut zurecht, hatte er der Manufaktur-Kommission mitgeteilt, und tatsächlich gehören die zarten Spitzengehänge in Gold oder Silber, eine feingliedrige Ornamentik aus dem Formenschatz des süddeutschen →Laub- und Bandelwerks, wenig später auch die Goldchinesen, zu den gelungensten Gefäßdekorationen dieser frühen Zeit. Sonst gilt, wie Ernst Zimmermann bemerkt, daß jeder malte, wie es ihm beliebte und wie er es vermochte. Ein verbindlicher Stil bildete sich nicht. Neben wenigen guten Arbeiten von M. →Schnell, neben den oft recht subtilen Dekoren unterschiedlicher →Hausmaler stehen Landschaften, Früchte, Blumen, auch schon →Chinoiserien, bunt und ungekonnt hingepinselt; daneben aber wieder in Schwarzlot oder Eisenrot, en Camaïeu gemalt, ebenso Genreszenen, der niederländischen Malerei entlehnt, deren Kopie Geschick erforderte.

Bunt staffiert, vergoldet oder versilbert (oft allerdings auch unbemalt) präsentiert sich die figurale Plastik. Kleine Arbeiten: eine Kuan-Yin, ein hockender →Pagode, ein Kinderköpfchen, die Statuette des Königs, dazu Schachfiguren und Callotzwerge, deren Zuweisung in diese frühe Zeit aber nicht gesichert ist. Lag es am mangelnden Interesse, lag es an den Schwierigkeiten, die die weiße

Masse, mit ihrer Neigung zum Reißen und Schwinden, immer noch bereitete, die Porzellanplastik erreichte nicht, was im Material des Roten Steinzeugs schon geleistet worden war. Die große Zeit der Porzellanmalerei und der Porzellanplastik war noch nicht gekommen.

Literatur: Adalbert Klein. Über die Erfindung des Hartporzellans, KFS 50/60; Ernst Zimmermann. Die Erfindung und Frühzeit des Meißner Porzellans. Ein Beitrag zur Geschichte der deutschen Keramik, Berlin 1908.

Böttgersteinzeug, das der »Inventor« →Böttger als »Vorerfindung« bezeichnete, eine keramische Masse, im November 1707 von ihm, der sie für eine Porzellansorte hielt, der chinesischen →I-hsing-Ware nacherfunden. Doch ist sie härter, feinkörniger als diese, dichter auch als das →Rote Steinzeug, das in Holland und →England bereits seit Jahrzehnten produziert wurde. Diese Masse aus rotem, eisenhaltigem Ton (geschürft in der Zwickauer Gegend, später in der Nähe des Dorfes Okrilla) und einem kalkreichen, feingeschlämmten Lehm (aus dem Plauenschen Grund bei Dresden) kam steinhart aus dem Brand. Je nach Eisengehalt und Brenntemperatur präsentierte sie sich hellrot bis rotbraun; bei Überhitzung nahm sie eine graue Färbung an, wurde zum unansehnlichen →Eisenporzellan. Reizvoll waren dagegen die Stücke, die in Farben geschichtet oder marmoriert den Ofen verließen, was Böttger veranlaßte, sie sein »Jaspisporzellan« zu nennen. Dieses Steinzeug war bildsam und fest zugleich; es ließ sich wie Metall formen, wie Gestein schleifen und polieren, wabenartig →»muscheln« oder facettie-

ren. Es war wie Glas zu ätzen und zu schneiden, mit Halbedelsteinen zu besetzen und gleich der Fayence zu glasieren und zu bemalen. – Böttger, dem bewußt war, daß seine Erfindung die harte Konkurrenz mit dem ostasiatischen →Porzellan und den oft außerordentlich reizvollen Fayencen der europäischen Werkstätten zu bestehen hatte, ließ keine dieser Dekorationsmöglichkeiten ungenutzt, durch die die stumpfe Oberfläche des Steinzeugs in eine schimmernde Haut zu verwandeln war.

Bis zur Verlegung der »Porcellain Fabrique« im Juni 1710 auf die Albrechtsburg zu →Meißen wurde die »rothe massa« auf der Venusbastei und in der →»Delffter Rund- und Stein Backerey zu Altendreßden« geformt und gebrannt. Böhmische und sächsische Glasschleifer bearbeiteten dann, zusammen mit Steinschneidern aus dem Hunsrück, die Ware weiter, die in der ehemals →Tschirnhausenschen Spiegelglasschleiferei »hinter der Hertzogin Garten«, später in der Schleif- und Poliermühle im Weißeritztal »theils mit Zug- und Laubwerk künstlich geschnitten, theils auch wegen ihrer ungemeinen Härte als ein Jaspis wohl goderoniret oder glatt poliret, als auch eckigt und facet geschliffen wurde«. Nach einer kurzen Anlaufzeit, in der man sich begnügte, chinesische und japanische Vorbilder, wie sie sich reichlich in der Porzellansammlung Augusts des Starken fanden, simpel abzuformen und den Brandschwund hinzunehmen, wurden Töpfer wie Peter Geithner, Johann Georg Krumbholtz oder Johann David Christian Kratzenberg eingestellt, die Vasen,

Kannen, Becher, Schalen aufdrehten und den Gefäßschmuck, vertieft oder reliefiert, sorglich nachbildeten. Original und Kopie glichen einander, nur die asiatische Flora wandelte sich langsam ins Europäische.

Obwohl das Publikum nichts so begehrte wie die Imitation des »indianischen Porcellains«, suchte Böttger unter Künstlern im Umkreis des Dresdner Hofs nach neuen Anregungen. Aus den Akten des Meißner Werkarchivs geht hervor, daß gelegentlich Bildhauer wie Stangens, Benjamin Thomä oder Bernhardt Miller und Paul Heermann für die Manufaktur gearbeitet haben. Als praktisches Beispiel dieser Zusammenarbeit hat sich eine kleine, erlesen schöne Gruppe blauschwarz oder braun glasierter Gefäße erhalten, die mit ihren chinesischen Landschaften, mit lockeren Blumengebinden und Blütenzweigen, in zarten, goldkonturierten Farben gemalt, die Handschrift M. →Schnells zeigen. Doch erst als es Böttger im Herbst 1711 gelang, J. J. →Irminger, den Hofgoldschmied des Königs, für sein Steinzeug zu interessieren, hatte er den Mann gefunden, der befähigt und geneigt war, der jungen Meißner Produktion Profil und Charakter zu geben. Nach einem Besuch in Meißen, wo Irminger auf ausdrücklichen Befehl Böttgers gestattet wurde, drei Zentner der (sonst ängstlich gehüteten) »allerfeinsten rothen massa« nach Dresden mitzunehmen, um sich mit dem neuen Material vertraut zu machen, ging ihm im Juni 1712 offiziell die Instruktion zu, »der Porzellanfabrik hülfreiche Hand zu leisten und auf solche Inventionen zu denken, damit außer-

ordentlich große, sowie andere Sorten sauberer und künstlicher Geschirre möchten erzeuget werden«. Irminger, das ostasiatische Porzellan und das ausgedehnte Programm der Nachahmungen, das ungestört weiterlief, vor Augen, zögerte dennoch nicht, bei seinen Modellen, die sauber in Kupfer getrieben den Töpfern in Meißen zugingen, die weiche Silhouette mit gleitenden Übergängen und bauchigen Kurven, dem keramischen Geschirr so adäquat, durch die schärfere Gliederung des Metallgefäßes zu ersetzen. Diese Transposition war gerechtfertigt durch die Härte des Böttgerschen Werkstoffs, der erlaubte, scharfe Kanten, schwierige Einkerbungen, selbst Godronierungen klar herauszuarbeiten. Ebenso war es mit ihm möglich, antikisierendbarocke Zierelemente wie Maskaronen, Eierstäbe, Ranken, »Fratzenköpfgen und Frauens Bildgen«, bis dahin durch Treiben und Gießen gewonnen, präzis in Ton auszuformen und mit ihnen, gliedernd und ordnend, die Gefäßwände zu belegen. Bewußt verwendete Irminger den Kontrast der polierten und stumpfen Flächen. Eine Weinblatt- oder Rosenranke, matt gelassen, schlingt sich um das spiegelnde Rund, oder hochpolierte Löwen- und Satyrköpfe akzentuieren die stumpfe Leibung des Gefäßes. Oft verzichtete Irminger auch auf jeden plastischen und malerischen Schmuck. Vasen, Pokale, Schalen, Gläserkühler, Kannen und Tassen aus seiner Hand haben sich erhalten, deren Noblesse auf nichts beruht als auf dem rein gezeichneten Umriß, der klaren Fläche, auf dem eleganten Wechsel der ein- und ausschwingenden

Kurven. – Da schon das Original als keramische Form konzipiert war, bereitete die Nachbildung ostasiatischer Kleinkunst, das Abformen einer Kuan-Yin, eines →»Pagoden« oder Buddha, den Töpfern in Meißen kaum Schwierigkeiten. Dagegen sind die Kopien europäischer Plastik, die mit ihren vielen Unterschneidungen selten die mechanische Abformung erlaubt, von ungleicher Qualität. Neben stümperhaften Wiederholungen finden sich ausgezeichnete Übertragungen in das neue Material: darunter die Kopie eines Kruzifixus, Kopien antiker oder auch barocker Köpfe, ein muscheltragender Putto, gute Reliefplastik, wohl nach Elfenbeinarbeiten geformt, und mit geradezu »metallischer« Schärfe und Prägnanz einige Gedenkmünzen. Eine bunte, thematisch und stilistisch recht zufällige Auswahl! Wahrscheinlich formte man ab, was gerade zur Hand und nicht zu kompliziert war.

Eigens für Böttgers »rothe massa« scheint aber die Folge der witzigen Callotzwerge, auch die Statuette Augusts des Starken und die »Komödianten«, sechs in Haltung, Gebärde und Gesichtsausdruck geistreich pointierte Typen der Commedia dell'arte, entworfen worden zu sein. Die Frische des künstlerischen Einfalls, das Temperament, die sich hierin äußern, das technische Raffinement zeigen, daß ein Könner (vielleicht Heermann) die Figuren modelliert haben muß, die gleichsam den Beginn der europäischen Porzellanplastik bezeichnen (Beispiele in den Museen von Frankfurt/M., Gotha, Hamburg).

Das B. wurde (seit 1720 mit fallender

1, 2 Boissette
blau u'glas.

Kurve) etwa bis 1740 produziert, obwohl seit 1713 das »ächte Porcellain« mehr und mehr die »Vorerfindung« verdrängte. Nachahmungen versuchte man in →Plaue, →Bayreuth und →Ansbach.
Literatur: I. Menzhausen. Die künstlerische Gestaltung des Böttgersteinzeugs. In: Böttgersteinzeug/Böttgerporzellan aus der Dresdner Porzellansammlung. Zum 250. Todestag Johann Friedrich Böttgers, Staatliche Kunstsammlungen, Dresden 1969.

Boileau de Picardie, s. Vincennes, *Porzellanmanufaktur 1738–1756*

Boissette (Seine-et-Marne, →Frankreich), Porzellanmanufaktur 1778 (vielleicht bis 1789 oder 1800, wahrscheinlich kürzer); in der ein Jahr zuvor stillgelegten Fayencefabrik, die hier seit 1732 bestanden hatte, durch Jacques Vermonet und seinen Sohn eingerichtet. Nach der Signatur einer Biskuit-Statuette, »Manufacture de S. A. S. Mgr. le Duc d'Orléans«, wurde sie anscheinend von dem Herzog protegiert. Die Produktion (→Hartporzellan) war am Beispiel des →Pariser →Porzellans ausgerichtet. Das Geschirr besitzt gute Formen mit sorgfältig gearbeiteten Griffen und Henkeln; der malerische Dekor mit Blumen, Vögeln und zarter Goldornamentik ist delikat ausgeführt.
Marken: »B« = Boissette, u'glas. blau (MT).

Boizot, Louis-Simon, 9.10.1743 Paris – 10.3.1809 ebd., Bildhauer und Modelleur; Schüler von René-Michel Slodtz, seit 1778 Mitglied der Académie des Beaux Arts, 1774–1802 (1809?) Modellmeister an der Porzellanmanufaktur von →Sèvres. Er war ein Talent klassizistischer Prägung, geschickt, vielseitig, doch ohne Originalität. Das Werk, nahezu ausschließlich in →Hartporzellan-Biskuit, umfaßt Allegorien, gleichsam vielfigurige Kommentare zur Zeitgeschichte: die Krönung Ludwigs XVI. mit dem Autel royale; Preisung der Revolution und der Taten Napoleons (La France guidée par la Raison); weiterhin Büsten und Statuetten zeitgenössischer Größen (Reiterstandbild Friedrichs II. von Preußen, 1781); doch auch zahlreiche Arbeiten wie La Baigneuse von 1774 oder Zéphyr et Flore, der figurale Schmuck einer Girandole.

Bommer, Claude-Joseph, Schweizer, wahrscheinlich aus der Gegend des Walensees; →Modelleur. Er war um 1760 an den Fayencefabriken von →Straßburg und →Niderviller, um 1788 in →Brüssel, zunächst an der dortigen *Porzellanmanufaktur Schloß Monplaisir,* wenig später in leitender Stellung in der *Porzellanmanufaktur Etterbeek,* wobei B. sowohl der figurale Schmuck der Leuchter und Schreibzeuge von Monplaisir als auch die ausgezeichneten Biskuitbüsten von Etterbeek zuzuschreiben sind.

Bone-China, engl. Bezeichnung für →Knochenporzellan.

Bontemps, Johann Valentin, s. Ansbach, *Porzellanmanufaktur 1758–1860*

Bordeaux (Gironde, →Frankreich), Porzellanmanufaktur 1781–1790; auf dem Besitz »Château des Bordes en Paludate« von Pierre Verneuilh und seinem Neffen Jean Verneuilh gegr.; 1787 an Michel Vanier aus →Orléans verpachtet, der sich 1788 mit J. F. →Alluaud aus →Limoges liierte. Beim Tod von Vanier 1790 stellte die Manufaktur den Betrieb ein. – Produziert wurde →Hartporzellan; Tafelgeschirr und Toilettengegenstände waren in Form und Dekor →Pariser →Porzellan nachgebildet.
Marken: 1781–1787 zwei ligierte »V« = Verneuilh (1); 1787–1790 verschlungenes »VA« = Vanier, Alluaud (2); auch mit »Bordeaux« umschrieben, gestempelt (3); meist blau u'glas., auch rot, gold ü'glas.

Boreman, Zachariah, 1738–1810, Porzellanmaler (Landschaften und Veduten); tätig in →Chelsea und →Derby; malte meist in Schwarz oder Braun.

Borrmann (Bornemann), Johann Baptist Balthasar, 1725 Dresden – 1784 Berlin; ein befähigter Schlachten- und Landschaftsmaler in →Meißen, heimlich auch als →Hausmaler tätig. Entdeckt ging er, wohl um Repressalien auszuweichen, 1761 (1763?) nach →Berlin, wo er an der dortigen Manufaktur bis 1779 arbeitete. Als Vorlagen benutzte er Stiche von Ridinger, Wouwerman, David Teniers, Rugendas und C. W. E. →Dietrich, dem Dresdner Akademieprofessor. – Signierte Arbeiten B.s sind nicht bekannt; aber aus den Berliner Fabrikaten geht hervor, daß er von 1770 bis 1772 die Dessertteller des Speisegeschirrs, das Friedrich II. der Zarin Katharina von Rußland schenkte,

1781–1787
blau u' glas.;
rot, gold
ü' glas.

1787–1790
blau u' glas.;
rot, gold
ü' glas.

1787–1790
gestempelt

mit Lager- und Schlachtenszenen aus dem Russisch-Türkischen Krieg dekorierte (heute in der Eremitage zu Leningrad).

Bosello, Domenico, 1755 Venedig – 1821 Le Nove, Porzellanmodelleur. Er trat um 1765 als Lehrjunge bei Cozzi in →Venedig ein, ging für drei Jahre nach →Wien, kehrte anschließend zu Cozzi zurück und war ab 1786 wahrscheinlich bis zu seinem Tod Modellmeister in →Le Nove. Seine Arbeiten, erkenntlich an der straff zurückgenommenen Frisur der Statuetten, sind von unterschiedlicher Qualität.

Bosse, Walter, s. Wien, *Wiener Porzellan-Manufaktur Augarten*

Bossieren, das Zusammenfügen der Porzellanfigur, der Porzellangruppe, auch des komplizierteren Gefäßes aus den getrennt geformten Teilen; das Anfügen des freihändig gearbeiteten Beiwerks, der Blätter, Zweige, Blüten, Bänder, Henkel oder Knäufe mit Hilfe von Porzellanschlicker; das Verputzen der Nähte und die Herrichtung für den Brand. Der Bossierer, im 18. Jh. auch oft Poussierer genannt, ein Angehöriger des »Weißen

Corps«, war zwar kein Künstler, doch ein hochqualifizierter Facharbeiter, auf dessen Geschicklichkeit und Erfahrung der →Modelleur angewiesen war.

Botanische Blume, s. Deutsche Blumen

Bottengruber, Ignaz, ein Schlesier, 1720–1736 in Breslau, dazwischen 1730/31 in →Wien beschäftigt, ein Porzellan-Hausmaler, dessen Werk wir überblicken, von dessen Leben wir aber kaum etwas wissen. – Wie seine Arbeiten auf →Porzellan aus →China, →Meißen und Wien zeigen, war er ein Meister der barocken Form. Er malte die Fülle, den Übermut des Daseins; nicht die modischen →Chinoiserien, keine preziösen Watteau-Bildchen, dagegen nackte, schwellende Leiber, üppiges Gerank, schwere Blumengewinde, raufende, lärmende Putten, breite Kartuschen in rötlichem Gold. Er liebte die Bewegung, den fröhlichen Tumult. Sein Thema ist die Jagd, die Bataille mit flatternden Fahnen und steigenden Rössern, das Bacchanal mit Amoretten, Grazien, Tritonen und Nereiden: ein Leibergewühl, meisterhaft komponiert und im Detail scharf konturiert; ein Gewimmel, fast zu strotzend für das zierliche Rund einer Tasse, Schale oder Kanne. Kontrastierende Farbgebung steigert noch die Wirkung. Monochrom die figurale Szenerie, bunt in frischem →Eisenrot, in Blau, Gelb, Grün die wuchernden Arabesken mit spielenden Kindern, Vögeln, Panthern zwischen Blättern und Blüten. – Arbeiten seiner Hand befinden sich heute in den

Bottengruber
Siles: f Vienna 1730

Ignaz Bottengruber

B R

Bourg-la-Reine
eingeritzt

Bourdon du Saussay, s. Orléans

Museen von Berlin, Hamburg, London, Wien und in Privatbesitz.

Marken: Bottengruber zeichnete oft mit vollem Namen, doch auch mit »IB«, häufig mit Zeit- und Ortsangabe (MT).

Boucher, Etienne-Nicolas, geb. 1725, Porzellanmaler (Blumen); 1753 an der Manufaktur in →Mennecy, 1754–1762 in →Vincennes/Sèvres.

Bouchet, Jean, geb. 1720, Porzellan- und Goldmaler (Landschaften, Ornamente); 1763–1793 an der Manufaktur von →Sèvres.

Bouquet de Montvallier, s. Chantilly

Bourdalou (angeblich abgeleitet und sicher ironisch assoziiert dem Namen Louis Bourdaloues, eines Jesuitenpaters am Hofe Ludwigs XIV., dessen Predigten durch ihre Endlosigkeit ermüdeten), wie der →Pot de chambre ein Nachtgeschirr, für den weiblichen Gebrauch gedacht: ein längliches Oval, mit Henkel und den Ausguß an einer Schmalseite (leicht mit Saucieren zu verwechseln); wenn aus →China importiert, des öfteren mit Deckeln versehen, meist hübsch dekoriert. Der B. wurde von Anfang des 17. bis zur Mitte des 18. Jh. von vielen Manufakturen produziert.

Bourdon des Planches, s. Paris, *rue du Faubourg-Saint-Denis*

Bourg-la-Reine (Seine, →Frankreich), Porzellanmanufaktur 1773–1804; unter dem Schutz des Grafen von Eu durch S. →Jacques und J. →Jullien eingerichtet, nachdem sich die beiden Fabrikanten 1772 von →Sceaux getrennt und →Mennecy aufgegeben hatten. Da bereits ein Jahr nach der Übersiedlung Jullien starb, übernahm dessen Sohn, Joseph-Léon Jullien, die väterlichen Aufgaben. Er schied allerdings um 1785 aus der Firma aus (die nicht mehr recht reüssierte), worauf Jacques' Sohn, Charles-Symphorien, Teilhaber und 1790 Leiter des Betriebs wurde. – Ehe die Firma in den letzten zwei Jahrzehnten gezwungen war, sich mehr und mehr auf die Fabrikation von Fayence und Steingut zu konzentrieren, hatte man in B.-l.-R. ähnlich wie in Mennecy Figuren aus →Biskuit hergestellt. →Galanterien, Gefäße und Tafelgeschirr wurden dagegen aus einem guten Frittenporzellan (→Pâte tendre) gefertigt, dessen Kundenkreis jedoch durch die Konkurrenz des →Hartporzellans mehr und mehr schrumpfte. 1804 war man gezwungen, das Unternehmen aufzulösen.

Marke: »B. R.« = Bourg-la-Reine, eingeritzt (MT).

Bourgois, P., s. Crépy-en-Valois

Boussemart, Joseph François, s. Arras

33 Der gestörte Schläfer. Nymphenburg 1756. ▷
Modell von F. A. Bustelli

72

35 Kumme.
Höchst, um 1765

◁ 34 Vase.
Meißen,
um 1725.
Bemalung wohl
von J. E. Stadler

36 Zwei Kannen
und Kerzen-
leuchter. Höchst,
Mitte 18. Jh.

37 *Kaffeeservice des Kurfürsten Clemens*
August von Köln. Meißen, um 1735.
Malerei von J. G. Höroldt

39 *Zwei Becken mit Helmkannen.* ▷ △
Höchst, um 1755

40 *Pot de chambre. Meißen, um 1735–1740.* ▷
Bemalung von J. G. Höroldt

38 *Porzellan-Pavillon und zwei Parfumflakons.*
Meißen, Ende 18. Jh.

42 Tasse und Untertasse mit Purpurfond.
Meißen, wohl um 1740

41 Deckelvase mit Gelbfond. Meißen, wohl um 1730

43 Wackelpagode. Meißen, 2. Hälfte 18. Jh.

44 Tafelaufsatz. Meißen, um 1740 ▷

vor 1750
eingeritzt

1750–1770
New Canton-Marken

1760–1776
New-Canton-Marken,
u'glas. blau rot

Bow (London, →England), Porzellanmanufaktur 1748–1784, gegründet von dem Porzellanmaler Th. →Frye, der in B. eine Glashütte besaß. Frye und der Kaufmann E. →Heylyn hatten sich schon 1744 die Herstellungsmethode porzellanähnlicher Produkte patentieren lassen, erzielten damit aber nicht die gewünschten Erfolge. Fryes weitere Experimente galten der Nutzung von Knochenasche; 1748 erhielt er das Patent für die Herstellung von →Knochenporzellan. Damit war eine für die Geschichte der englischen Porzellanherstellung bedeutende Erfindung getan. Die Firma ging 1750 an die Kaufleute →Weatherby und Crowther über, die sie fortan New Canton nannten; sie blieb aber bis 1759 unter der künstlerischen Leitung Fryes. 1762 starb Weatherby, und Crowther führte das Unternehmen allein weiter, bis es 1776 von dem Inhaber der Porzellanmanufaktur in →Derby, W. →Duesbury, erworben und seine Bestände nach Derby gebracht wurden. – Die frühesten datierten B.-Stücke sind muschelförmige Salz- und Tintenbehälter aus dem Jahre 1750, darunter ein Tintenzeug mit der Handelsbezeichnung Made at New Canton. In der Frühzeit der Firma (bis um

1755) wurde schlichtes Gebrauchsgeschirr im Stil des →Blanc-de-Chine mit naturalistischem Reliefdekor fabriziert; fernöstliche Motive in Unterglasurblau und Famille-Rose-Farben. In diese frühe Zeit gehören auch die Figuren des sog. Musenmodelleurs und die ersten →Druckdekore von R. →Hancock. – In der mittleren Periode treten neben die bisherigen Motive feine Blumenmalereien. Die Figuren sind an →Meißen ausgerichtet. – In der letzten Produktionsperiode von B. (1760–1784) paßte man sich dem Geschmack von →Chelsea und →Worcester an, wobei die von farbigen Fonds umfangenen →Reserven mit Landschaften wahrscheinlich außerhalb der Manufaktur, wohl bei James Giles in London, aufgemalt wurden.

Marken: 1748–1755 eingeritzte Pfeile (1), bis 1770 Buchstaben in Blau und Rot (2–5), 1770 bis 1776 verschiedene Zeichen: Anker, Halbmond, Schwerter, Kreuze in Blau und Rot (6–8), Bossierermarken eingeritzt oder eingeprägt.
Literatur: Frank Hurlbutt. Bow Porcelain, London 1926.

Bracquemond, Felix, s. Sèvres

Brancas, Louis Léon Félicité Duc de, Comte de Lauraguais, Marquis de Lassay, 1733–1824; ein »Gentleman-Arkanist«, der 1763–1768 auf Schloß Lassay →Hartporzellan aus →Kaolin von →Alençon herstellte. Angeblich wurde

◁ *45 Vase. Meißen, gegen 1735.*
Malerei von A. F. v. Löwenfinck

er dabei unterstützt von Le Guay, einem
Töpfermeister, der bereits in Bagnolet bei
den Versuchen des Herzogs von →Or-
léans mitgearbeitet hatte. – Der Scherben, den B. produzierte, ist graustichig
und unsauber. Erhalten haben sich Teller, dekoriert mit Kakiemon-Mustern,
weiter ein Relief mit einer bäuerlichen
Szene nach Teniers und einige →Biskuit-
Medaillons (Heinrich IV., Ludwig XV.,
Comte de Caylus).

Marken: »BL« = Brancas-Lauraguais; oft
mit Datierungen, eingeritzt (MT).

Brandenstein-Muster, benannt nach
Friedrich August von Brandenstein, dem
kurfürstlich-sächsischen Oberhofküchen-
meister (→Altbrandenstein, →Neubran-
denstein).

Braun, Sigmund Wilhelm, s. Fürstenberg

Braune Porzellan-Fabriken, s. Ansbach, Bayreuth und Plaue

Braunschweiger Buntmalerei, s. Fürstenberg

Brecheisen, Joseph, Maler und Radierer; zunächst in Wien, dann 1748–1757
als ausgezeichneter Dosenmaler in →Ber-
lin. 1757 geht er nach →Kopenhagen,
arbeitet dort 1759–1764 als Hofminiatu-
renmaler und kehrt 1765 kurz nach Wien
zurück. Noch im gleichen Jahr wird er

von C. W. E. →Dietrich nach →Meißen
berufen und dort sofort (25. 1. 1766) zum
Hofmaler und Leiter der Malereiabtei-
lung ernannt. Zugleich ist er Vertreter
Dietrichs. Signierte Porzellane B.s sind
nicht bekannt.

Brehm, Johann Adam, s. Gotha

Breslauer oder Blaues Service, s. Berlin,
Kgl. Porzellanmanufaktur

Bressler, Hans Gottlieb v., geb. 11. 4.
1777 Breslau; 1733 Ratsherr, 1766–1777
Bürgermeister der Stadt; Amateur-Por-
zellan-Hausmaler, Schüler von I. →Bot-
tengruber. In den Themen (Putten, Hirtenidyllen, Jagdszenen), in Stil und Farbenwahl ist er von Bottengruber geprägt
(MT).

Briand, Thomas, →Modelleur; um 1777
in der Porzellanmanufaktur →Bristol.
Ihm werden u. a. die Wappen- und Por-
trättafeln aus →Biskuit zugeschrieben.

Brichard, Eloi, s. Vincennes, *Porzellanmanufaktur 1738–1756*

Bristol (Gloucestershire, →England)
1748 wurde die erste Porzellanmanufaktur von B. →Lund, der die Rechte zum
Abbau von →Steatit besaß, und William
Miller gegründet. In welchem Umfange
Lund eventuell zusammen mit →Cook-
worthy tätig war, ist ungeklärt.

Nach einem Reisebericht des Richard Pococke soll in *William Lowdin's China-House* in B. →Porzellan unter Zusatz von Steatit hergestellt worden sein. Einige erhaltene Figuren mit der Bezeichnung »Bristoll« und »1750« sowie blau und polychrom bemalte Saucieren mit reliefierten Blumenfestons könnten aus dieser Werkstatt stammen, die 1752 an →Worcester verkauft wurde.

Plymouth New Invented Porcelain Manufactory. Cookworthy, der sich schon seit 1745 um die Porzellanherstellung bemühte und bereits in →Plymouth eine Manufaktur betrieb, verlegte diese 1770 unter dem alten Namen Plymouth New Invented Porcelain Manufactory nach B. Er zog sich aber bald aus dem Geschäft zurück, das ab 1773 sein Partner R. →Champion allein fortführte. Nach Ablauf des Patents, das nicht mehr erneuert wurde, verkaufte Champion den Betrieb an die →Staffordshire-Keramikgesellschaft, die ihn nach →New Hall verlegte und unter dem Namen New Hall China Manufactory weiterführte. – Die frühesten Stücke der Plymouth New Invented Porcelain Manufactory sind kaum von der Plymouth-Ware Cookworthy's zu unterscheiden und führen auch die gleichen Markenzeichen. Unter Champion werden neue, geschweifte Formen eingeführt, deren Bemalung →Sèvres- bzw. →Chelsea-Vorbilder erkennen läßt. Erwähnenswert sind die →Service mit den Initialen oder Wappen ihrer Besitzer, auch Wappentafeln, teils mit Reliefporträts – Arbeiten aus →Biskuit, die wohl Th. →Briand zuzuweisen sind. Neben ihm

H. G. v. B.   Bristoll   X B
1739.

Hans Gottlieb
v. Bressler

1, 2 Bristol
eingepreßt 1770–1781
blau, u'glas.
und ü'glas.,
eingeritzt

war auch →Tebo als →Modelleur in B. tätig. Als auswärtiger Zulieferant der Elemente, Jahreszeiten und anderer Figuren kommt wahrscheinlich P. →Stephan aus →Derby in Frage. Die wichtigsten Landschafts- und Blumenmaler waren Henri Bone und Monsieur Saqui.

Marken: 1750–1752 unterschiedliche Pfeile, Schwerter in verschiedenen Farben, auch erhaben gepreßte und eingeritzte Marken (1). 1770–1773 Alchimistenzeichen für Zinn in Rot und Gold, ü'glas und u'glas., auch eingeritzt; ebenso Kreuz in Blau. Ab 1773 Kreuz in Blau, teils mit Ziffer in Blau und Gold, ü'glas. oder u'glas. (2); gekreuzte Schwerter blau u'glas., mit Ziffer, teils in Gold.
Literatur: F. S. Mackenna. Cookworthy's Plymouth and Bristol Porcelain, Leigh-on-Sea 1947.

Brongniart, Alexandre, 1770 Paris bis 1847 ebd.; Sohn des Architekten A. Théodore Brongniart (Erbauer der Pariser Börse und Entwurfsarbeit für →Sèvres); Absolvent der École des Mines, Geologe, 1800–1847 Leiter der Porzellanmanufaktur zu →Sèvres. Resultat seiner Keramik-Forschungsarbeit: »Traité des Arts céramiques et de la Poterie.«

Brooks, John, irischer Graveur, um 1747 wahrscheinlich Erfinder des Emaildruckverfahrens (Umdruck), das sich

G. →Green und J. →Sadler (→Liverpool) patentieren ließen.

Bruckberg, s. Ansbach, *Porzellanmanufaktur 1758–1860*

Brühl, Heinrich Graf von, 13.8.1700 Gangloffsömmern (Thüringen) – 28.10. 1763 Dresden, kursächsischer Staatsmann, Günstling des Kurfürsten Friedrich August II., König von Polen (als August III.), ab 1746 leitender Minister. Mißwirtschaft zerrüttet die Finanzen, eine antipreußische Politik treibt Sachsen in den Siebenjährigen Krieg. Der Graf, lebhaft am →Porzellan interessiert, wird 1735 Oberdirektor von →Meißen, unterstützt →Kaendler. Für ihn entsteht das →»Schwanenservice«; ein Meißner Reliefmuster, das →Brühl'sche Allerlei, ist nach ihm benannt.

Brühl'sches Allerlei, ein kompliziertes →Meißner Randmuster, gleichsam Rokoko-Spitzen nachempfunden, 1742 von J. F. →Eberlein für ein Speiseservice entworfen, das Graf →Brühl bestellt hatte. In leichtem Relief zeigen, zwischen sechsfach verschieden geflochtenem Grund, asymmetrische Felder, von lose geführten Bändern umschlungen, Blütenbüschel, Muscheln und Palmetten.

Brüning, Heinrich Christian, 24.11. 1779 Braunschweig – 19.1.1855 ebd., Porzellanmaler (Veduten, Landschaften, Figuren, Porträts, in einer peniblen, dünnstrichigen, zur Pedanterie neigenden Manier). B. arbeitete 1797–1828 an der Braunschweiger Buntmalerei für

→Fürstenberg, wird 1830 pensioniert, ist aber weiter (auch für andere Manufakturen) tätig.

Brüssel (→Belgien)
Porzellanmalerei Charles van Marcke de Lummen, rue de la Madeleine, 1798–1810.

Porzellanmalerei Joseph Antoine Neeles, Domstraete, Borgval, Marché aux Herbes, 1798–1844; etabliert von J. A. Neeles; nach dessen Tod von der Familie fortgeführt. Der Dekor umfaßte Landschaften, Genreszenen und die klassizistische Ornamentik. Die Firma signierte mit »Neeles«, meist mit Ortsangabe und Adresse.

Porzellanmanufaktur Etterbeek (Vorort von Brüssel), 1787–1803. Gestützt auf die Konzession vom 17.10.1787 wurde die Manufaktur von Friedrich Christian Kühne, einem Westfalen aus Iserlohn, gegründet. L. →Cretté und C.-J. →Bommer waren Mitarbeiter. Produziert wurden neben Geschirr, das häufig mit Vögeln und Figuren dekoriert ist, Büsten und figurales Porzellan in →Biskuit.
Marke: »B« = Brüssel, verschiedenfarbig, eingepreßt, auch »Eterbeek«, in Biskuit eingeritzt.

Porzellanmanufaktur (oder Porzellanmalerei) Louis Cretté; rue d'Aremberg, rue de l'Etoile, rue d'Assaut; vor 1791 bis nach 1803. Obwohl 1802/03 das Unternehmen in Archivalien als »fabrique de Cretté« bezeichnet wird, ist es (nach H. Jedding) wahrscheinlicher, daß Cretté nur eine Porzellanmalerei betrieben hat, in der er Weißporzellan der →Pariser

Brüssel
Louis Cretté
rot, karmesin, braun

L . cretté.
Bruxelles rue
D'Aremberg
1791

Manufaktur »La Courtille« *(Rue Fon-
taine-au-Roi)* dekorierte. Er bevorzugte
kräftige Farben, strotzende, dicht gefügte
Blumenarrangements, malte aber auch
Vögel und Landschaften und nutzte die
klassizistische →Grisaille. – Signiertes
und datiertes Cretté-Porzellan hat sich
aus den Jahren 1791, 1792 und 1802 erhalten.
Marken: Ausgeschrieben oder abgekürzt Cret-
tés Name und Adresse der Firma, rot, karmin,
braun (MT).

*Porzellanmanufaktur Schloß Monplaisir à
Schaerbeek 1786–1790.* Sie war die kurz-
lebige Gründung des Arztes Jean Séba-
stien Vaume, der, gestützt auf eine Konzession vom 20.11.1786, in dem zwei
Jahre zuvor zu diesem Zweck gekauften
Schloß →Hartporzellan aus →Kaolin
von →Saint-Yrieix herstellte. Direktor
war ein Keramiker namens Biourge,
→Modelleur C.-J. Bommer, Maler vielleicht L. Cretté. Produziert wurde Tafelgeschirr mit vielerlei Zubehör, außerdem
Leuchter und Schreibzeuge mit figuralem Schmuck. Form und Dekor (Landschaften, Vögel, Blumen) folgten dem
Pariser Beispiel.
Marke: Bekröntes »B« = Brüssel, doch auch
»de Monplaisir à Sc. Bruxelles«, rot, u'glas.
blau.
Literatur: Louis Robins de Schneidauer.
Contribution à l'histoire du château et de la
manufacture impériale et royale de porcelaine
de Monplaisir à Schaerbeek, Anvers 1942.

*Porzellanmanufaktur Schloß Tervueren
1767–1781.* Die Existenz dieser Manufaktur, die Prinz Karl Alexander von
Lothringen, 1744–1780 Statthalter der
(österreichischen) →Niederlande, im
Schloßbezirk von Tervueren unterhalten
haben soll, wird durch die Tatsache
nahegelegt, daß in den Inventarlisten des
fürstlichen Nachlasses Teller, Tassen,
Terrinen und fünf Porzellanbilder aufgeführt sind. Alle tragen die Bezeichnung
»Porcelaine de Tervueren«.

Brûle parfum, dem →Potpourri ähnlich, ein Räuchergefäß, im 18. Jh. beliebt
und begehrt, von vielen Manufakturen
hergestellt; meist in Form einer Deckelvase mit Stövchen. Erwärmt entweichen
die Essenzen durch gitterartige Öffnun-
gen, mit denen Deckel und Schulter der
Räuchervase gearbeitet sind.

Bucher, Hertha, s. Wien, *Wiener Porzellan-Manufaktur Augarten*

Buchwald, Johann, s. Marieberg

Budau/Budov (→Böhmen), Porzellanmanufaktur 1825–1880; von Franz Lang
als Steingutfabrik gegründet, 1831 auf
Porzellanproduktion umgestellt. Erzeugt
wurde Gebrauchsgeschirr im Stil des
Empire und Zweiten Rokoko, mager mit
goldgehöhten Pflanzenornamenten dekoriert (Literatur →Böhmen).
Marken: 1831–1840 »B« = Budau, blau
u'glas;. 1840–1860 »FL« = Franz Lang; 1860
bis 1880 »AL« = Anton Lang (Sohn), eingepreßt.

Buen Retiro (Madrid, →Spanien), Kgl.

*Lilie
eingepreßt,
Malerzeichen
gold ü'glas.*

*Salvador
Nofri,
Modelleur*

*Madrid
rot*

Porzellanmanufaktur 1760–1808. Die mit ebensoviel Energie wie Umsicht im Oktober 1759 von →Capodimonte am Golf von Neapel nach dem spanischen B. R. umgesiedelte Fabrik konnte bereits im Mai 1760, im eigens zu diesem Zweck errichteten Gebäude, den Betrieb eröffnen. Unter der Intendanz von Giovanni Tommaso Bonicelli (anschließend, 1781 bis 1797, sein Sohn Domingo) übernahm Gaetano Schepers, Arkanist von Capodimonte, die Firmenleitung, die um 1764, nach seinem Tod, an den Modellmeister Giuseppe Gricci überging. Den Vätern folgten die Söhne (miteinander verschwägert, zugleich aber auch in unauflöslichem Hader verstrickt): bis 1783 Schepers' ältester Sohn Carlos; nach ihm gemeinsam Griccis Söhne Carlos (gest. 1795) und Felipe (gest. 1803), neben denen zwischen 1798 und 1802 Schepers' jüngerem Sohn Sebastiano gestattet wurde, nach einem geeigneten Masseversatz zu suchen. – Für die Manufaktur bedeutete es eine schwere Hinderung jedes wirtschaftlichen Wachstums, daß es nicht gelingen wollte – woran sich immer wieder der Familienzwist der Schepers und Griccis entzündete –, aus den spanischen Erden einen schönen und brauchbaren Scherben zu gewinnen. Anfangs behalf man sich mit der bei der Umsiedlung von Capodimonte mitgebrachten Masse, was die Unterscheidung der Produktionen der beiden Firmen nahezu unmöglich macht; dann war man aber doch auf den gelben, auch grauen und oft unreinen Scherben angewiesen, von dessen →Glasur sich die Farben häufig grell abheben. – Erste Aufgabe der Manufaktur war auf Wunsch des Königs die Wiederholung des Porzellanzimmers von Portici in dem etwas größeren Saal des Schlosses von Aranjuez (1763–1765/67). Die Arbeit war wie in Capodimonte Giuseppe Gricci anvertraut, der auch hier Wand und Decke mit schimmerndem Porzellanweiß überzog, diesen die zarte Buntheit eines Laubengitters verlieh, zwischen dessen Stäben und Rahmen noch einmal die Rokoko-Chinoiserie ihre heiteren Triumphe feiert. Auch die von Gricci noch geformten Gefäße und Geräte sind mit Rocaillen, gefälligen Griffen und mancherlei plastischem Schmuck diesem beschwingten Stil verpflichtet, der aber bald nach des Modellmeisters Tod (1770) dem modischen Klassizismus weicht. Aufwendigstes Beispiel der neuen Tendenzen ist ein zweites Porzellanzimmer, ein kleinerer Raum im königlichen Schloß von Madrid: der Porzellanüberzug ein gelblicher Scherben, die Glasur ungewöhnlich glasig, die Farben in kühlem Zusammenklang von Türkis und Gold, der Reliefschmuck in breiten Bahnen angeordnet und aus wenigen, sich rasch wiederholenden Elementen, aus Konsolen mit Vasen, schweren Traubenbüscheln und Putten, gebildet. Ebenso fügen sich die großen Vasen, nun oft wie Urnen geformt, die Kandelaber, Schmuckteller und →Jardinieren, penibel mit antikisierenden Motiven bemalt, dem neuen Konzept, dessen Promoter vor allem →Sèvres, gegen Ende des Jahrhunderts aber auch →Wedgwood mit seiner Blauen Jasperware gewesen waren. – Nur die plastischen Arbeiten zeigen bis in die 90er Jahre Giuseppe Griccis prägende Kraft. Doch gerät der Umriß mancher Skulptur seinen Nachfolgern steifer, härter, der Ausdruck wird lastender, spanischer Ernst verdrängt die sprühende Laune von Capodimonte. Dennoch sind diese wilden, kräftig-lebendigen Kinder, diese schmachtenden Göttinnen und verliebten Heroen, ist auch das Volk der Bauern und Händler in Aufbau, Haltung und Gebärde den Geschöpfen Griccis verwandt. – Abnehmer dieses kostspieligen Porzellans, zu dem sich um 1800 noch die Antikenkopie in →Biskuit gesellte, war allein der Hof und der enge Kreis der hohen Aristokratie. Eine Erweiterung des Programms durch die Herstellung praktikablen Geschirrs verbot der Scherben, nach wie vor eine empfindliche →Pâte tendre. Erst Bartolomé Sureda, schon um 1800 durch Karl IV. beauftragt, »mit aller Vorsicht« an Ort und Stelle die Methoden der französischen Porzellanindustrie zu studieren, gelang, 1803 zum Direktor von B. R. ernannt, die Entwicklung eines guten →Hartporzellans aus spanischen Erden. Er reorganisierte den veralteten Betrieb, modernisierte entschlossen die Produktion – besonders durch die Aufnahme von Tee- und Kaffeeservicen in der modischen Empireform in das Programm. Doch der Einmarsch französischer Truppen, die

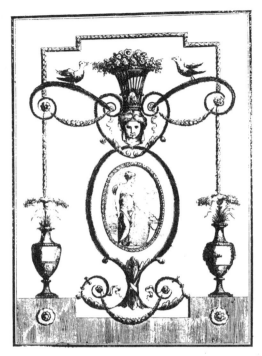

Empire-Ornament, entworfen von François Boucher, aus der Folge VIIe »Cahier d'arabesques«, um 1800

die Fabrik besetzten und zum Fort ausbauten, machte bereits 1808 diesem hoffnungsvollen Beginn ein Ende. 1812 zerstörten englische Kanonen das Gebäude. – →La Moncloa war ein Jahrfünft später der schwächliche Versuch, am neuen Ort B. R. wieder zum Leben zu erwecken.

Marken: Wie in Capodimonte die Bourbonen-Lilie, blau u'glas. oder eingeritzt, häufig mit Maler-, Modelleur- und Bossiererzeichen (1, 2); 1804–1808 bekröntes »MD« = Madrid, rot (3).
Literatur: M. Perez Villamil. Artes e industrias del Buen Retiro, Madrid 1904; Alice Wilson Frothingham. Capodimonte and Buen Retiro Porcelains Period of Charles III., New York 1955.

Büttner, Gottlob, s. Ansbach, *Porzellan-manufaktur 1758–1860*

Bulidon, Porzellanmaler (Blumen); 1763 bis 1792 an der Manufaktur von →Sèvres.

Burgau-Göschwitz a. S. (→Thüringen, →Deutschland), Porzellanmanufaktur, gegr. 1902. Produzierte Gebrauchsgeschirr.*

Busch, August Otto Ernst von dem, 7. 4. 1704 Hildesheim – 4. 2. 1779 ebd.; Kanonikus am dortigen Kollegiatstift zum Heiligen Kreuz, beschäftigte sich, ein talentierter Amateur, wie auch sein Confrater und Schüler Johann Gottfried Kratzberg, aus Liebhaberei mit der Glas- und Porzellanradierung. Unbemaltes →Porzellan aus →Meißen (selten von →Fürstenberg) dekorierte er mit Zeichnungen, die er mit dem Diamanten in die →Glasur ritzte und mit Lampenruß oder Tusche einschwärzte. Diese Technik ließ ihn Dekormotive bevorzugen, deren Umriß in zarte, krisselige Strichlagen aufzulösen war: bröckelndes Gestein, Farne, Gräser, Disteln, Gestrüpp, doch auch Schmetterlinge, Blüten, schwirrende Vögel oder das gesträubte Fell eines Hundes, eine zottige Kuh. Figurales ist selten, immerhin finden sich mythologische Szenen und ein Hieronymus im Gartenwinkel. – B. signierte und datierte seine Arbeiten, die sich heute in privaten und öffentlichen Sammlungen finden. Ein Teeservice im Reisekasten von 1745 steht am Anfang, ein Tablett beschließt 1775 die Reihe. (Die von Kratzberg erhaltenen

Deckelvasen, in der Manier des Kanonikus B., sind zwischen 1773 und 1778 dekoriert; heute im Kestner-Museum, Hannover.)
Literatur: Herbert Dreyer. Der Porzellanmaler August O. E. von dem Busch, Hildesheim 1931.

Busch, Christian Daniel, 1722 Torgau – 1790; ein außerordentlich geschickter Porzellan- und Fayencemaler, doch unruhig und wenig seßhaft: zunächst 1741 bis 1745 in →Meißen, danach 1745–1748 in →Wien; zwischen 1748 und 1752 taucht er in Neudeck (1748), in →Künersberg (1749), in →Bayreuth (1748 bis 1750), in Augsburg bei Rugendas (1751) und in →Straßburg (1752) auf. 1754 und noch einmal 1764 ist er in Sèvres; von 1761 bis 1764 leitet er die Manufaktur in →Kelsterbach; 1765 kehrt er nach Meißen zurück, jetzt allerdings als Arkanist. Ihm gelingt es, unter Assistenz des Freiberger Bergassessors Wentzel, um 1780 das →»Bleu royal« (in Sèvres bereits 1753 gefunden) zur Produktionsreife zu bringen.

Busch, Robert, s. Wien, *Wiener kunstkeramische Fabrik A. Förster & Co.*

Bustelli, Franz Anton, gest. 18. 4. 1763 Nymphenburg. Vielleicht, was Stilvergleiche nahelegen, ein Bildhauer aus der Schule des Johann Baptist Straub in München; sicher jedoch war er, neben dem großen →Kaendler in →Meißen, der begabteste unter den Porzellanmodelleuren des 18. Jh. Sein Werk, wie es in

F·B   Franz Anton Bustelli

Neudeck (→Nymphenburg) entstand, überblicken wir; von seinem Leben sind nur wenige Daten und Fakten bekannt. – Mit einer Notiz im Rechnungsbuch der »Churfürstlichen Porcellain-Fabrique«, die besagt, daß Franz Antony B. am 3. 11. 1754 als Figurist in Arbeit eingestanden sei, taucht er aus dem Dunkel auf. An gleicher Stelle sind die Lohnzahlungen (zunächst 4 fl wöchentlich, bis zu 10 fl im Juli 1761), ist das Sterbedatum, sind die Arztkosten »wegen der an dem Bustelli seelig angeordneten Ordination«, ist das Inventar der »Bustellischen Verlassenschaft« vermerkt, und zwar »1 feichtener Comodcasten mit 4 Schubladen, 1 do. Tisch, 1 do. gespörtes Kästl, 17 Figuren Bildhauer-Arbeit, 31 chymische Buecher«: ein bescheidener Besitz, den die Fabrik, da anscheinend kein Erbe Anspruch erhob, übernahm. Selbst die Sterbelisten der Pfarrei St. Margareth in Sendling, die zumindest Aufschluß über das Alter B.s hätten geben können, sind im Original verloren. Nur ein Index dieser Kirchenbücher von 1850 hält den Tod des »Postelli Franz Anton« für den 18. April 1763 fest. – Das sind – abgesehen von ein paar Autographen, meist Lohnquittungen mit des Figuristen Unterschrift und Siegel (ein Adler über drei Sternen und die Lettern FB; s. MT) – die wenigen gesicherten Nachrichten von seinem Dasein. Selbst sorgsamste genealogische Untersuchungen, wie sie Emilio Balli, Virgilo Gilardoni oder Carl Graepler unternahmen, führten nicht weiter. Alles bleibt Vermutung und Spekulation; ein scheinbarer Fund wurde stets durch eine neuere Entdeckung wieder

Chinesen, um 1760

aufgehoben. – Der Name weist eindeutig nach Italien. Dort, im Tessin, in und um Locarno, sind B.s, weitverzweigt und zahlreich, seit der Mitte des 15. Jh. nachweisbar. Doch spätestens im 18. Jh. tauchen sie, wie andere »muratori«, auch diesseits der Alpen auf: in Aschaffenburg, Landau und Landshut; 1747 bewarb sich in München ein Kaminkehrer Franciscus Antonius B. um das Bürgerrecht. Franz Anton B. selbst kann im Tessin geboren sein, seine Jugend verbrachte er aber anscheinend in Bayern. Er benutzt bayerische Ausdrücke wie »Bossierbeinelln« für Modellierhölzer; er nennt sich Franz Anton und nicht Francesco Antonio; er schreibt, mit flüssigem Duktus, in deutscher, nicht in lateinischer Schrift. →Auliczek, sein Nachfolger, aber nennt ihn doch »einen Italiener von Geburt«.

Das Werk, in den Arbeitslisten der Manufaktur zwar verzeichnet, doch keine der Arbeiten mit dem Namen B.s verbunden, ist trotzdem durch einige Figuren, die in Blindprägung an der Oberseite

89

ihrer Sockel das »F B« des B.schen Wappens zeigen, eindeutig nach Umfang und Zugehörigkeit abzugrenzen. – Begonnen hatte er wohl mit der Arbeit an dem →Tafelaufsatz, den →Ponhauser zur Hochzeit einer Prinzessin des Kur-Hauses (10. 7. 1755) zu entwerfen hatte: ein meterlanger Tischschmuck, ein Rokokogarten im Spielzeugformat, aus Rabatten und Balustraden, aus Spalieren, Gittern, Kuppeln und Toren zusammengeschoben, mit grünen Zypressen, mit Vasen auf zierlichen Postamenten geschmückt, von »Hundlen, Käzlen, Götterfigurlen« bevölkert, wohl auch von den »Dames und Messierers« belebt – possierlichsteife, wie Stöcke in ihre Standfläche eingerammte Geschöpfe, die B. mit ein paar gekonnten Griffen aus dem Model des ungeschickten Vorgängers in elegante Figurinen umzuschaffen wußte (Kavalier am Postament, Reifrockdame, Zofe, Kammerdiener). Zugleich entstand seine erste selbständige Arbeit, ein Dutzend Putti als »ovidische Götter« (1758 um ein weiteres Dutzend vermehrt); es entstanden die Hachelmann-Serien mit Volkstypen wie der Täublingsgretl, der Apfelfrau, dem Kasmann; unter diesen auch, nun schon Rokoko-Anmut in jeder Regung, der Laufferer mit Conmayd. Im Herbst 1755 folgte eine erste Kreuzigung, die Rainer Rückert zu den bedeutendsten Kruzifixen des 18. Jh. zählt. Die Assistenzfiguren Maria und Johannes fertigte B. ein Jahr später. Hieran schlossen sich an, das Thema des jugendlichen Paares umkreisend, die Schäfer-, Fürwitz-, Amouret- und Visusgruppen (Der gestörte Schläfer, Liebespaar in der Ruine,

Stürmischer Galan, Der eifersüchtige Galan) oder, in kräftiger Schwenkung aufeinander zutanzend, Harlekin und Harlekine oder, 1760, leicht outriert, der Jagd-Aufsatz oder, witzig pointiert (wie auch die →Galanterien des Tabakkopfs mit Hut und des Gansschnabel-Stockgriffs), der Brandtenburger Soldath mit derley Weibsstück. Zugleich entsteht die chinesische Serie: Musikanten, Beter, Priester, Schüler, Pagoden, schönste Beispiele B.scher Formkraft; es entstehen einige Exoten, auch sie liebliche Geschöpfe einer träumerischen Phantasie. Ebenso sind wohl die besten Exemplare der Nymphenburger Tierplastik, Einzeltiere wie auch die leidenschaftlich erregten Tierhatzen, B. zuzuschreiben. Mit Sicherheit gehören ihm eine Jahreszeitenfolge, zwei Kinderbüsten und vor allem die Porträtbüste des Grafen Haimhausen, ein Werk von großem Ernst und gesammelter Kraft. – Stilistisch entwickelte sich B. trotz Kontrapost und weitausholender Gebärde zu immer größerer Vereinfachung hin, wobei er bei aller Genauigkeit im Detail weithin auf Beiwerk und anekdotisches Requisit verzichtete. Er bildete die Figur meist auf dünnem, geschweiftem Sockel in tänzerischen Rhythmen, definierte sie in großgesehenen Flächen, glatt und mit scharfer Kontur. Sein Stil erreichte schließlich mit den »16 Stukh Pantomin Figuren« der Commedia dell'arte, in der federnden Präsenz dieser Körper, ihrem Gleiten, Drehen, Wenden, Eilen mozartischen Wohllaut, erreichte ein »Höchstes an lebendiger Äußerung«. – B.s Figuren besitzen unbemalt, mit dem Spiel des Lichts auf Kanten und Flächen, einen »Schliff«, der an Kristalle gemahnt. Sie sind zart und fest zugleich, wie ihr Material. Bemalt aber gewinnen sie durch die strahlende Farbigkeit einer von Figur zu Figur wechselnden →Staffierung den Charme sprühender Rokoko-Finesse. – Rainer Rückert, dessen klaren und subtilen Ausführungen wir hier folgen, erinnert am Schluß seiner Betrachtung daran, daß ein Jahr nach B.s Tod in Dresden mit Winckelmanns »Geschichte der Kunst des Altertums« das Buch erschien, das das Ende aller heiteren, verspielten, zierlichen Rokoko-Kunst signalisierte, deren größter Porzellanmodelleur B. gewesen war. Sein Œuvre sei, wie Rückert formuliert, von äußerster Klarheit und erlesenem Reichtum der Ausdrucksmöglichkeiten, ohne verwirrende Häufung in Form oder Detail. Jeder ungezügelte polternde Gefühlsüberschwang fehle ebenso wie Schwerblütigkeit und erstickende Fülle.

Literatur: Friedrich H. Hofmann. Franz Anton Bustelli, der Meister-Modelleur von Nymphenburg 1754 bis 1763, München oJ.; Rainer Rückert. Franz Anton Bustelli, München 1963.

Buteux ainé, Charles, geb. 1721, Porzellanmaler (Figuren); 1752–1756 an der Manufaktur →Chantilly, 1756–1782 in →Sèvres.

Buteux, Théodore, Goldmaler; 1786 bis 1822 an der Manufaktur von →Sèvres.

Cabaret, Antoine, s. Sceaux

Cachepot (von frz. cacher, verstecken, verbergen), ein Blumenübertopf aus

1, 2 Caën
rot, schabloniert

Steingut, Fayence oder →Porzellan, von vielen Manufakturen produziert: das einfache Gefäß meist durch malerischen oder plastischen Schmuck wirkungsvoll dekoriert.

Cadewitz, Martin, 1751–1791, Porzellanmaler (Blumen); tätig an der Kgl. Manufaktur →Berlin und seit 1780 in →Kopenhagen.

Caën (Calvados, →Frankreich), Porzellanmanufaktur 1793–1806; eine Gründung von d'Aigmont-Desmares, 1802 durch Ducheval übernommen. Die Erzeugnisse (Tafelgeschirr, Vasen, auch →Biskuit-Medaillons) in →Hartporzellan orientierten sich am Beispiel von →Sèvres und dem »Vieux Paris«; sie wurden häufig unbemalt nach →Paris geliefert und dort durch →Hausmaler dekoriert.

Marken: »CAEN«, rot (MT).

Café-au-lait, Fondfarbe, helle Variante des →Kapuzinerbrauns.

Caillat, Jean-Mathias, s. Vincennes, *Porzellanmanufaktur 1738–1756*

Caillouté, dem →Œil-de-perdrix ähnlich, ein Netz aus Ovalen (Kieselsteinen), meist in Gold auf dunkelblauem Grund, um 1752 in →Vincennes entworfen; in der Folge besonders häufig in →Derby, →Swansea und →Worcester kopiert.

Calder, Alexander, s. Sèvres

Calonne, de, s. Arras

Camaïeumalerei oder malen »en camaïeu«, abgeleitet von frz. la camée, die Kamee, die aus *einem* Stein mit verschieden getönten Schichten geschnitten wird. Übertragen auf das Gebiet der Maltechnik ist die C. ein Malen Ton in Ton. – Im frühen 18. Jh. war besonders beliebt das Purpurcamaïeu; im Klassizismus dann die Grau-in-Grau-Malerei, die →Grisaille.

Camradt, Frederik Christian, 1762 Kopenhagen – 1844. Absolvierte 1778 die Kopenhagener Kunstakademie; Miniaturist und begabter Porzellanmaler (Putten und Porträts); 1780–1796 an der *Kgl. Porzellanmanufaktur* zu →Kopenhagen. – Signierte Miniaturen in den Sammlungen des Kunstindustrie- und des Staatsmuseums in Kopenhagen und in Schloß Frederiksborg.

Camradt, Johann Ludvig, 20. 9. 1779 Kopenhagen – 4. 12. 1849 Hilleröd; Bruder von F. Chr. →Camradt; 1802 Schüler, 1823 Mitglied der Kopenhagener Kunstakademie; Miniaturist, Porzellanmaler (Blumen, Früchte), 1794–1797 an der *Kgl. Porzellanmanufaktur* zu →Kopenhagen. – C. gab 1816 eine Reihe Stiche mit Blumendarstellungen heraus.

Canstein, Karl Hildebrand, s. Tschirnhaus, E. W. v.

Capelle, Porzellanmaler (Landschaften); 1746–1800 an den Manufakturen →Vincennes und →Sèvres.

Capodimonte (Kampanien, →Italien), Kgl. Porzellanmanufaktur 1743–1759. Sie war eine Gründung Karls IV. von Bourbon, seit 1734 König beider Sizilien, ein leidenschaftlicher Jäger, doch auch ein zäh-nüchterner Liebhaber und Förderer der Handwerke, Künste und Wissenschaften (Ausgrabung von Herculaneum), dem 1738 Maria Amalia Christina von Sachsen, Enkelin Augusts des Starken, Koffer voll schönsten →Porzellans als Mitgift zubrachte. Für den jungen König war dies wohl der Anstoß, um neben einer Teppichwirkerei und der Manufaktur für geschnittene Steine auch die Etablierung einer Porzellanfabrik zu erwägen. Als erstes wurde versucht, allerdings vergeblich, in →Doccia die beiden →Anreiters, aus →Wien die Porzellanmaler →Helchis und Anton Wagner abzuwerben. Zugleich setzte die systematische Suche nach geeigneten Erden im Lande ein, und im Park von C., einem königlichen Schloß am Nordrand Neapels, errichtete Karls Hofbaumeister das Fabrikgebäude. 1743 hatte der Flame Livio Ottavio Schepers, bis dahin in der Neapolitanischen Münze tätig, einen ersten Masseversatz gefunden, der allerdings 1744 durch einen brauchbareren ersetzt wurde – von seinem Sohn Gaetano, nun statt des Vaters Arkanist der Firma, entdeckt. Dieser Scherben ist ein gutes →Weichporzellan, formbarer als die französischen Fritten, transparent und, abgesehen von einem gelegentlichen rosa oder

1, 2 Capodimonte
blau u'glas.   *eingepreßt*

gelblichen Anflug, reinweiß. Die →Glasur besitzt Glanz, kam aber auch öfters, beabsichtigt oder nicht, matt wie Pergament aus dem Brand, was einen vorzüglichen Malgrund ergab. – Unterstützt von den →Modelleuren Gaetano Fumo (Blumen), dem Gemmenschneider Ambrogio di Giorgio und seinem Bruder Stefano entwickelte Giuseppe Gricci als Modellmeister ein Produktionsprogramm, das Geschirr und Gerät umfaßte: mit unterschiedlicher Akzentuierung von Tülle und Henkel bauchige Teekannen, schlankere Kaffee- und Milchkannen, runde, schalenförmige Teller, hohe, anfangs henkellose Tassen und →Kummen mit dünn ausgezogenem Rand, doch auch Leuchter, Zuckerbüchsen, Besteck- und Stockgriffe, Uhrgehäuse und – meist als Fünfergarnitur für den Kaminsims – Deckelvasen, die den imposanten, in →Meißen für August den Starken gearbeiteten AR-Vasen nachgebildet waren. Originell und für das meernahe C. typisch sind die Tabakdosen, Schalen oder Krüge, die das Muschelmotiv aufnehmen und rigoros das Gefäß der Naturform anpassen. – Der malerische Dekor nutzt zur Betonung der Ränder und Kanten, wenn auch vereinfacht, die Meißner Goldspitzen; feingetüpfelt und feingestrichelt greift er die Muster der Früchtemalerei oder der →Deutschen und →Indianischen Blumen (Maria Caselli, 1743–1759) auf. Auch folgt er dem Angebot der Miniaturisten, die nach französischen oder italienischen →Stichvorlagen arbeiten (Giovanni Caselli, 1743–1752, J. S. →Fischer, Luigi Rustelli, 1758/59) und schmückt den Porzellangrund mit galanten und ländlichen Szenen, mit Putten, Idyllen, Landschaften, Marinen oder Bataillen im milden Farbakkord aus Violett und Orange, aus Braun, Oliv und Graugrün, doch auch en camaïeu in Blau, Karmin, Schwarz oder Violett (Giuseppe della Torre, 1743–1759). – Ist schon das reiche plastische Beiwerk der Vasen, Schalen und Dosen, sind die Muschelformen, Maskarons, die aufgelegten Girlanden, Früchte, Blüten, Blätter nicht ohne fördernde Einwirkung des Modellmeisters zu denken, so gehört ihm mit Sicherheit die Mehrzahl der Figuren, deren Proportionen (kleiner Kopf, meist auch kleine Hände bei gedrungenem Körperbau und langen Gliedmaßen) auf könnerische Weise zart verschoben sind und so die Statuetten leicht und anmutig erscheinen lassen. Die Beredsamkeit der Gesten, die Lebhaftigkeit des Ausdrucks weisen die Götter, Bauern und Hirten (oft durch ein Attribut in Allegorien verwandelt), die jugendlichen Paare, Puttini, Kavaliere und Damen, besonders aber die Straßenhändler und Komödianten der neapolitanischen Szene zu. Die Gruppen, in ihrem von Laune und Witz diktierten Beieinander, die burlesken »Momentaufnahmen« aus der Commedia dell'arte scheinen erfüllt von dem Leben, das den →Modelleur täglich umgab. Zugleich aber gelangen Giuseppe Gricci, in dem für den

Werkstoff schwierigen Format von etwa 50 cm, Werke religiöser Kunst: die Beweinung Christi, eine Immaculata, ein heiliger Johannes, ein Sebastian. Diese noch von barockem Pathos getragenen Arbeiten wurden vor 1745 konzipiert; 1757–1759 aber entstand, nun ganz Rokoko-Heiterkeit und Rokoko-Anmut, der Porzellansalon Maria Amalias, den Arthur Lane »eine der glücklichsten Schöpfungen des europäischen Rokoko« nennt. Ein kleiner Saal im Palazzo Portici, durch Türe, Fenster und fünf hohe Spiegel gegliedert, ist zur Gänze mit Porzellanplatten ausgekleidet; die Flächen sind durch blütenumwundene Spaliere scheinbar in eine Laube verwandelt, von Szenen eines verspielt-glücklichen Daseins im chinesischen Kostüm belebt. Das so die Wände überspannende, figurenreiche Hochrelief, bei dessen Modellierung Stefano Gricci den Bruder unterstützte, wird zu festlichem Glanz gesteigert durch eine Malerei (J. S. Fischer, L. Restile), die ihre Mittel – Pastellfarben und sparsame Goldhöhung – mit Fingerspitzengefühl einsetzt. (1865 wurde das Porzellanzimmer aus Portici nach C. verlegt.) – Durch den Tod des Halbbruders, Ferdinands VI., fiel dem König, nun Karl III. von Spanien, dessen Krone zu. Die Porzellanmanufaktur, seine Lieblingsschöpfung, ließ er in C. abbauen; die technische Einrichtung, auch 5 t zubereitete Porzellanmasse und 44 Arbeiter, unter ihnen die Arkanisten, Modelleure und Maler, ließ er auf drei Schiffe verladen, und – ein Kuriosum der Keramikgeschichte – die so beförderte Fabrik mußte auf seine Anordnung hin im neuen Gehäuse, das zu diesem Zweck im Park von →Buen Retiro am Ostrand von Madrid errichtet wurde, die Arbeit wieder aufnehmen.

Marken: Bourbonenlilie: auf Gefäßen meist blau u'glas. (1); auf Figuren eingepreßt (2).
Literatur: A. de Eisner Eisenhof. Le porcellane di Capodimonte, Mailand 1925; Elena Romano. La Porcellana di Capodimonte. Storia della Manifattura Borbonica, Neapel 1959.

Caradea, die, s. Wien, *Porzellanmanufaktur 1718–1864*

Cardon de Bertauvillet, Jean Claude, aus Soisson; Porzellanmaler, 1755–1763 (?) Malereivorsteher an der Manufaktur von →Tournai.

Carl I., Herzog von Braunschweig, s. Fürstenberg

Carl Alexander, Markgraf von Ansbach, s. Ansbach, *Porzellanmanufaktur 1758 bis 1860*

Carl Eugen, Herzog von Württemberg, s. Ludwigsburg, *Porzellanmanufaktur 1758–1824*

Carlstadt, Cornelius, s. Frankenthal, Kelsterbach und Ludwigsburg, *Porzellanmanufaktur 1758–1824*

Carlstadt, Jacob, s. Höchst, *Porzellanmanufaktur 1746–1796*, Kelsterbach und Ludwigsburg, *Porzellanmanufaktur 1758 bis 1824*

Carl Theodor, Kurfürst von der Pfalz, s. Frankenthal

»Carl-Theodor-Manufaktur«, s. Frankenthal

Idylle, entworfen von François Boucher, ausgeführt von Gabriel Huquier, um 1740

Caton, Antoine, geb. 1727, Porzellanmaler (Figuren, Pastoralen); 1749–1798 an den Manufakturen →Vincennes und →Sèvres.

Catrice, Nicolas, Porzellanmaler (Blumen); 1757–1774 an der Manufaktur von →Sèvres.

Caughley (Shropshire, →England), Porzellanmanufaktur 1750–1814. Sie wurde 1754 von Browne an Gallimore verpachtet, nahm aber erst ab 1772 Aufschwung, als der aus →Worcester kommende Arkanist Th. →Turner in den Betrieb eingeheiratet hatte. Die auf Steatit-Basis hergestellte C.-Ware entspricht sowohl in den Formen wie im Dekor (Blütenbemalung oder Unterglasurblaudruck) ganz den Worcester-Vorbildern, von denen sie sich lediglich in der Farbe des Scherbens unterscheidet. Dieser erscheint bei C.-Ware leicht bräunlich, bei Worcester-Porzellan grünlich. 1799 wurde das Unternehmen, an dem inzwischen auch R. →Hancock teilhatte, an J. →Rose verkauft. Bis 1814 wurde in C. noch gefertigt, wenn auch ein Großteil der Arbeiten von →Coalport übernommen wurde.

SALOPIAN

1, 2 Caughley
1772–1783   *1783–1799*

Marken: S, So, SX und C (das letzte in Blau); daneben erscheint blindgestempelt SALOPIAN (1). »Turner« eingeprägt, ab 1783 Buchstaben, verkleidete Zahlen blau u'glas. (2). *Literatur:* G. A. Godden, Caughley and Worcester Porcelains 1755–1800, London 1969.

Chaffers, Richard, 1731 Liverpool bis 1765 ebd., Inhaber der Delftware Pottery und einer Porzellanmanufaktur in →Liverpool.

Chamberlain, Robert, geb. 1735; er besaß ab 1783 eine Werkstatt für Porzellanmalerei, ab 1786 eine Manufaktur in →Worcester. 1840 übernahm er die Flight & Barr-Manufaktur.

Chambrelans (frz., Heimarbeiter), zugleich Bezeichnung der →Hausmaler.

Champion, Richard, 1743–1791 Camden; 1773–1781 Inhaber der Cookworthy-Porzellanmanufaktur in →Bristol.

Chanou, Henri Florentin le jeune, s. Paris, *Barrière de Reuilly*

Chantilly (Oise, →Frankreich), Porzellanmanufaktur 1725–1800; gegr. durch Louis-Henri von Bourbon, Prince de Condé; zunächst im Seitenflügel des Schlosses von Ch., ab 1730 in einem eige-

nen Gebäude an der rue du Japon untergebracht; 1735, nach einem Jahrzehnt erfolgreicher Tätigkeit, mit dem königlichen Privileg belehnt, das in den 40er Jahren an Ciquaire (Sicaire?) Cirou überging. Dieser, ein tüchtiger Keramiker, der vielleicht aus dem Betrieb der Witwe →Chicaneau-Moreau in der →Pariser *rue de la Ville-l'Evêque* kam und daher wohl die Geheimrezepturen von →Saint-Cloud kannte, war von dem Prinzen zum Direktor der neuen Manufaktur bestellt worden; eine Position, die er bis zu seinem Tod, 1751, energisch und klug ausfüllte. – Er entwickelte, unterstützt von Mitarbeitern wie L.-J. →Goujon, R. und G. →Dubois oder L. A. →Fournier, ein ausgezeichnetes Frittenporzellan, das er – ein in der Porzellanherstellung ungewöhnliches und kaum je wiederholtes Verfahren – mit einer weißen, deckenden →Zinnoxidglasur überzog. Sie verlieh dem Scherben eine milchig-glatte, weich schimmernde Oberfläche. – Der Prinz, ein leidenschaftlicher Sammler chinesischen und vor allem japanischen →Porzellans des 17. Jh. erwartete ähnlich wie sein königlicher Confrère, August von Sachsen, neben Geschirr und Gerät, das dem abendländischen Formenkodex von Silber und Fayence verpflichtet blieb, die gelungene Nachbildung und Komplettierung seiner ostasiatischen Schätze. Unbefangen wie in →Meißen erfüllten auch in Ch. →Modelleure und Maler die Wünsche ihres fürstlichen Auftraggebers. Sie imitierten das →Blanc-de-chine-Geschirr mit den säuberlichen Reliefmustern; sie übernahmen die schönen, schlichten Formen fernöstlicher Keramik ebenso wie

bis 1760 rot,
auch schwarz
und gold

ab 1760
blau,
auch eingeritzt

1770–1785
blau,
auch eingeritzt

deren skurrile Einfälle: Tassen, Untertassen in Achteckform, Schüsseln, Teekannen, Bonbonnieren als Melonen, Pfirsiche oder Granatäpfel, andere als Baumstämme oder als hockende Chinesen geformt. Doch unter den erfahrenen Händen dieser Kunsthandwerker und durch ihre Neigung zu Mäßigung und Vereinfachung gewannen die Nachahmungen ein Flair, gewannen eine Eleganz und Grazie, wie sie mit solcher Sicherheit im 18. Jh. nur französischen Erzeugnissen eigen waren. Ebenso behandelten sie den malerischen Dekor, der den Arbeiten aus der Kakiemon-Werkstatt folgte. Er wird bis heute als »décor coréen« bezeichnet, da Albert Jacquemart, ein Keramik-Historiker, annahm, daß Ch.s Vorlagen, das →Kakiemon-Porzellan, koreanischen Ursprungs sei. Diese entschieden graphisch aufgefaßten und im Gegensatz zu Meißen schwarz konturierten Muster, die →Indianischen Blumen, die Figurenszenen und pittoresken Tiermotive, sind in einem lichten Blau, einem blassen Gelb, in Türkisgrün und mattem Rot dem Porzellangrund aufgeschrieben. Asymmetrisch, in freier Bewegung, umrunden sie spielerisch die Gefäßwand, füllen, sparsam dekorativ, die Fläche von Tellern und Platten oder sind oft, in der Nachfolge von Meißen, das zierliche Bild der →Reserve im gelben Fond. – Mit Cirous Tod endet die Stetigkeit in der Betriebsfüh-

rung. Ihm folgten zunächst Bouquet de Monvallier und Roussière, der aber bereits 1754 wieder ausschied. 1760–1776 übernahmen der Kastellan des Prinzen Condé, Pierre Peyrard, nach ihm 1776 bis 1779 Louis-François Gravant, zuvor Massebereiter in →Sèvres, und 1779 bis 1781 dessen Frau, die »Dame Gravant«, das Unternehmen. Sie wurden 1781 durch Antheaume de Surval und 1792 durch den Engländer Christopher Potter abgelöst, dessen Bankrott 1800 die Liquidation der Manufaktur erzwang. – Um 1750 hatte man die Zinnglasur, die in der Folge nur selten verwandt wurde (1770 für das Villers-Cotteret-Service, das der Herzog von Orléans bestellt hatte), durch eine transparente →Bleiglasur mit gelblichem Schimmer ersetzt. Die Formen der Kannen, Dosen, Schalen, Vasen wandelten sich nun langsam im Geschmack des Louis-quinze: ein Beispiel die von →Vincennes übernommenen Vases à oreilles, mit schwellendem Gefäßkörper und weit ausladenden Henkeln. →Deutsche Blumen aus Meißen, Putten à la Boucher, aus Vincennes ländliche und galante Szenen verdrängten allmählich die ostasiatischen Motive. Erfindungen, die Ch. selbst entwickelte, vervollständigten das Angebot; darunter, »à la brindille«, penibel gezeichnete Blütenranken (in →England als »Chantilly sprigs« vielfach nachgeahmt), weiter ein Vogel, der auf

97

*Putten, entworfen von Franz Xaver Habermann,
ausgeführt von Johann Georg Hertel d. J.,
um 1755*

einer winzigen Rocaille stängelt, oder ein
Springbrunnen (au jet d'eau), von Gitterwerk gerahmt. Diese Muster, zunächst
mehrfarbig, erschienen nach 1753, unter
dem Druck von Vincennes/Sèvres, monochrom in Blau, Purpur, in Braun oder
lebhaftem Gelb. – Als Maler wären zu
nennen: J. J. →Anth(e)aume, Ch. →Buteux
ainé, L.-G. →Chulot, A.-T. →Cornail-
les, J.-F. →Drand. – Der figurale
Schmuck der →Galanterien, der Tabatieren, Besteckgriffe und Stockknäufe,
meist erstaunlich expressiv, ist kaum von

verwandten Arbeiten aus →Saint-Cloud
oder →Mennecy zu unterscheiden. Dagegen höchst originell, wenn auch dem
buddhistischen Pu-tai Ho-shang, dem
Meißner →Pagoden, nachgebildet, präsentieren sich, meist prächtig mit Indianischen Mustern staffiert, die hockenden,
grinsenden, dickwanstigen Chinesen mit
ihren Kübeln, Töpfen oder Schalen, rund
und massig wie sie selbst. Sie gehören in
die 40er Jahre, wie auch die zwei freund-
lich-ernsten Statuetten: Standfiguren,
weiß glasiert, beide mit Kiepen auf dem
Rücken, die wohl als chinesischer Händler und europäische Bäuerin (vielleicht
nach einem Meißner Vorbild) zu verste-
hen sind. Nach der Jahrhundertmitte entstehen dann Kinder und Putten, auch
eine Reihe naturalistisch gesehener und
geformter Tiermodelle (Luchs, Leoparden, Gemsen) auf flachem Sockel. Gegen
Ende des 18. Jh. scheint die Manufaktur
ebenfalls figurales Porzellan in →Biskuit
ausgeformt zu haben.

Marken: Etwa 1726–1740 rot, etwa 1740–1800
blau ein Posthorn (1); um 1760–1800 öfters
mit dem Zusatz »Chantilly«, blau oder eingeritzt (2); 1770–1785 Aufschrift »Villers Cotte-
ret«: Service für den Herzog von Orléans,
blau (3). Außerdem Dreher-, Maler-, Bossiererzeichen.

Chapelle, Jacques, s. Sceaux

Chappuis ainé, Porzellanmaler (Blumen,
Vögel); 1761–1787 an der Manufaktur
von →Sèvres.

Chartres, Louis Philippe Joseph de,
1747–1793; seit 1785 Herzog von Orléans
(Ururenkel der Liselotte von der Pfalz,
entschied sich 1789 als Philippe Égalité für

die Revolution, stimmte für den Tod des Königs, wurde trotzdem selbst hingerichtet). 1777–1788 Protektor der Porzellanmanufaktur in →Vincennes und 1786 bis 1793 der Fabrik in →Paris, *rue Amelot.*

Chaurey, s. Lorient

Chauveaux fils, Porzellanmaler (Girlanden, Buketts); 1773–1783 an der Manufaktur von →Sèvres.

Chelsea (London, →England), Porzellanmanufaktur 1745–1784; die älteste und vornehmste englische Porzellanmanufaktur, die auf der Höhe ihrer Kunst mit den besten derartigen Erzeugnissen des 18. Jh. konkurrieren kann. Ob der eigentliche Gründer der Manufaktur N. →Sprimont oder Charles Gouyn, ein Londoner Juwelier, war, steht nicht fest. Schon 1749 schied Gouyn aus, und der Betrieb wurde in Zusammenarbeit von Sprimont und E. →Fawkener zu hoher technischer Leistung wie künstlerischer Qualität geführt, die auch noch nach dem Tode Fawkeners 1758 unter der alleinigen Leitung Sprimonts andauerte. 1769, zwei Jahre vor seinem Tode, verkaufte Sprimont das Unternehmen an James Cox; doch ging es schon 1770 in die Hände von W. →Duesbury und John Heath über, die bereits in →Derby gemeinsam eine Manufaktur betrieben. Bis zu seinem endgültigen Erliegen 1784 diente das Werk in Ch. fast nur noch als Fertigungsbetrieb von Derby (sog. Chelsea-Derby-Periode). Aus den Jahren 1745–1749, der sog. Triangle Period, sind die frühen Erzeugnisse vom Material her mit französischem Frittenporzellan vergleichbar, während ihre Formen auf Sprimonts Silberarbeiten hinweisen und nicht selten nach seinen Zeichnungsentwürfen entstanden sind. Als Dekor werden häufig unbemalte Blüten- und Zweigreliefs, ebenso polychrome Kakiemon-Motive nach →Meißner Vorbildern verwendet. Auch den frühen, anfangs unbemalten Figuren scheinen Zeichnungen Sprimonts oder andere plastische Vorbilder zugrunde zu liegen. Daneben gibt es Kopien nach Meißner Figuren von →Kaendler. Erst in den Jahren 1749 bis 1766 war Meister J. →Willems als →Modelleur mit eigenen Figurenentwürfen tätig. Bei den Reliefdekoren werden in der sog. Raised Anchor Period (1750–1753) gern glattwandige Gefäße bevorzugt, da sie eine großzügige Malfläche für Kakiemon- und Blumenmotive bieten. Auch Tierszenen, basierend auf den Fabeln Äsops, oder Tiere in freier Natur sind eine dekorative Neuheit, meist von Meister J. H. →O'Neale ausgeführt. – In der Red Anchor Period (1753–1758) schließlich erreicht die Ch.-Manufaktur den Gipfel ihrer Kunst. Sie löst sich von den Meißner Vorbildern und entfaltet selbst bei ostasiatischen Motiven ihre Eigenständigkeit. Die dekorativen Blüten und Pflanzen präsentieren sich in ihrem natürlichen Bewegungsablauf (in Anlehnung an das Pflanzenbuch des Botanikers Philip Miller, »Figures of Plants«); ebenso wie die Deckelgefäße, die als Blätter, Früchte, Haustiere, Wild oder Fisch nach der lebendigen Natur gestaltet sind. – Nach dem Tode Fawkeners steht die Ch.-Ware

1745   1750–1753   1753–1770

wieder stärker unter französischem Einfluß. Die Geschirre werden prunkvoller
und mit viel Gold verziert, auch die
Ankermarke erscheint in Gold (Gold
Anchor Period, 1758–1770). Das Luxus-
Tafelservice für den Herzog von Meck-
lenburg-Strelitz wurde auf persönliche
Anordnung Georgs III. gefertigt, dem
vorübergehend die Manufaktur in Ch.
unterstand. – Weltbekannt wurden die
→Galanterien der Manufaktur, die sog.
→Chelsea-Toys. – Ungeklärt ist die genaue Herkunft der →Girl-in-a-Swing-
Porzellane, die aus dem näheren Umkreis von Ch. stammen dürften.

Marken: 1745–1749 eingeritztes Dreieck, auch
mit «Chelsea« und Jahreszahl versehen (1).
1750–1753 Anker in Reliefprägung (2). 1753
bis 1758 Anker in Rot, selten in Blau; 1758 bis
1770 Anker in Gold (3). Bis 1784 Anker mit
Krone oder »D« oder »D« mit Anker in Blau,
Rot, Gold oder Purpur.
Literatur: F. Hurlbutt. Chelsea China, Liverpool 1937.

Chelsea-Toys, wohl in einer Manufaktur in →Chelsea hergestellte →Galante-
rien mit Monturen, so Puder-, Schnupf-
tabaks- und Nadeldosen, Riechfläschchen
in Figurenform, Etuis usw. Die Ch.-T.,
von denen die frühesten schon in der
Reliefankerperiode entstanden sein dürften, die aber fast immer ungemarkt sind,

erfreuten sich allergrößter Beliebtheit und
wurden weithin exportiert (→Toys).
Literatur: G. E. Bryant, The Chelsea Porcelain Toys, London/Boston 1925.

Chicaneau, Pierre, gest. vor 1678, Keramiker, Gründer und Besitzer der Manufaktur →Saint-Cloud, wo er seit etwa
1664 Fayence produzierte und zugleich
versuchte, →Porzellan herzustellen, was
aber erst seinen Kindern (Pierre, Jean,
Jean-Baptiste und Geneviève), anscheinend um 1693, gelang. Leiter der Firma
war neben Berthe (Barbe?) Coudray,
Ch.s Witwe, bis zu seinem Tod, 1710,
Pierre II Ch. – Berthe Coudray selbst
hatte 1679, ein Jahr nach dem Tod ihres
Mannes, H.-Ch. →Trou geheiratet. Dieser arbeitete zwar in der Manufaktur mit
(anscheinend als Leiter der Fayence-Ab-
teilung), die Familie Ch. hatte ihm aber
das Secret de la porcelaine, für dessen
Auswertung sie 1702 das Privileg erhielt,
nicht mitgeteilt. Erst 1722, nach dem Tod
von Berthe Coudray, wurden Henri und
Gabriel Trou, Söhne aus ihrer zweiten
Ehe, in das Privileg mit einbezogen. –
1711 trennte sich Marie Moreau, Witwe
von Pierre II Ch., von Saint-Cloud und
gründete in →Paris, in der *rue de la Ville-
l'evêque,* mit Hilfe eines Vetters ihres ver-
storbenen Mannes, Louis-Dominique-
François, eine eigene Firma. – Ebenso
eröffnete Marie-Anne Ch., Enkelin des
Firmengründers, nachdem ihr 1741 das
Secret de la porcelaine mitgeteilt worden
war, gemeinsam mit ihrem Mann, François Hébert, in der *rue de la Roquette* zu
Paris eine Porzellanmanufaktur.

China. Kaufleute wie Marco →Polo

(1298) oder Missionare wie Gaspar de la Cruz (1569), Martinus de Herrada (1577) oder Gonzales de Mendoza (1585) hatten von dem »pourcelaine« gesprochen. In Reisebeschreibungen hatten um 1600 der Holländer Jan Huygen van Linschoten oder Matteo Ricci in Venedig erklärt, daß dieses →Porzellan »so fijn« sei, »dat gheen Cristalynen glas daer byte gelijck ist«. Sie hatten seine Herstellung zu beschreiben versucht: nüchtern (unter vielen anderen) Matthäus Dresser aus Leipzig (1597), äußerst sachkundig, auf eigene Beobachtungen in Ching-tê-chên gestützt, der Jesuitenpater →Entrecolles, doch auch Märchengarne spinnend wie Odoardo Barbessa, ein Edelmann aus Lissabon, der 1516 von seiner Chinareise berichtete, daß die Chinesen Eier- und Muschelschalen, dazu »Schneckenhäuseln« an die hundert Jahre vergrüben und so das Porzellan gewännen. Auch praktische Beispiele dieser Keramik, meist Geschenke orientalischer Potentaten, tauchten seit Beginn des 15. Jh. mehr und mehr im Abendland auf und füllten die Schatzkammern großer Herren in →Spanien, →Italien, →Frankreich und →Deutschland. Doch sowohl die literarische Mitteilung wie auch die persönliche Gabe berührte nur kleine Kreise, hielt sich in engsten Grenzen. Erst als Vasco da Gama 1498 den Seeweg nach Ostindien fand und die Portugiesen die nächsten hundert Jahre über ihre Niederlassung Macao Porzellan aus Ch. in stetig steigenden Mengen nach dem Westen transportierten, erst recht aber, als sich im 17. Jh. die Holländer robust an deren Stelle drängten und mit Hilfe der 1602 gegründeten Compagnie des Indes (der bald ähnliche Gesellschaften in England, Frankreich, Dänemark und Schweden folgten) den Porzellanhandel in großem Maßstab organisierten, bewirkte die europaweite Verbreitung fernöstlicher Keramik, bewirkte der Anblick der im exotischen Glanz strahlenden Gefäße, die man noch dazu als Beweis eines in Heiterkeit und philosophischer Milde hingebrachten Daseins verstand, ein Fieber, seltsam gemischt aus Besitzgier, Nachahmungslust und bohrendem Wissensdrang; Emotionen, die, einander steigernd, schließlich zur Entdeckung der Porzellan-Arkana und zur Etablierung der europäischen Porzellan-Landschaft führten.

Die Masse des importierten Porzellans kam, über den Ausfuhrhafen Kanton, zunächst aus Ching-tê-chên, einer alten Töpferstadt, in der Provinz Kiangsi inmitten reichster Rohstofflager gelegen und seit etwa 1400 Sitz der kaiserlichen Porzellanmanufaktur. Um die Mitte des 17. Jh. schaltete sich, da Ch. den Export erschwerte, mit den Erzeugnissen von →Arita – nach dem nahen Ausfuhrhafen meist als →Imari-Porzellan bezeichnet – Japan ein. Das in Europa ebenfalls begehrte →Blanc-de-Chine bezogen die Handelsgesellschaften aus Tê-hua, einem Töpfereizentrum in der südchinesischen Provinz Fukien. Das braune Teegeschirr, das als erster A. de →Milde, dann wohl die Brüder Elers in →England (→Elers-Ware) und schließlich →Böttger mit dem →Roten Steinzeug in →Meißen nacherfand, kam aus I-hsing. Schon die lauchgrünen Seladongeschirre und das blauweiße Porzellan der Yüan-Dynastie (1280 bis 1368), spärlich und nur als Einzelstück meist über den Vorderen Orient während des 15. Jh. in den Okzident gedrungen, waren Fabrikate einer hochentwickelten Keramikindustrie. Das gleiche gilt von dem bis etwa 1800 – als der Import allmählich abebbte – in überraschenden Mengen eingeführten Porzellan, das unter der Herrschaft der Ming (1368 bis 1644) und der Ch'ing (1644–1912) entstand. Ebenso zeichneten sich die japanischen Erzeugnisse durch hohe Qualität aus. Abgesehen von billigen Massenartikeln, mit denen, die Chance nutzend, versierte chinesische und japanische Händler die Gier der »fremden Teufel«, der verachteten »großen behaarten Nasen« befriedigten; abgesehen auch von dem Porzellan, das bald schon im Auftrag der Ostindischen Gesellschaften nach westlichen Entwürfen und Modellen angefertigt wurde, bot sich im Zustrom der fernöstlichen Ware dem Liebhaber, der bei der Einrichtung seiner Porzellankabinette rasch Qualitäten unterscheiden lernte, eine Fülle neuer Formen, geheimnisvoller Techniken und faszinierender Muster. Ihm, der nichts von der Tang- und Sung-Keramik wußte, schienen alle Möglichkeiten des Materials genutzt, ein Nonplusultra an Anmut und Pracht erreicht. Höchst dekorativ wirkten die monochromen →Glasuren wie das Seladon oder →Sang-de-bœuf, reizvoll die Relief-, Flecht- und Durchbruchsmuster; strahlend, frisch, lebhaft das begehrte Blau-Weiß der Kobalt-Unterglasurmalerei; delikat, wechselnd in nuancierter Buntheit, die Emailfarben

über der Glasur wie das Tou-t'sai der Ming (das aber selten nach Europa kam) oder die Famille verte, die Famille rose der Ching-Zeit oder, matt auf →Biskuit, die Famille jaune und noir oder, von Kennern wie August dem Starken begehrt, der noble Gefäßdekor der Kakiemon-Werkstätten.

Die schönen Beispiele lockten, im produktiven Anlauf die eigene Antwort zu finden, sich nicht mit Import und Kauf zu begnügen. Der Weg war mühsam, die Suche immer wieder von Irrtümern bedroht. Am praktikabelsten erwies sich zunächst die Nachahmung, die sich mit der »Abschrift« des Dekors zufrieden gab. In →Venedig, Faenza, Verona war Majolika, sorgsam »alla porcellana« bemalt, ein ausgezeichneter Porzellanersatz. In Delft und von dort ausstrahlend im westlichen Deutschland war es die Fayence, meist mit ähnlichen, dem chinesischen Beispiel entlehnten Blaumustern, auf hellem Grund dekoriert oder auch, wie die schönen grünen Ansbacher Fayencen, an anderen Dekoren (hier der Famille verte) orientiert. Als Böttger dann die Rezeptur des echten →Hartporzellans entdeckt hatte und der schwierige Herstellungsprozeß gemeistert war, fuhr man unbefangen fort, obwohl das Kunsthandwerk jener Tage über den reichsten Fundus an Mustern und Formen verfügte, die chinesisch-japanischen Vorlagen zu kopieren. 1720 erhielt →Höroldt den Auftrag, »möglichst viele indianische Stücke zu kopieren«, was in der Meißner Malstube auch fast bis zur Ununterscheidbarkeit geschah; und noch im Mai 1766 notierte →Kaendler (wie R. Rückert mitteilt), daß er »5 Stück Zeichnungen nach so viel Stück aus Holland geschickten Porcellain Schüsseln, welche in unserer Porcellaine gefertigt werden müssen, accurat nach der Schwindung eingerichtet habe, daß solche darnach haben können gearbeitet werden«. – Ohne die zahllosen Anspielungen einer Bildersprache auch nur zu ahnen, die aus uralten Beständen schöpfte und der einzelnen Schmuckform halb ernst, halb verspielt ihren Stellenwert als Zeichen oder Symbol, als literarisches oder philosophisches Zitat zuwies, übernahm die europäische Porzellanmalerei den vielgestaltigen Katalog der ostasiatischen floralen und faunalen Muster. Sie übernahm die Päonien und Chrysanthemen, den Lotos, Granatapfel, die Prunuszweige, den Drachen, das Kylin, den Löwen, den Phönix und Kranich. Aber neben der treulichsten Kopie mit Höroldts →Indianischen Blumen, mit seinen und anderen amüsanten →Chinoiserien entwickelte sie auch selbständige Varianten und verband zugleich beide, Kopie und Variante, wie das in produktiven Epochen zu geschehen pflegt, nahtlos dem eigenen Konzept, der dem Porzellan so adäquaten Rokoko-Manier.

Nicht produktiv, eher gelähmt empfand sich die Zeit, als Mitte des 19. Jh. ostasiatische Kunst zum zweiten Mal die Aufmerksamkeit des Westens auf sich zog. Alle überkommenen Muster und Formen waren verbraucht, ihre Klitterung und Häufung erregte nur noch Kritik und Langeweile. In einem langwierigen Prozeß, ausgelöst durch eine erste Begegnung mit dem japanischen Holzschnitt (London, Weltausstellung 1862),

Chinoiserie, entworfen von Jean-Baptiste Pillement, aus der von Jacques-François Chéreau verlegten Folge von 12 Blatt »Recueil de Différents Panneaux Chinois«, um 1765

durch Jahrzehnte befördert und vertieft durch Sammler und Kunsthändler, denen Historiker und Archäologen folgten, entdeckte nun der Westen eine uralte Kultur, entdeckte fremdartige Weltbilder und Denksysteme (Konfuzianismus, Taoismus, Buddhismus). Ihnen entsprach eine Kunstgesinnung, eine Kunstübung, die der Keramik ein weites Feld einräumten: nach archaischen Anfängen eine Irdenware, glasiert und unglasiert, die etwa den Jahrhunderten unter den Han (206 v. Chr.

bis 220 n. Chr.) und den Sechs Dynastien (221–589) zuzuweisen ist; daneben Gefäße und auch Plastiken, denen, wie Fujio Koyama sagt, bei aller technischen Unvollkommenheit eine »Art sanften Zaubers und urtümlicher Kraft« anhafte. In der Folge dann die Keramik der Tang (618–906) und der Fünf Dynastien (907 bis 960): Epochen, in denen bereits Steinzeug und Protoporzellan von hoher Qualität gefertigt wird, mit Glasuren von dem bräunlichgelben Seladon des Yüeh-Yao, auch mit einer tiefschwarzen oder weißen Glasur, die von den zeitgenössischen Quellen als »weich und weiß wie Schnee« beschrieben wird, bis hin zu den temperamentvollen Dreifarbenglasuren, nicht nur Schmuck der Gefäße, sondern auch ein Mittel, um die Expressivität der großartigen Tang-Tiere – besonders der Pferde und Kamele –, der dräuenden Wächterfiguren und bizarren Dämonen zu steigern. Mit den gegen diese Buntheit und Phantastik so schlichten Porzellanen und Steinzeugen der Sung-Zeit (960–1279) ist schließlich ein Adel der Form gewonnen, eine edelsteinglatte Struktur der weißen und farbigen Glasuren, eine Sparsamkeit und künstlerische Konzentration des Dekors, die den »klassischen Augenblick« chinesischer Keramik bezeichnen. Von Paris, wo innerhalb kürzester Frist bedeutende Sammlungen ostasiatischer Kunst zusammengetragen worden waren (Siegfried Bing, Cernuschi, Gonse, Guimet, Véver, Villot), wo der Kreis der künstlerischen Avantgarde leidenschaftlich diese Kunst propagierte, gingen gegen Ende des 19. Jh. stärkste Wirkungen, auch auf das Feld der angewandten Kunst, aus. Künstler unterschiedlichster Herkunft wandten sich der Töpferei zu, die ihnen erlaubte, auch mit geringem technischem Aufwand den Forderungen eines gewandelten Stilgefühls zu gehorchen. In den großen Manufakturen, voran →Sèvres, →Kopenhagen, →Berlin, waren es zunächst die Techniker und Chemiker, die, durch aufmerksame Analyse des chinesischen und japanischen Scherbens, mit neuentdeckten Massen, Glasuren und →Scharffeuerfarben die Erneuerung des europäischen Porzellanstils ermöglichten. Die künstlerische Adaption des ostasiatischen Vorbilds geschah nicht, wie zweihundert Jahre zuvor, durch die Kopie, sondern durch den anstrengenden und immer wieder erneuerten Versuch, das Prinzip zu erfassen, dem japanische und chinesische Kunst ihr Entstehen verdankt – und aus dieser Einsicht selbständig weiter zu arbeiten. In Kopenhagen gelang das Alfred Krog im ersten Zugriff, ebenso Alf Wallander im schwedischen →Rörstrand. Andere folgten: in Frankreich Felix Bracquemond oder Louis Dammouse, in Deutschland Maler des Jugendstils wie Schmuz-Baudiss. Später waren es die Künstler aus dem Umkreis der Neuen Sachlichkeit wie Henry van de Velde, Josef Hoffmann, Richard Riemerschmied; und noch Jahrzehnte später ist in der noblen Schmucklosigkeit der Service von Trude Petri der Anstoß zu spüren, der seit mehr als hundert Jahren von der Neuentdeckung fernöstlicher Keramik ausgeht.

Literatur: W. B. Honey. The Ceramic Art of China and other countries of the Far East, London 1945; Fujio Koyama. Keramik des Orients, Würzburg/Wien 1959.

46 Kaffeekanne. Ansbach, um 1765.
Signiert J. B. Schöllhammer

47 Deckelterrine. Meißen, um 1735

▽ 48 Tablett. Meißen, um 1740

51 Vase. Chantilly, 1730–1740

◁ *49 Täuberich aus einem Paar Tauben.*
Meißen, um 1745. Modell von J. J. Kaendler

▽ ◁ *50 Terrine aus dem Tafelservice des*
Kurfürsten Clemens August von Köln.
Meißen, um 1740. Modell von J. J. Kaendler

52 Kleine Deckelterrine.
Ludwigsburg, um 1760

53 *Ein Paar Leuchter. Bow, um 1755*

54 *Stockgriff mit Frauenbüste.*
Ludwigsburg, um 1760

55 *Teller mit Schneeballen-Dekor.*
Meißen, um 1740–1745

56 *Lalagé, aus der Italienischen Komödie.*
Nymphenburg, um 1760. Modell F. A. Bustelli

57 *Schüssel aus dem Japanischen Service Friedrichs des Großen. Berlin, 1769/70*

59 *Deckelvase.* ▷
Berlin, Wegely,
1751-1757

58 *Kaffee- und Teeservice mit farbiger Blumenmalerei. Berlin, Wegely, 1751–1757*

60 *Teile eines Kaffeeservices mit Chinesenszenen. Meißen, um 1730–1735.*
Malerei wahrscheinlich von A. F. v. Löwenfink

61 *Tasse und Untertasse. Limbach, um 1760*

Chinoiserie, 18. Jh.

Chinoiserie (Chineserie, Japonaiserie), seit Mitte des 17. Jh. in allen Zweigen des Kunsthandwerks beliebter, vielgestaltiger, phantastischer Dekor, angeregt durch den Import chinesischer oder japanischer Porzellane, Seiden, Tapeten oder Lackarbeiten, deren Muster das Abendland bezauberten. Die Ch. wurde aber auch durch die großen bebilderten Reisewerke der Zeit (O. Dapper, Athanasius Kircher, Arnold Montanus, Joan Nieuhof) und durch →Stichvorlagen inspiriert, die diese Anregungen verarbeiteten. Zu ihnen gehörten vor allem die Serien von John Stalker/George Parker, von Elias Baeck, J. Esajas Nilson, von François Boucher und Jacques Pillement. – Die Augsburger →Hausmaler und, auf geniale Weise, J. G. →Höroldt adaptierten die Motive der Ch. dem Porzellandekor: bizarr, graziös, exotisch, heiter, teils farbig, teils monochrom (→Radierte Goldchinesen), vielerorts dann nachgeahmt, doch auch meisterlich variiert (A. F. v. →Löwenfinck). Auch die Porzellanplastik folgte, mit dem frühen Abguß chinesischer Statuetten, mit Arbeiten eines →Kaendler, →Melchior, J. F. →Lück, vor allem aber mit den reifen Leistungen eines →Bustelli dem modischen Trend.

Chodau (Unterchodau)/Dolní Chodov (→Böhmen), Porzellanmanufaktur 1830 bis 1900; als Steingutfabrik 1811 gegr.; 1830–1834 an den Buntmaler Franz Weis verpachtet und auf Porzellanproduktion umgestellt; ab 1834 rasch wechselnde Besitzer, darunter der Maler Johannes Hüttner; 1845 durch Moses Porges von Portheim für seine Söhne Ignaz und Gustav erworben, mit denen »das Fabrikwesen« erst eigentlich einsetzt. Form und Dekor von Geschirr und Gerät orientieren sich am Beispiel älterer Manufakturen. Origineller präsentiert sich mit Büsten, Kostümfiguren, Kindern, Soldaten und Genreszenen die Porzellanplastik (Literatur →Böhmen).

Marken: 1835–1840 »DH« = Dietl Hüttner, »Kodau«; 1840–1845 »Chodau«; 1845–1900 »P&S« = Portheim & Söhne, »von Portheim«, sämtl. gestempelt.

Choisy, Apprien-Julien de, 1748–1825, Porzellanmaler (Blumen, Ornamente); 1770–1812 an der Manufaktur von →Sèvres.

Chorney, Andrey, s. Sankt Petersburg, *Kaiserl. Porzellanmanufaktur*

Christian IV., Herzog von Pfalz-Zweibrücken, s. Pfalz-Zweibrücken

Chulot, Louis-Gabriel, geb. 1735, Porzellanmaler (Blumen); 1755–1800 an den Manufakturen →Chantilly, →Orléans, →Vincennes und →Sèvres.

Cirou, Ciquaire (Sicaire?), s. Chantilly

Clär, Adam, s. Nymphenburg und Melchior, Johann Peter (MT)

Claret, ein leuchtendes Rot, Imitation des berühmten →Rose Pompadour aus →Sèvres; 1760 in →Chelsea entwickelt, in →Worcester und später als Rose du Bary in →Coalport und Minton verwandt.

Clarus, Johann Felician, s. Höchst, *Porzellanmanufaktur 1746–1796*

Clauce, Isaak Jakob, 20. 10. 1728 Berlin – 1803 ebd.; Sohn eines lothringischen Goldschmieds, der von Metz in Berlin eingewandert war. Selbst ein hervorragender Miniatur-, Email- und Porzellanmaler (Watteau- und Boucherszenen); zunächst selbständig; nach 1751 Maler an der Porzellanmanufaktur →Berlin bei →Wegely; 1753 kurz in →Meißen; 1754 Rückkehr nach Berlin. Bis 1757 Malereivorsteher bei Wegely; in gleicher Funktion 1761–1763 bei →Gotzkowsky und anschließend bis zu seinem Tod in der Kgl. Manufaktur. Köllmann bezeichnet ihn als einen der wichtigsten Maler der Manufaktur; Friedrich der Große er-

nannte ihn zum Hofmaler. (Signierte Emaildose Slg. Mme Solvay, Musée Cinquantenaire, Brüssel.)

Clio, Hans, 1723 – 3. 12. 1785, Maler; ab 1750 Zeichenlehrer an der Kunstakademie und seit 1779 zusätzlich an der *Kgl. Porzellanmanufaktur* zu →Kopenhagen. Er entwarf hier Vorlagen für den Porzellandekor und arbeitete 1779–1785 auch als Porzellanmaler (Landschaften).

Cloostermans, Pierre, aus Paris, gest. 1798 Alcora; Arkanist. 1787 wurde er nach →Alcora berufen, wo er die Produktion von →Hartporzellan einführte.

Closter Veilsdorf (→Thüringen, DDR), Porzellanmanufaktur 1760 bis zur Gegenwart. In Thüringen war sie die einzige fürstliche Gründung, stets in finanziellen Schwierigkeiten, ohne nennenswerten wirtschaftlichen Erfolg, doch trotz fehlender Mittel bemüht, in Qualität und Stil dem Beispiel großer Manufakturen zu folgen und der eigenen Produktion das künstlerische Niveau zu sichern. – 1760 wurde die Manufaktur von dem Prinzen Eugen zu Hildburghausen, Bruder des regierenden Herzogs, am rechten Werraufer, nahe der Residenz, auf dem Kammergut Veilsdorf (bis 1522 ein Kloster) eingerichtet, doch erst 1765 mit den erforderlichen Privilegien ausgestattet. Intendant wurde Johann Ernst Bayer, zuvor Kammerdiener des Prinzen, Verwalter ein Friedrich Döll, Arkanist war Johann Hermann Meyer, Dreher und Former der »Herr Nürnberger« (dem wohl die gut geformten Rokoko-Geschirre der Frühzeit zuzuschreiben sind). Nach den Lohnlisten 1760/61 beschäftigte der Betrieb zwölf Arbeiter, 1769 sind es 50, zwanzig Jahre später etwa 30. – Verwandt wurden neben dem →Kaolin aus Passau heimische Erden aus den benachbarten Eisfeld und Schalkau. Obwohl der Prinz in Instruktionen, die er nach Veilsdorf richtete, noch in den 80er Jahren auf Verbesserung von Masse und →Glasur drängte, hatte man doch um 1765 bereits einen Scherben entwickelt, der sich weiß, zart und durchscheinend präsentierte. – Hergestellt wurden, meist in Anlehnung an →Meißen, neben einigem Tafelgeschirr, Dosen und →Kummen, vor allem Kaffee-, Tee- und Schokoladeservice, darunter von anmutiger Eleganz herzförmige Anbieteplatten mit hohen Henkeltassen. Außerdem entstanden in der Manufaktur Schreibzeuge, Leuchter, →Tafelaufsätze, Menagen (→Huilier), Vasen und →Potpourris, diese oft mit figuralem Schmuck: Putten, Faune, Nymphen, Hirt und Hirtin, schmiegsam, graziös, Geschöpfe des ausklingenden Rokoko, die bald den klassizistischen Girlanden, Draperien, Masken und Medaillons weichen. Bunt, voller Phantasie und Einfall zeigen sich auch die vielgestaltigen →Galanterien: Nadelbüchsen und Riechfläschchen, ähnlich den →Chelsea-Toys winzige Figurinen, ebenso Pfeifenköpfe, Krücken oder die Griffe von Messer, Löffel und Gabel. In der Korrespondenz des Prinzen mit seinem Intendanten tauchen einmal 500 Narzissen auf, die er für seine Frau bestellt; ein andermal durchbrochene Körbchen oder ein Toilettenkästchen, auch

1–3 Closter Veilsdorf

1760–1797   *1797–1853*   *1853 bis heute*
                stets blau u'glas.

Blumentöpfe (von denen sich ein hübsches Nelkenstöckchen erhalten hat), weiter Glieder zu Hals- und Uhrketten, Westenknöpfe, Augenspüler, Schiffchen und Zwirnwispel. – Der Prinz wünschte und förderte ein rasches Eingehen seiner Manufaktur auf den modischen Stilwandel. Er schickte eigenhändige Skizzen, besorgte Kupferstiche, kaufte als Muster →Porzellane anderer Firmen. Mahnend und überredend bestand er auf dem Übergang vom gemäßigten Rokoko der 60er Jahre (mit Varianten des Meißner →Neu-Brandenstein-Geflechts und den mit Rocaillen »moussierten« Geschirren) zum glattwandigen Louis-seize und weiter zu den Formen des aufsteigenden Klassizismus mit der Neigung zur geometrischen Starre. – Die Malerei, in C. V. von großer Delikatesse, folgt der sich wandelnden Form; die Farben licht: ein Rosalila, ein Purpurrot verbinden sich mit hellem Gelb, Blau und scharfem Grün zu einem Kolorit von heiterer Frische. Die Manier ist, bei aller Sorgfalt, flott und sicher: Blumen, Früchte, Vögel, anfangs breit und naturalistisch (wohl um die Glasurfehler zu decken), dann immer leichter und lockerer gemalt; zugleich →Chinoiserien, fast so vergnüglich wie die →Höroldts in Meißen. Daneben erscheinen Szenen nach Nilson oder Teniers und Putten à la Boucher. Diese sind häufig en camaïeu in Rosa, Violett, in Sepia oder Ocker. Eigentümlich wirken die Landschaften, in deren Zentrum sich, gerahmt durch eine oval geschlungene Stoffdraperie, gleichsam ein Fernblick auftut: ein merkwürdiger Einfall doch nicht ohne Charme. In den Lohnlisten und der Korrespondenz des Prinzen tauchen Malernamen wie Roschlau, Schugardt, Meyer, Hittel, Kahn und Dressel auf. Die »zarte, saubere Technik« der Lehrlinge Dusch und Lippert wird gerühmt, doch nur Gottfried Theodor Döll, ein ausgezeichneter Blumen- und Vogelmaler (1760–1791), und Stockmar (1778 bis 1790), vielseitig und geschickt auch auf Leinwand und Elfenbein (Figuren, Porträts, Tiere), gewinnen Kontur. – Ebenfalls schwierig ist die Zuordnung des figuralen Porzellans, obwohl nach Inventaren und Warenverzeichnissen die Produktion umfangreich gewesen sein muß: Götter und Göttinnen, Liebespaare, Kinder, Genre- und Kostümfiguren. Immerhin ist es dem Scharfsinn und der Geduld gelehrter Bearbeiter wie Ernst Kramer oder K. S. Butler gelungen, die Zyklen der Sieben Planeten-Götter und der Zehn Theaterfiguren (nach Stichen von J. B. Probst) dem hochbegabten W. →Neu, bis 1767 in C. V., zuzuschreiben. Den Türkischen Hofstaat (10 Figurinen nach Stichen von Christoph Weigel, Nürnberg 1719) modellierten um 1770 die beiden Pfrängers, Former an der Manufaktur, sowie der junge Bildhauer Friedrich Wilhelm Eugen Döll, während F. →Kotta neben anderen Arbeiten die Vier Monate gehören. – 1791 starb Johann Ernst Bayer, 1795 folgte ihm der

Prinz. Dieser hatte die Manufaktur einem Neffen, dem nachmaligen Herzog von Altenburg, zugedacht, der aber die schwierige Erbschaft ablehnte und die Firma den →Greiners von →Limbach und →Rauenstein verkaufte, in deren Besitz sie bis 1822 blieb. Um 1850 wurde die Fabrik in eine Aktiengesellschaft umgewandelt; seit 1945 zeichnet sie als VEB Porzellanwerk Veilsdorf im Kombinat VEB Keramische Werke Hermsdorf (Elektro-Porzellane).

Marken: 1760–1797 »CV« = Closter Veilsdorf (1); 1797–1853 das Greinersche Kleeblatt (2); nach 1853 Wiederaufnahme des »CV«, sämtl. meist blau u'glas.

Literatur: Kyra S. Butler. Türkenfiguren der Porzellanmanufakturen Closter Veilsdorf, Ansbach, und Meißen in der Sammlung der Eremitage Leningrad, Keramos 52, 1971; Ernst Kramer. Die Theaterfiguren von Closter Veilsdorf, Keramos 20, 1963; ders. Die Vier Monarchen, Keramos 28, 1965; ders., Veilsdorfer Türken, Keramos 53/54, 1971; Roda Soloweijcik. Einige Thüringer Porzellanfiguren in der Eremitage, Keramos 47, 1970.

Coalbrookdale, s. Coalport

Coalport (Coalbrookdale/Shropshire, →England), Porzellanfabrik Coalport China Ltd. Stoke-on-Trent 1796 bis heute, gegr. von J. →Rose, der seine Kenntnisse bei →Turner in →Caughley erwarb und 1799 die Turner-Manufaktur kaufte. Die bis 1805 ungemarkten Produkte der beiden Werkstätten lassen sich kaum unterscheiden, besonders da die Bemalung – wie auch in Caughley – außerhalb der Manufaktur vorgenommen wurde. 1820 trat W. →Billingsley als Porzellanmaler in die C.-Manufaktur ein und sorgte für erleseneren Dekor. Wahr-

C Dale

Coalport
1. Hälfte 19.Jh.
blau, selten gold

scheinlich hängt auch die Überführung der Formen und Bestände von →Swansea und →Nantgarw 1822 mit Billingsley zusammen. Die farbigen Fonds der →Sèvres-Vorbilder, die um 1830 bevorzugt wurden, hielten sich noch bis über die Jahrhundertmitte hinaus. Nach dem Tode von J. Rose 1841 übernahm sein Neffe William Rose das Geschäft, dessen Besitzer nach ihm häufig wechselten.

Marken: »CD« oder »CBD« als Initiale, meist u'glas. Ortsname »C Dale« = Coalbrookdale (1), auch Schwerter in verschiedenen Variationen in Blau (MT).
Literatur: G. A. Godden. Coalport and Coalbrookdale Porcelains, London 1970.

Colenbrander, Theodoor, 1841–1930, niederländischer Architekt, Keramiker und Designer. Unter dem Einfluß der neuen Kunstströmungen im Paris der 80er und 90er Jahre erkannte er die Möglichkeiten einer angewandten Kunst und wurde auf den Gebieten der Keramik, des Tapeten- und Stoff-Designs zum Wegbereiter des Jugendstils in Holland. Im Gegensatz zu London und Paris, wo das Beispiel der japanischen Kunst mit ihrer kühlen Perfektion, ihrer raffinierten Einfachheit und luxuriösen Askese, eine wirksame Hilfe in der Auseinandersetzung mit dem Historismus war, hatten die Holländer die Insulinde (Malaiischer Archipel), seit vierhundert Jahren ihr kolonialer Besitz, künstlerisch entdeckt, was ihren Arbeiten und Entwürfen ein Element schwüler Unruhe hinzufügte (→China). – C., inspiriert durch javanische Batikarbeiten, übertrug diese textile Formenwelt auf die Wandung der Porzellangefäße, die er zwischen 1884 und 1889 für →Rozenburg schuf.

Colmberger, Peter, s. Meißen, *Staatl. Porzellanmanufaktur*

Cookworthy, William, 1705 Kingsbridge – 1780 Plymouth, Chemiker, Apotheker und Arkanist in →Plymouth. Er entdeckte um 1758 als erster Kaolinvorkommen in →England, erhielt 1768 das Patent zur Herstellung von →Porzellan und errichtete in Plymouth die erste englische Manufaktur für →Hartporzellan, die 1770 nach →Bristol verlegt wurde.

Cornaille(s), Antoine-Toussaint, geb. 1734, Porzellanmaler (Blumen); 1755 bis 1799 an den Manufakturen →Chantilly, →Vincennes und →Sèvres.

»Corporal Schneider«, s. Wien, *Porzellanmanufaktur 1718–1864*

Cotteau, Jean(?), aus Genf, Porzellanmaler; anscheinend Besitzer einer eigenen Werkstatt in →Paris, doch 1780–1784 in engerer Verbindung mit der Porzellanmanufaktur →Sèvres, wo er um 1781 das →Juwelenporzellan entwickelte.

Coudray, Berthe (Barbe?), s. Chicaneau, Pierre

crepy Crépy-en-Valois
eingeritzt

Craquelé, ein Netz von Haarrissen in der →Glasur, stets Folge einer Spannung, entstanden durch unterschiedliche Abkühlung von Scherben und Glasur oder von zwei übereinanderliegenden Glasuren. Es war häufig unbeabsichtigt, wurde aber bereits in →China um 1000 und in Europa gegen Ende des 19. Jh. bewußt als Porzellandekor eingesetzt.

Crépy-en-Valois (Oise, →Frankreich), Porzellanmanufaktur 1762–1767, gegr. von dem »Fabrikanten« Louis-François Gaignepain. Finanziell unterstützt von dem Kaufmann P. Bourgois, stellte Gaignepain im Stil von →Mennecy – wo er wohl als Former gearbeitet hatte – aus einer guten →Pâte tendre, doch mit matterer →Glasur, hübsche →Galanterien her: Cremetöpfchen, Serviettenringe, Stockknäufe, Porzellanknöpfe, vor allem aber Tabatieren, häufig silbergefaßt, ähnlich wie in Mennecy in Gestalt von mancherlei Tieren. Auch Putten mit allegorischer Bedeutung, sowohl unbemalt als auch zartfarbig staffiert, finden sich in der Produktion. – 1767 war Gaignepain, der drei Jahre später starb, zur Liquidation seines Betriebs gezwungen.
Marke: »crepy«, eingeritzt (MT).

Cretté, Louis, um 1758 Bourg-la-Reine/Paris – 13. 9. 1813 Brüssel; Porzellanmaler (Blumen, Vögel, Landschaften), vielleicht auch Porzellanfabrikant. Seit 1786 in →Brüssel: hier Mitarbeit an den *Porzellanmanufakturen Schloß Monplaisir* und *Etterbeek;* 1791 Eröffnung einer eigenen Porzellanmalerei in der rue d'Aremberg; 1802 vielleicht auch Besitzer einer Manufaktur in der rue de l'Etoile und 1802/03 in der rue d'Assaut.

Custine, Adam Philibert Comte de, s. Niderviller

Cyfflé, Paul Louis, 6. 1. 1724 Brügge – 24. 8. 1806 Ixelles bei Brüssel, Bildhauer und Modelleur. Ab 1746 Schüler von Barthélemy Guibal in Lunéville; 1751 zum »modelleur et ciseleur«, 1757 zum Hofbildhauer von Stanislaus Leszczinski, ehemals polnischer König, nun Herzog von Lothringen, ernannt. Seit etwa 1752 Arbeit als →Modelleur an den Fayencefabriken von Jacques Chambrette in →Lunéville und in Saint-Clément, auch für Lefrançois in Bellevue bei Toul; 1765 kurz in →Ottweiler; 1766–1779 Gründung und Besitz einer eigenen Manufaktur in Lunéville; 1780 Rückkehr in das heimische Flandern; hier 1785–1790 Etablierung einer neuen Firma in →Hastière-sur-Meuse; 1791 Übersiedlung nach Ixelles, wo C. 15 Jahre später, alt und verarmt, starb. – Seine Arbeiten, im Einfall stets liebenswürdig, in Aufbau und Komposition außerordentlich geschickt, die Modellierung untadelig, der Ausdruck graziös-sentimental, sind meist von Themen des bürgerlichen Alltags bestimmt: Die Strumpfstopferin, Der Flickschuster, Der zerbrochene Blumentopf, ein Liebespaar, Kinder mit einem toten Vogel, dazu in langer Reihe vielerlei Berufe, Bettler, Musikanten, auch Allegorien der Jahres-

zeiten. Die zarten, jugendlichen Figürchen, meist auf flachem, unregelmäßigem
Sockel, sind in verschiedenen Materialien, in →Biskuit, Pfeifenton oder Fayence, ausgeformt. – Außer diesem Gewimmel an Genrefiguren und Gruppen
schuf C. auch Statuetten und Büsten zeitgenössischer Größen (Ludwig XV., Stanislaus Leszczinski, Voltaire, Heinrich
IV.).
Literatur: E. J. Dardenne. Essai sur Paul
Louis Cyfflé, Brüssel 1912.

Dänemark, s. Kopenhagen

Daffinger (Taffinger), Johann, gest.
13.7.1796 Wien, Porzellanmaler (Blumen) und Staffierer; 1760–1766 in →Wien,
nach S. Ducret 1766–1776 in →Zürich,
anschließend bis nach 1787 wieder in
Wien.

Dagoty, P. L., s. Paris, *Petite rue Saint-
Gilles*

Dahl-Jensen, Jens, s. Kopenhagen,
Bing & Grøndahl's Porcelaensfabrik

Dallwitz/Dalovice (→Böhmen, ČSSR),
Porzellanmanufaktur 1832 bis heute; her-
vorgegangen aus einer 1804 gegründeten,
bedeutenden Steingutfabrik; 1832 durch
Wilhelm Wenzel Lorenz auf Porzellanproduktion umgestellt, die unter dem
Einfluß von K. F. →Quast rasch Anschluß an das modische Empire gewann
und in den 40er Jahren den Formen des
Zweiten Rokoko folgte. Neben schlich-
tem Gebrauchsgeschirr, Pfeifenköpfen
und einiger Porzellanplastik entstehen

*Entwurf für zwei Reserven, deutsch, 18. Jh.
Schwarze Federzeichnung, vielfarbig
aquarelliert. Staatsgalerie Stuttgart*

→Déjeuners, Sprudelbecher, Erinnerungstassen und, nach →Schlaggenwal-
der Vorbild, mehrteilige Kaffeemaschi-
nen, dekoriert mit Veduten, vielerlei Sze-
nerien, Porträts, später auch mit gotisie-
renden Mustern oder den gefälligen
→Döblersträußel. – 1850 geht die Firma
in den Besitz von Franz Fischer über, der
sich mit Franz Urfus liiert. Nach 1918
wird das Unternehmen der →Epiag ange-
schlossen (Literatur →Böhmen).

Marken: 1832–1850 »D«, »DA«, »Dalwitz«; 1850–1875 »F. F. D.« = Franz Fischer Dallwitz; »FU« = Fischer Urfus; 1875 gerahmt: »Dallwitzer Fabrik Franz Urfus«, sämtl. gestempelt; 20. Jh. »Epiag D. F. Czechoslovakia«, gedruckt.

Damm, Steingutfabrik, s. Höchst, *Porzellanmanufaktur 1746–1796*

Dammouse, Albert-Louis, s. Sèvres

Dangel, Josef, s. Wien, *Porzellanmanufaktur 1718–1864*

Danhauser, Leopold, gest. 1786 Wien; Bossierer und →Modelleur; wohl schon vor 1744 an der Porzellanmanufaktur →Wien und dort an der Modellierung der Callotzwerge beteiligt. Ebenso findet sich sein Bossiererzeichen (B) an Figuren des Slatinan- und →Zwettler Tafelaufsatzes.

Danko, Natalia, s. Sankt Petersburg, *Kaiserl. Porzellanmanufaktur*

Dannecker, Johann Heinrich, s. Ludwigsburg, *Porzellanmanufaktur 1758 bis 1824*

Dannhöffer (Dannhofer), Joseph Philipp, 1712 Wien – 1790 Ludwigsburg; exquisiter Fayence- und Porzellanmaler (→Laub- und Bandelwerk, Blumen, Insekten, Landschaften, →Chinoiserien). Ausgebildet (bis 1737) an der Porzellanmanufaktur →Wien, hier geprägt durch den barockisierenden Stil der →Du-Paquier-Periode; Arbeit in den Fayencefabriken: 1737–1744 →Bayreuth, 1744

Déjeuner, um 1750

bis 1747 Abtsbessingen, 1747–1751 →Höchst, 1751–1753, mit Unterbrechung, →Fulda, 1753–1757 Hanau, 1757/58 wieder in Fulda, 1758 Poppelsdorf, schließlich ab 1762 bis zu seinem Tod an der Porzellanmanufaktur →Ludwigsburg.

Darte frères, s. Paris, *rue de Charonne II*

David, Denis Vincent, s. Ludwigsburg, *Porzellanmanufaktur 1758–1824*

Davignon, Ferdinand, s. Sankt Petersburg, *Kaiserl. Porzellanmanufaktur*

Deck, Théodore, s. Sèvres

Décor bois, eine Bemalung, die auf dem Porzellangrund eine Holzmaserung vortäuscht; ein Brett gleichsam, auf das häufig kleine Stiche, meist Landschaften in Schwarz, Grau oder Rot, geheftet scheinen. Der Dekor wurde um 1770 in →Niderviller entwickelt und dann von vielen Manufakturen (→Tournai, →Nymphenburg, →Wien usw.) nachgeahmt.

Degen, Johann Philip Caspar, 1738 Wolfenbüttel – 1792 Kopenhagen; hier seit 1771 Mitglied der königlichen Kapelle; Musiker und Maler, 1762–1771 an der Porzellanmanufaktur →Fürstenberg, guter Porträtist. Zwei Tableaux mit Bildnissen des Braunschweiger Herzogspaars, 1768 datiert und signiert, haben sich erhalten (heute im Kestner-Museum, Hannover).

Déjeuner, Frühstücksgeschirr, auch als Tête-à-tête bezeichnet, ein Kaffee- und Teeservice für zwei Personen mit Servierplatte; meist Beispiele zierlichster Form und kostbarsten Dekors.

Dela Borde, Kammerherr Ludwigs XV.; 1769 Gründer der Porzellanmanufaktur in →Vaux; 1769–1774 Mitbesitzer der →Hannongschen Manufaktur von →Vincennes.

Delago, Maria, s. Nymphenburg

Delemer, Desmoiselles, s. Arras

»Delffter Rund- und Stein Backerey zu Altendreßden«, auch »Bäckerey von Holländischen Platten und Gefäßen« genannt, eine Station, nicht unwichtig auf dem Weg zur Steinzeug- und Porzellanherstellung, eine Fayencefabrik, richtiger eine Werkstatt, 1708 auf Anregung von →Tschirnhaus gegründet, der verschiedene Materialien, die von ihm und →Böttger seit 1706 entwickelt worden waren, praktisch auszuwerten suchte. Unter der Administration von Böttger übernahm der angeblich aus Holland

Den Haag
blau u'glas. und ü'glas.

stammende Christoph Rühle, ein »Fliesenmeister«, den Betrieb. Gleichzeitig brachte er den tüchtigen Töpfer Johann David Christian Kratzenberg (wie er selbst aus Braunschweig) und als »Schilderer«, das heißt als Maler, seinen Amsterdamer Stiefsohn Gerhard van Malcem mit. Geplant war als erstes die Herstellung geschliffener Bodenfliesen aus einem Kunststein, dem Versatz verschiedenfarbiger Erden, der im Laboratorium befriedigt hatte, sich aber in der Fabrikation nicht bewähren wollte. Kurz entschlossen wurde 1710 dieser Produktionszweig aufgegeben, Rühle und Malcem entlassen, dagegen die Fayenceproduktion forciert, und zwar auf der Grundlage eines Materials, das der Delfter Fayence ähnelte und das Böttger ebenfalls bei seinen ersten keramischen Versuchen entdeckt hatte. Aus Berlin hatte man den Töpfermeister P. →Eggebrecht gewonnen, einen Mann, gleich geschickt und erfahren im Aufdrehen des Steinzeugs und der Fayence, der aber nach Selbständigkeit drängte und darum 1712 bereits den aus der Altstadt nach der Dresdner Neustadt verlegten Betrieb pachtete und ihn 1718 (für angeblich 50 Tl) käuflich erwarb. Zunächst wurde ein Teil des →Böttgersteinzeugs hier geformt und gebrannt, später Fayencen, darunter große Kübel und barocke Deckelvasen, produziert. Nachkommen Eggebrechts übernahmen die Firma, die, mit wechselndem Erfolg, bis 1785 bestand.

Dembly, s. La Seynie

Dengler, Georg, s. Ansbach, *Porzellan-manufaktur 1758–1860*

Den Haag (Südholland, →Niederlande), Porzellanmanufaktur 1776–1790. Zu Beginn der 70er Jahre des 18. Jh. war Anton Lijncker (auch Leichner), ein Kaufmann aus dem Hessischen, der sich in D. H. niedergelassen hatte, dazu übergegangen, →Porzellan der Manufakturen →Ansbach, →Höchst, →Meißen, →Volkstedt und →Tournai undekoriert einzuführen und in der eigenen Werkstatt bemalen und vergolden zu lassen. Auf diese Weise umging er geschickt die höheren Zölle, die auf bemaltem Geschirr lagen; außerdem war bei Bruch sein Verlust geringer. 1776 erwarb er das Haagsche Bürgerrecht und zugleich die Konzession, die Malerei-Werkstatt in eine Porzellanfabrik umzuwandeln. Der Erfolg gab ihm recht; seine Ware, die er sogar in die Türkei exportierte, war begehrt. 1779 verlegte er den Betrieb, der bereits 40 Arbeiter beschäftigte, von der Bagijnestraat in die Dunne Bierkade. – Nach seinem Tod, 1781, führte zunächst seine Witwe die Firma erfolgreich weiter; 1784 übernahm der Sohn, Johann Frantz Lijncker, die Leitung des Betriebs. Durch die Heirat mit einer entlaufenen Nonne aus belgischem Hochadel in einen mißlichen Prozeß verwickelt, ohne den Fleiß und die Umsicht des Vaters, war er jedoch nicht fähig, der Schwierigkeiten Herr zu werden, die die allgemeine Wirtschaftskrise, ausgelöst durch die Französische Revolution, noch verschärfte. Die deutschen Fachkräfte verließen die Manufaktur, der Umsatz ging zurück, Porzellan konnte nicht mehr hergestellt werden; 1790 wurde die Firma aufgelöst.

Lijncker hatte vor allem Kaffee- und Teeservice produziert, außerdem Schüsseln, Terrinen, Waschbecken mit Kannen, dazu »Nippes« wie Vasen, Leuchter, Schreibzeuge und →Cachepots. Der Scherben, ein →Hartporzellan von kühlem Weiß und makelloser →Glasur, unterscheidet sich kaum von den eingeführten Erzeugnissen deutscher Manufakturen, während das Porzellan aus Tournai am weichen Schimmer der →Pâte tendre zu erkennen ist. Form und Dekor halten sich an den Musterkatalog der Zeit, sind also im Stil des Louis-seize gearbeitet: die Landschaften, Stadtansichten, die Reiterszenen, meist farbig, mit außerordentlicher Präzision gemalt; die Putten in Purpurcamaïeu; Blumen, Vögel, Pflanzen blau oder in Aufglasurfarben; sorgfältig der Golddekor; Monogramme, eine modische Neuerung, aus zierlichen Blütenranken gebildet, und schließlich Medaillons mit Silhouetten oder Porträts in →Grisaille-Malerei auf blaßrosa Grund. Figürliches Porzellan wurde nicht hergestellt. Die wichtigsten Maler waren Friedrich Bevering aus Kiel, Anton Kissinger aus Höchst, J. Ph. →Müller, J. →Nerwein und L. →Temminck, die alle um 1780 bei Lijncker arbeiteten.

Marken: Der Storch mit dem Aal im Schnabel, dem Stadtwappen von Den Haag entnommen, blau u'glas. und ü'glas. (MT). Dar-

1750
eingeritzt

1770–1800
eingeritzt

1770–1784
gold Chelsea-Derby

1795/96
in Blau,
Karmin und Purpur

unter, oft schwer erkennbar, die →Marken der Manufakturen, deren Porzellan Lijncker dekorierte.
Literatur: H. E. van Gelder. Catalogus van de Verzameling Haagsch Porselein, Gemeente Museum te 's-Gravenhage 1916; Haags Porselein. Gemeentemuseum van 's-Gravenhage 1956; Haags Porselein 1776–1790. Haags Gemeentemuseum 1965.

Denk, Albin, Porzellanmalerei, s. Wien, *Porzellanmalerei A. Denk*

Denuelle, Dominique, s. La Seynie und Paris, *rue de Crussol*

Depierreux, s. Vincennes, *Porzellanmanufaktur 1738–1756*

Derby (Derbyshire, →England), Porzellanmanufaktur um 1750–1848. Die älteste Manufaktur in D. gehörte wohl A. →Planché, der bei dem Versuch, seinen Betrieb auszudehnen, dem Verhandlungsgeschick seiner Finanziers Heath und →Duesbury erlag und aus dem Geschäft gedrängt wurde. Seit 1756 führten sie die neu errichtete Fabrik ohne Planché. Das Unternehmen arbeitete rentabel und weitete sich zu einem Konzern mit enormer Trustbildung aus, indem 1760 die Manufakturen von →Longton Hall, 1770 von →Chelsea und 1776 von →Bow einverleibt wurden. Als Duesbury, der ab 1779 Alleininhaber der Firma war, 1786 starb, übernahm sein Sohn (gest. 1796)

den Konzern. Bis 1811 führte ihn Michael Kean, ein Miniaturenmaler. Ihm folgte bis 1848 Robert Bloor. – D.-Porzellan besteht wie fast alle englischen Erzeugnisse aus Frittenmasse. Von Anfang an wurden auch Figuren hergestellt. Die Produkte der Planché-Periode (1750 bis 1756) sind, da meist ungemarkt, schwer von denjenigen aus Chelsea zu unterscheiden, denn sie erhielten ihre Bemalung in der Londoner Werkstatt von Duesbury, der gleichzeitig auch für Chelsea malte. Nach 1756 zeichnete sich das D.-Porzellan durch einen betont zartfarbenen Dekor (Pale colouring Period, 1756–1760) aus und lehnt sich an →Meißner Vorbilder an, was besonders bei den nun reich verzierten Plinthen der Figuren zum Ausdruck kommt. Nach der Vereinigung mit Chelsea wächst die Geschirrproduktion bei verbesserter Qualität erheblich an (Chelsea-Derby-Periode, 1770–1784). Man wendet sich nun im Dekor französischen Vorbildern zu. →Reserven mit zarten Blumen- und Landschaftsmalereien unterbrechen unifarbene, teils goldüberzogene Fonds. Um 1780 weichen die beschwingten Formen einer strengeren Linienführung, wobei die hervorragende Qualität der Erzeugnisse immer gewahrt bleibt. Unter den Figuren stammen ab 1771 die schönsten Modelle, die teilweise auch →in Biskuit hergestellt wurden, von P. →Stephan.

Selbst berühmte Maler, wie Z. →Boreman aus Chelsea, Brewer, Banford und W. →Billingsley, waren bis zur Jahrhundertwende für D. tätig. Auch während der Bloor-Periode konnte die hohe künstlerische Qualität der D.-Erzeugnisse aufrechterhalten werden. – Nach dem Tode Bloors stand die Manufaktur zum Verkauf an. Von nun an wechselten die Besitzer häufig. Von 1848–1859 gehörte sie Locker & Co, danach Stevenson & Sharpe, dann Hancock & Co., und schließlich ging sie in dem Werk Royal Crown Derby Porcelain Co. Limited Derby auf.

Marken: 1750–1756 »Derby« oder »D« eingeritzt (1); 1770–1800 »N« eingeritzt, nur auf Figuren (2); 1770–1784 Anker und »D« in Gold (3); 1795/96 Krone mit »D« und »K« legiert = Duesbury & Kean (4); auch Nachahmung von chinesischen →Marken sowie der Meißner Marke.
Literatur: F. Hurlbutt. Old Derby Porcelain and its Artist-Workmen, 1925.

Deruelle, Pierre, s. Paris, *rue de Clignancourt*

Desoches, Bildhauer; Schüler von Pierre Philippe Mignot an der Pariser Académie Royale de Sculpture. Er tauchte 1769 in →Fürstenberg auf, wurde sofort als →Modelleur eingestellt und blieb bis 1774. – Sein Werk, in der selbständigen Erfindung und anmutigen Ausführung den sonstigen plastischen Arbeiten der Manufaktur überlegen, umfaßt 45 Modelle. Besonders reizvoll sind die Gruppe Kaffeetisch mit acht Figuren von 1771; mit einem Zug ins Monumentale einige mythologische Szenen und Statuetten; gefällig zierlich dagegen die Marchande à crème und ein Vogelhändler; lebhaft und elegant die Serie der französischen Bauern als Vier Jahreszeiten. Außerdem stammen von seiner Hand, neben Vasen und Leuchtern »für Serenissimus«, Kinder, Putten und en miniature Chinesen und Bauern, auch diese als Fünf Sinne oder Jahreszeiten.

Desprez, s. Paris, *rue des Récollets*

Dessaut de Romilly, Jacques Etienne, s. Orléans

Deutsche Blumen, um 1735 in →Meißen bewußt als Gegensatz und zur Ablösung der →Indianischen Blumen eingeführt; ein Porzellandekor, der auf die Nachahmung ostasiatischer Vorbilder verzichtet und die heimische Flora und Fauna zum Modell erwählt. Mit Vorliebe verwandte man die höchst malerischen Rosen und Federnelken, die Lilien, Primeln und Tulpen, von Käfern, Insekten oder Schmetterlingen begleitet, wie sie Blumen- und Tierbücher des 17. und 18. Jh. darstellten (Wenzel Hollar »Muscarum Scarabeorum Vermiumque Variae Figurae et Formae«, Antwerpen 1646; Tobias Franckenberger »Newes Blumen-Büchlein, mit Insekten«, Straßburg 1662; Johann Wilhelm Weinmann, Apotheker in Regensburg, »Phylanthus Iconographia oder eigentliche Darstellung einiger Tausend in allen vier Welt Theilen gewachsener Bäume, Stauden, Kräuter, Blumen, Früchte, Schwämme«, Augsburg 1735). Zunächst noch etwas steif, mit kompaktem Farbenauftrag in ängstlicher Nachschrift der graphischen Vor-

Deutsche Blumen, 18. Jh.

lage, wirkt die Trockne Meißner Blume, die auch als Holzschnittblume, und wenn mit Schlagschatten kopiert, als Saxe ombré oder Ombrierte deutsche Blume bezeichnet wird. Bald aber entsteht lokkerer und freier, oft nach französischen Stichen, die Meißner oder die D. B. (heute als Manierblume apostrophiert), von allen Manufakturen übernommen, weiter entwickelt, in zahllosen Variationen als einzelne Schnittblume (vor allem in Meißen), als Girlande, Bukett oder Streublümchen verwandt oder auch in geradezu wissenschaftlicher Akribie zur Botanischen Blume gesteigert (in →Kopenhagen mit dem Flora-Danica-Service). Vielenorts, besonders in den süddeutschen Manufakturen von →Ludwigsburg, →Höchst oder →Nymphenburg, doch auch in →Berlin oder →Sèvres, wurde sie mit Sorgfalt, Geschmack und großem Können gemalt. Ebensooft allerdings verraten die »detachierten Sträuß« und »gsäten Blümel« Routine, Flüchtigkeit und Desinteresse (→Stichvorlagen).

Deutschland. 1708 hatten →Tschirnhaus und →Böttger das →Arkanum des →Hartporzellans gefunden. 1710 wurde →Meißen, die erste deutsche Porzellanmanufaktur, gegründet. 1718 folgte →Wien, das sich durch den Verrat sächsischer Überläufer in den Besitz der Porzellanarkana gesetzt hatte. Aber die »große Porcellainfabriquen-Invasions-Epoche« (F. J. →Weber) setzte erst um die Jahrhundertmitte ein. 1746 wird →Höchst eröffnet, 1747 →Fürstenberg und →Nymphenburg, 1751 →Berlin, 1755 →Frankenthal, 1757 →Ludwigsburg. Wenig später folgten, in dem politisch zersplitterten D. kaum behindert durch Monopole, wie sie in →Österreich Wien und in →Frankreich Sèvres besaßen, die kleineren Manufakturen von →Ansbach, →Kelsterbach, →Ottweiler, →Fulda, →Kassel, die Waldfabriken →Thüringens und so flüchtige Unternehmen wie →Baden-Baden, →Ellwangen, →Pfalz-Zweibrücken, →Würzburg. In Gang gesetzt und beschleunigt hatten diese fiebrige Bewegung vagierende Arkanisten, Maler und →Modelleure, darunter Könner und Schwindler, die, ruhelos unterwegs von Residenz zu Residenz, Fürsten mit Hoffnungen schmeichelten, denen, verführt vom Ruhme Meißens, eine »Porcellainfabrique« als unentbehrliches Attribut fürstlicher Würde erschien. Von den knapp 30 Manufakturen des 18. Jh. verdanken mehr als die Hälfte ihre Entstehung der landesherrlichen Initiative, der Rest wurde meist durch

Schenkungen und Privilegien ermutigt und unterstützt. Da aber bei all diesen Gründungen selten die Höhe der finanziellen Mittel noch Gunst oder Ungunst des Standorts, noch die Absatzchancen in den kleinen Territorien skeptisch und nüchtern überdacht wurden, erwies sich nur allzu rasch die wirtschaftliche Lage selbst der größeren Manufakturen als höchst instabil. Kurzen Perioden des Aufschwungs und der Blüte folgten nahezu überall Stagnation und schleichender Ruin. Um 1800 hatten sich bereits acht der fürstlichen Gründungen aufgelöst, weitere erlitten das gleiche Schicksal oder gingen in private Hand über. Nur Meißen und Berlin überdauerten die Zeitläufte als Staatsmanufakturen. Diesem unerfreulichen wirtschaftlichen Aspekt entsprach jedoch, in einem proportional umgekehrten Verhältnis, die künstlerische Produktivität. Auch hier führte Meißen, zumindest bis zur Jahrhundertmitte, ehe Sèvres und wenig später auch Berlin und Wien die Spitzenpositionen übernahmen. Nach kurzen Jahren unsicheren Tastens und Probierens hatten →Höroldt und →Kaendler, von Beispielen ostasiatischer Keramik und dem Vorbild europäischen Silbers ausgehend, in der sächsischen Fabrik für das neue Material die gültige Form gefunden. Beinahe sofort präsentierten sich Geschirr, Gefäß, Gerät, vor allem aber die Porzellanfigur in erstaunlicher Vielfalt, geschmückt, erhöht durch einen Dekor, der als Relief, →Staffierung oder farbiges Muster wie eine kostbare Haut den Porzellankörper umspannte. Meißen schuf Beispiel und Maßstab, doch auch in den Nachfolge-

Manufakturen regten sich die Kräfte und formulierten, trotz geschäftiger Imitation, eigene Antworten. In der Frühzeit waren es neben Höroldt die →Hausmaler von Augsburg und Breslau; später dekorierten überall, auch in den kleineren Betrieben, begabte Hände den weißen Grund mit bunten Bildchen, mit Blüten und mancherlei Gerank, mit Goldspitzen und preziösem Mosaik. Ebenso wurde Kaendlers Werk lebhaft aufgenommen, oft sklavisch abgeformt, variiert oder auch an vielen Orten mit selbständigen Erfindungen konfrontiert. Beispiele sind die Immaculata des Wenzel →Neu in Fulda oder J. Ch. W. →Beyers Musiksoli von Ludwigsburg, die Landmädchen eines J. W. →Lanz in Straßburg oder Frankenthal, J. P. →Melchiors jugendliche Paare und Kinder in Höchst, F. E. →Meyers elegante Berliner Rokoko-Service oder unvergleichlich zart und schön →Bustellis Werk in Nymphenburg. Produktive Perioden sind selten und kurz; auch in den deutschen Manufakturen ging der »glückliche Augenblick«, wo der frische Einfall und nicht Routine die Oberhand hatte, rasch vorüber. Spätestes Barock hatte noch auf Meißens Anfänge eingewirkt; Rokoko und Louis-seize trieben dann subtilste Leistungen hervor, die sich so überzeugend darboten, daß man sich nur ungern von ihrem Bann befreite und dem kühleren Klassizismus zuwandte, der seinerseits wiederum von dem bequemeren, lässigeren Biedermeier abgelöst wurde. – Doch um die Mitte des 19. Jh. hatten sich langsam, aber unaufhaltsam die Gewichte zugunsten einer eminenten wirtschaftlichen und techni-

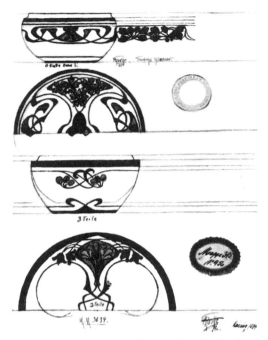

Dekor einer Deckeldose, Entwurf von P. Roske, 1905; Ausführung Kgl. Porzellanmanufaktur Berlin. Kunstgewerbemuseum Berlin-Charlottenburg

schen Effizienz verschoben. In Thüringen, in →Schlesien, vor allem aber in Oberfranken, in der bayerischen Oberpfalz – um 1800 für die Porzellanproduktion noch unentdeckt, heute Sitz weitaus der meisten und größten Firmen – entstand mit Betrieben aller Art, die den Bedarf breitester Schichten, auch zunehmend den Bedarf einer technisierten Moderne zu decken vermögen, eine mächtige Industrie. Parallel lief, wie überall in der industrialisierten Welt, der Schwund an Geschmack, Stilsicherheit und handwerklicher Kunstfertigkeit; ein Prozeß, der durch den Historismus, mit seinem Glauben an die stete Verfügbar-

keit aller Formen, eher beschleunigt als eingedämmt wurde. – Doch eine Reihe deutscher Firmen, darunter Nymphenburg, die Schwarzburger Werkstätten von →Unterweißbach, Berlin, Fürstenberg, Meißen, →Arzberg und Rosenthal in →Selb, öffneten ihre Ateliers den Zielen der Erneuerungsbewegung, die, gespeist aus verschiedensten Quellen, schließlich manifestiert als Jugendstil und Neue Sachlichkeit, den Versuch unternahm, auch für →Porzellan die neue Form zu finden: dem Material gerecht, dem Zweck gemäß, der industriellen Fertigung angepaßt, bewußt ein Massenartikel in einer Zeit der Massengesellschaft, trotzdem aber in der Schlichtheit der Linie, des Dekors, in der Ausgewogenheit der Proportionen nicht ohne Stil.

Literatur: Siegfried Ducret. Deutsches Porzellan und deutsche Fayencen, Baden-Baden 1962; Otto v. Falke. Deutsche Porzellanfiguren, Berlin 1919; W. B. Honey. German Porcelain, London 1947; Michael Newman. Die deutschen Porzellanmanufakturen im 18. Jahrhundert, Braunschweig 1977; Max Sauerlandt. Deutsche Porzellanfiguren des XVIII. Jahrhunderts, Köln 1923; George Savage. 18th-Century German Porcelain, London 1958; Arno Schönberger. Deutsches Porzellan, München 1949; George W. Ware. Deutsches und Österreichisches Porzellan, Frankfurt am Main o. J. (1951).

Dietrich, August Ferdinand und Johann Christoph, s. Meißen, *Staatl. Porzellanmanufaktur*

Dietrich (gen. Dietricy), Christian Wilhelm Ernst, 30. 10. 1712 Weimar – 24. 4. 1774 Dresden; Maler, Radierer, Akademielehrer und Hofmaler. 1764–1770 war er Leiter der neu etablierten Kunstschule

etwa 1770–1850	*nach 1850*	*20. Jh.*
eingepreßt	*Nachahmungen von Capodimonte und Neapel,*	*gedruckt*
	gedruckt	

von →Meißen, wo er aber, da er nur über ein mattes, eklektizistisches Talent verfügte, keine vorwärtsweisenden Anregungen zu geben vermochte. Er organisierte lediglich den Unterricht und steuerte einige Radierungen als Dekorvorlage für den Porzellanmaler bei.

Dietz, Ferdinand, s. Kelsterbach

Dietze, Augustin, s. Meißen, *Staatl. Porzellanmanufaktur*

Dihl, J., s. Paris, *rue de Bondy*

Dittmar, Wilhelm Friedrich, s. Berlin, *Kgl. Porzellanmanufaktur*

Doblinger, Ferdinand, s. Wien, *Wiener kunstkeramische Fabrik A. Förster & Co.*

Doccia (Toskana, →Italien), Porzellanmanufaktur 1735 bis heute; initiiert durch den Marquese Carlo Ginori, nach Meinung der Zeitgenossen ein »Ränkeschmied und Macchiavellist«, rückblickend jedoch ein Mann der lebhaften Interessen und fortwirkenden Unternehmungen, darunter die mit Energie, Ausdauer und Umsicht vorangetriebene Einrichtung einer Porzellanfabrik in der Villa D. – 1735 begann, wohl unter persönlicher Assistenz Ginoris, die Suche nach einer geeigneten Masse aus heimischen Erden; 1740 sandte der Marquese erste Proben seines →Porzellans nach Wien und beantragte dort das Privileg der fabrikmäßigen Nutzung, das der künftige Kaiser Franz I., seit 1737 auch Großherzog von Toskana, bereitwillig erteilte. Der Verkauf des D.-Porzellans scheint aber erst um 1746 eingesetzt zu haben. 1757, beim Tod des Vaters, übernahm Lorenzo I (bis 1791) die Leitung der Firma, die nun, bei vorsichtiger Anpassung an modische Tendenzen, auch gewinnbringend arbeitete. Ihm folgte (bis 1837) Carlo Leopold Ginori. 1896 assoziierte sich das Unternehmen, bis dahin allein im Besitz der gräflichen Familie, mit der Società Ceramica Richard in Mailand und firmiert fortan als Richard-Ginori, jetzt aus dem alten Domizil nach Sesto-Fiorentino in eine moderne Fabrikanlage umgesiedelt. – Der Scherben Carlo Ginoris, die Masso bastardo, ist ein graues →Hartporzellan; die →Glasur glanzlos, zäh, klebrig (anfangs mit einem Stich ins Gelbliche oder Grüne), die man seit 1770 durch Beigabe von Zinnoxid weiß färbte. Nach 1800 verwandte man zur Produktion guten Porzellans, wahrscheinlich aus →Limoger →Kaolin hergestellt, einen durchscheinend weißen Scherben. – Ähnlich wie das Geschirr →Du Paquiers in →Wien waren auch die D.-Gefäße schlicht im Umriß: die Terrinen meist zylindrisch, die Tassen henkellos, der Rand der tiefen Teller und der ovalen Platten »alla francese« geschweift; Kaffee- und Teekannen birnenförmig, die Kaffeekanne dabei ungewöhnlich schlank und hoch, mit ebenso ungewöhnlich schlanker, steil aufsteigender Drachentülle, die häufig durch einen Steg mit dem Gefäßkörper verbunden ist. Die Henkel sind schwerfällig; die Deckel, wie Kuppeln gewölbt, gedrechselt und steif, besitzen aber als erste in Europa als Halt den Bajonettverschluß. In Nachahmung des →Blanc-de-Chine entstehen doppelwandige Kannen und →Kummen (diese mit Holzkohle gefüllt und als Handwärmer oder »veggini« benutzt), wobei die äußere Porzellanschicht, reliefiert und durchbrochen, wie eine schwere Spitze aufliegt. Unter Lorenzo Ginoris Regime lockern sich allmählich die Formen. Griffe, Deckel, Tüllen werden gefälliger; Rocaillen, zarte Rippung und das →Ozier-Geflecht beleben die Flächen, um gegen 1790 wiederum klassizistischer Glätte zu weichen. – J. K. W. →Anreiter, 1737 (bis 1746) bei einem Besuch Carlo Ginoris in Wien als Maler – und nicht als Arkanist – engagiert, schmückte wie sein Sohn Anton in feinster Haarstrichmanier das frühe D.-Porzellan mit Ruinenlandschaften und figurenreichen Szenen. Üblicher aber war die Verwendung des Blumendekors; darunter »billig« ein Blaumuster, »a stampino«, d.h. mit der Schablone aufgebracht, was zu diesem Zeitpunkt noch ungewöhnlich war. Daneben erscheinen farbig, in →Eisenrot, Violett und Grün

mit wenig Schwarz und Gold, Blüten und Zweige, sehr lose, sehr licht gesteckt, meist von einer voll erblühten, fedrigen Tulpe dominiert (darum später »a tulipano« genannt); eine Blumenmalerei, die die Scheidung von →Deutschen und →Indianischen Blumen ignoriert und aus der Mischung der Elemente zu neuen Mustern findet. Dieselben Muster umranden auch den heraldischen Schmuck der Wappenservice, die die Manufaktur zwischen 1750 und 1760 für Familien des italienischen Adels anfertigte. Ebenso taucht das fernöstliche Motiv der Kämpfenden Hähne auf. Um 1770 wurden mehr und mehr die von Arabesken gerahmten Miniaturen (→Chinoiserien, Landschaften, Putten) im Stil des frühen →Meißen favorisiert. Ein Jahrzehnt später übernahm man von →Sèvres den →Gros-bleu-Fond mit seinen Goldmustern, die delikat gemalten Vignetten (Giovanni Battista Fanciullacci) wie auch den Vogel-, Früchte- und Tierdekor, während um die Jahrhundertwende die realistisch gesehene Vedute hinzutritt. Das alles monochrom oder aber mit einer Palette, die seit etwa 1780 um ein kühles Sepia, ein kräftiges Rosa, um warmes Blau und dunkles Grün bereichert ist. – Dem Barock, seinem Pathos und Überschwang, gehörte Carlo Ginoris Neigung. Dessen große Form, das »Riesenmaß der Leiber«, versuchte er, darin gleichen Geschmacks wie August der Starke, dem Porzellan aufzuzwingen. Unter der Leitung des Modellmeisters Gaspare Bruschi (bis 1778), in seinen letzten Jahren assistiert durch seinen Sohn Giuseppe, entstanden überdimensionierte

Vasen, mit skulpturalem Schmuck beladene Kaminummantelungen und Nachbildungen barocker Plastik. Darunter finden sich nach Wachsmodellen des Massimiliano Soldani-Benzi, die Jahrzehnte zuvor für den Bronzeguß gearbeitet worden waren, das Relief Die Zeit entdeckt die Wahrheit, eine vielfigurige Beweinung Christi und eine Pietà; weiter die Adaption der Sklaven des Pietro Tacca, die Adaption der Andreas-Statue von St. Peter in Rom von François Duquesnoy sowie Kopien des Laokoon, der Venus von Milo und der Flora Farnese. – Eingängiger, auch praktikabler als diese porzellanene Grandeur sind die Bassorilievi istoriati, aparter Schmuck des Kaffee- und Teegeschirrs oder der schmalen →Flakons und Tabakdosen: kleine Reliefs, die die so oft erzählten Geschichten antiker Göttersage zitieren (Urteil des Paris, Kampf der Götter und Riesen, Triumph der Flora) und den Bronzeplaketten des 17. Jh. – vielleicht aus dem Umkreis des Guglielmo della Porta – nachgeformt sind. Auch sie entstanden in der Frühzeit D.s, sind aus derselben Masso bastardo modelliert und ebenso wie die Großporzellane starkfarbig staffiert und mit Gold gehöht. Sie waren eine liebenswürdige Erfindung, die nur D. gehört; trotzdem aber, als Händlerlist um die Mitte des 19. Jh. entdeckte, daß Porzellan angeblich aus den berühmten →Capodimonte und →Neapel höhere Preise erzielte, wurden sie von D. selbst mit den →Marken der längst erloschenen Kgl. Manufakturen bezeichnet. Darin folgten ihr sofort Firmen in →Paris, →Böhmen und →Thüringen (Bohne, →Rudolstadt), die ihre D.-Imitationen ebenfalls mit dem bekrönten »N« markten. – Die im gewohnten Maßstab hergestellten Figuren und Gruppen, die D. neben den anspruchsvollen Großporzellanen und Bassorilievi wie die meisten Manufakturen des 18. Jh. produzierte, zeigen weder Originalität im bildnerischen Einfall noch sonderliche Eleganz in der Ausführung. Eine Neigung zur Disproportion ist bezeichnend: Die Köpfe dieser Komödianten, Volkstypen, Zwerge, Götter, Orientalen und Liebespaare sind verglichen mit den Körpern zu klein, die Hände groß und plump, Stirn und Kinn fliehend. Reizend ist ein Modell mit zwei jugendlichen Tritonen, die im anmutigen Schwung eine Konfektschale über ihre lockigen Köpfe heben. – Die Sockel wechseln von der einfachen Plinthe, über Rocaillen oder mit Muscheln verkrustete Basen bis zu aufgetürmtem Felsgestein oder dem reich dekorierten Podest.

Marken: Bis um 1770 unbezeichnet; 1770 bis nach 1800 der sechszackige Stern, verschiedenfarbig, eingepreßt (1); 19. Jh. »GINORI«, »GIN«, »GI«, in Verbindung mit dem Stern; gekröntes »N« auf angeblichem Capodimonte-Porzellan (2); moderne Marke (3).
Literatur: Leonardo Ginori Lisci. La Porcellana di Doccia, Mailand 1963.

Dodin, geb. 1734, Porzellanmaler (Figuren); 1754–1802 an den Manufakturen →Vincennes und →Sèvres.

Döblersträußel, Porzellandekor, von Georg Döbler (1788–1845), einem Kupferstecher in Prag, entworfen.

Döbrich, Albin, s. →Wien, *Wiener Porzellan-Manufaktur Augarten*

Döll, Friedrich, Friedrich Wilhelm Eugen und Gottfried Theodor, s. Closter Veilsdorf

Dörtenbach, Johann Jakob und Christoph Moses, s. Ludwigsburg, *Porzellanmanufaktur 1758–1824*

Dommes, Werner Daniel, s. Fürstenberg

Donath, P., Porzellanfabrik, s. Schlesien

Dorez, Barthélemy, s. Lille, *Porzellanmanufaktur 1711–1730*

Dortu, Jakob, 23.5.1749 Berlin – 1819 Carouge (Schweiz), Porzellanmaler, Arkanist und Fabrikant. 1764–1767 Malerlehrling an der *Kgl. Porzellanmanufaktur* →Berlin; 1767 Buntmaler in →Kassel, 1768 in →Ansbach; war (nach S. Ducret) 1772 kurz in Stralsund und in →Marieberg als Arkanist (nach Jedding und Honey 1777/78); produzierte 1773 mit F. →Müller in →Pontenx, 1773–1777 mit Gaspard Robert in →Marseille →Porzellan; gründete 1781 mit Müller die Porzellanmanufaktur →Nyon; verließ diese 1786/87, ging nach Berlin und Kassel in der Hoffnung, eine angemessene Position zu finden, kehrte jedoch 1787 nach Nyon zurück und leitete die dortige Manufaktur bis zu ihrer Auflösung 1813. Er übersiedelte schließlich nach Carouge (Kanton Genf), wo er eine Fayencefabrik übernahm.

Drach, Philipp, s. Frankenthal

Drand, Jean-François, Porzellanmaler (→Chinoiserien); 1761 in →Chantilly, 1764–1775 und 1780 in →Sèvres.

Drechsel, Rudolph Christoph v., Kammerherr in Bayreuth; ein »Gentleman«-Porzellan-Hausmaler, wohl durch J. F. →Metzsch geschult, dessen Manier er, wie ein signiertes Teegeschirr von 1744 beweist, übernahm. Der Dekor zeigt Hafenszenen, gerahmt von einer Bordüre aus dichtgefügten Muscheln, Korallen, Fischen und Blumen. Teile befinden sich heute im Frankfurter Museum für Kunsthandwerk.

Drechsler, Johann Baptist, 1756 Wien – 28.4.1811(?) ebd.; ausgezeichneter Porzellanmaler (Blumen); 1772–1785 an der Manufaktur →Wien. Er wurde 1787 zum Professor, 1807 zum Direktor der Manufakturschule ernannt.

Dresden china, englische Bezeichnung des →Meißner Porzellans.

Dressel, s. Closter Veilsdorf

Dröse, Christian Ludwig, s. Rabensgrün

Druckdekor, auch Umdruckverfahren oder Transfer-printing genannt, zuerst in →England entwickelt und dort bereits im 18. Jh. von vielen Manufakturen benutzt (→Bow, →Coalport, →Derby, →Liverpool, Stafford, →Swansea u.a.). Bei dieser Technik wird das Muster von der gestochenen und geätzten Kupferplatte mit keramischen Farben auf Seidenpapier oder eine ähnlich schmiegsame Unterlage übertragen und noch feucht dem Porzellan-, Fayence- oder Steingutkörper aufgepreßt und im Brand fixiert. Um 1753 wurde das Verfahren in den Battersea Enamel Works zunächst zur Dekoration der Kupferemail-Gegenstände verwandt; Erfinder waren wahrscheinlich J. →Brooks, ein Stecher aus Irland, oder die Graveure R. →Hancock und François-Simon Ravenet, die beide um 1756 die Technik auf Bow-Porzellan erprobten. Doch auch J. →Sadler und G. →Green, Besitzer der Printed Ware Manufactory in Liverpool, wo sie seit etwa 1756 alle Arten von Keramik der Fabriken von Liverpool und Stafford auf diese Weise dekorierten, behaupteten, schon sieben Jahre zuvor die Methode entdeckt zu haben. – Auf dem Kontinent war wohl P. →Berthevin der erste, der 1766 im schwedischen →Marieberg, in →Frankenthal und 1770 in Mosbach das neue Verfahren demonstrierte und einführte. Ähnlich nutzte auch Adam Spengler in →Zürich, wo er als der Erfinder galt, bereits 1775 den D. Nur zögernd folgten andere Manufakturen des Festlands dem englischen Beispiel, da man nicht zu Unrecht eine Nivellierung der Handmalerei, dieses anspruchsvollen und differenzierten Handwerks, durch die Mechanisierung des malerischen Porzellanschmucks befürchtete. Selbst wenn man, ähnlich wie beim Gebrauch der Schablone, nur den Umriß der Muster (meist in Grau oder Blaßrot) durch den Druck übertrug und die Kolorierung dem Porzellanmaler überließ, drohten Spontaneität und Frische, bis dahin der Charme des Porzellandekors, zu schwinden. Doch die Konkurrenz der billigen englischen Ware, die die Märkte überschwemmte, zwang selbst so große und durch ihre Malerei berühmte Manufak-

turen wie →Berlin (1810) oder →Meißen (1814), wenigstens für den schlichteren Teil ihrer Produktion die neue Technik zu übernehmen. – Im 18. Jh. hatte man, von wenigen Experimenten in Liverpool abgesehen, nur in einer Farbe gedruckt: Schwarz, Purpur, Rot und Sepia über der →Glasur, ab 1759 auch Kobaltblau unter der Glasur. Im 19. Jh. wurde dann der Mehrfarbendruck entwickelt (Felix Pratts Pot-Lid in Dalph Lane waren besonders bekannt und beliebt). Später trat neben den Umdruck von der Kupfer- oder Stahlplatte das keramische Abziehbild, d. h. ein- oder mehrfarbige Lithographien, die Spezialdruckereien in größeren Serien herstellen. – Zu den besten Beispielen des Transfer-printing zählt W. B. Honey den sanften, roten Dekor des Bow-Porzellans, die delikaten Arbeiten →Hancocks in Schwarz auf frühem →Worcester-Geschirr und die schwarzweißen Vasen, die unter Henrik Stens Leitung in Marieberg entstanden. Diese schönen Porzellane sind für Honey der Beweis, daß auch der D., richtig und mit Geschmack eingesetzt, reizvollste Wirkungen hervorbringen kann.

Literatur: William Turner. Transfer-printing on Enamels, Porcelain and Pottery, London 1907; R. J. Charleston. Transfer-printing in Sweden, London 1960.

Dubois, s. Orléans

Dubois, Gilles, geb. 1713 Bezancourt (Val-d'Oise), Bruder des R. →Dubois; Keramiker, Porzellan- und Fayencemaler. 1731 vielleicht an der Porzellanmanufaktur Hébert in →Paris, *rue de la Roquette I*, anschließend (1734?) bis 1738 in

→Chantilly; 1738–1741 in →Vincennes; 1741–1750 wahrscheinlich Maler in den Fayencefabriken Valenciennes und Saint-Amand; 1750–1753 mit seinem Bruder Leiter der Porzellanmanufaktur →Tournai.

Dubois, Jérôme Vincent, s. Paris, *rue de la Roquette III*

Dubois, Robert, geb. 1709 Bezancourt (Val-d'Oise), Bruder des G. →Dubois; Arkanist und Former. 1734–1738 an der Porzellanmanufaktur →Chantilly, 1738–1741 in →Vincennes, 1750–1753, gemeinsam mit seinem Bruder, Leiter des Betriebs von →Tournai.

Dubsky-Zimmer, ein Porzellankabinett, 1720–1725 in der Porzellanmanufaktur →Wien entstanden, zwischen 1745 und 1750 in dem Palais Piati-Dubsky zu Brünn eingerichtet, 1912 von dort nach Wien gebracht und im Österreichischen Museum für angewandte Kunst aufgestellt: 70 Vasen, 28 Becher, zwei Teller, zwei Platten, zwei Schüsseln, im reichen originalen Rokokoschnitzwerk verteilt, dazu kommen eine Wappenplatte, ein Kamin, aus 15 Porzellanblöcken gefügt und wie die Porzellantischplatten mit →Deutschen Blumen bemalt; an den Wänden Blaker, vier Armleuchter, drei große Lüster, diese neben dem malerischen Dekor durch figurale Kleinplastik (Chinesen, Vögel) bereichert. Außerdem Tür-, Spiegel- und Fensterrahmen, die Wandtäfelung und die Möbel durch eingelegte Porzellanplättchen, etwa 1450 an der Zahl, belebt; diese rund, oval oder eckig, wie die übrigen Porzellane sorgfältig mit →Indianischen Blumen bemalt – das Ensemble ist ein Beispiel für die Leistungsfähigkeit der →Du-Paquier-Manufaktur.

Literatur: Julius Leisching. Das Brünner Porzellanzimmer aus Dubskyschem Besitz. In »Kunst und Kunsthandwerk« XVI/1913.

Ducheval, s. Caën

Ducluzeau, Marie-Adelaide, s. Sèvres

Dümmler, Johann Georg, s. Greiner, Gotthelf

Duesbury, William, 1725 Longton Hall –1785 Derby, Porzellanmaler und Unternehmer. Er bemalte zunächst in seiner Londoner Werkstatt die Produkte verschiedener Manufakturen. Über die 1751 bis 1753 gefertigten Arbeiten gibt sein »Account Book« (British Museum, London) Auskunft. D. entwickelte die Aktivität eines Großindustriellen, indem er die Porzellanmanufakturen von →Derby (1756), →Longton Hall (1760), →Chelsea (1770) und →Bow (1776) aufkaufte und weiterführte.

Dufy, Raoul, s. Sèvres

Dulong-Zierathen, →Meißner Geschirrmuster, 1743 entworfen, benannt nach einer Amsterdamer Firma, mit der die Manufaktur Geschäftsverbindungen unterhielt. – 16 gerade Rippen teilen den Tellerrand in vier größere Bogen, die mit vier kleineren wechseln. Die größeren Felder sind mit je einer symmetrischen Rocaille belegt, die schmalen Felder schmücken Muscheln oder Blüten im zarten Relief.

Du Paquier, Claudius Innocentius, gest. 1751 Wien, k. u. k. Hofkriegsagent. Wohl durch →Meißens jungen Ruhm auf das geheimnisvolle →Porzellan verwiesen, selbst seit etwa 1716 in dieser Richtung laborierend, wurde er, wie er schreibt, 1718 zum »ersten Erfinder der allhiesigen Borcellain-Fabrique«. Um sie kämpfte er dann, gegen alle Widerstände, ohne Betriebskapital, ohne finanziellen Erfolg, mit dem »eigensinnigen Mut des Erfinders und der Zähigkeit des ersten Unternehmers« (W. Mrazek), bis ihn der wirtschaftliche Ruin 1744 zwang, die Manufaktur der Krone zu überlassen. Ihm wurde ein jährliches Einkommen von 1500 fl zugesichert, das aber nicht ausreichte, die Schulden zu tilgen. Verarmt starb er am 27. 12. 1751 im Wiener Bürgerspital, wo er mit seiner Frau, die »auch ihr völliges Vermögen hineinverwendet« hatte, untergekommen war (→Wien, *Porzellanmanufaktur 1718–1864*).

Duplessis (richtiger: Chambelan, gen. Duplessis), Claude-Thomas, gest. 11. 10. 1774, Schüler von Gilles Marie Oppenort und Juste Aurèle Meissonier; Goldschmied, Bronzegießer und Ziseleur am königlichen Hof zu Paris. 1745–1755 arbeitete er als →Modelleur an der Porzellanmanufaktur →Vincennes, wo er anscheinend vor allem Gefäß- und Gerätformen schuf; darunter wohl die Vase à oreilles, Vase à l'oignon, Vase hollandais und die Vase Duplessis. – Auch nach dem Verlassen der Manufaktur entwarf er weiter Bronzefassungen für →Sèvres-Porzellan.

Duriquet, Franz, s. Wien, *Porzellanmanufaktur 1718–1864*

Dutanda, Porzellanmaler (Blumen); 1765–1802 an der Manufaktur von →Sèvres.

Duve, Friedrich, 1743–1793; Musketier. Er wurde 1775 als Porzellanmaler (Monogramme) an die Kgl. Manufaktur zu →Kopenhagen beordert, wo er ab 1784 nur noch als Muffelbrenner tätig war.

Duve, Jochim (Johan?) Friedrich, aus Kopenhagen, gest. nach 1800, Email-, Fayence- und Porzellanmaler; 1765/66 an der Fayencefabrik Rendsburg, 1782–1784 an der Kgl. Manufaktur zu →Kopenhagen.

Duvivier, Henri Joseph, aus Tournai, gest. 8. 7. 1771 ebd.; ausgezeichneter Porzellanmaler (Vögel »dits de fantaisie«, Landschaften, Putten, Figuren); in →Chelsea ausgebildet, 1763 als Premier peintre an die Manufaktur von →Tournai berufen; 1765 Professor an der dortigen Akademie.

Dwight, John, um 1673–1703 Besitzer einer Feinkeramikwerkstatt in Fulham und Inhaber des ältesten auf Porzellanherstellung hinweisenden Dokuments in →England, in dem ihm 1671 die Herstellung von »transparent earthenware, commenly knowne by the names of porcelaine or china« patentiert wird. Echtes →Porzellan auf Kaolinbasis fabrizierte D. noch nicht.

»O seltsame Natur...«, Entwurf und Ausführung von Johann Elias Nilson, um 1760

Eberlein, Johann Friedrich, 1696 Dresden – 20.7.1749 Meißen, Bildhauer und →Modelleur. Er war vier Jahre Schüler in der Werkstatt des französischen Erzgießers und Hofbildhauers Jean Joseph Vinache zu Dresden; im April 1735 wurde er als »Adjuvante« →Kaendlers, d. h. als zweiter Bildhauer neben dem Modellmeister, in →Meißen eingestellt: ein begabter, selbständiger Arbeiter, fleißig und von großem Einfallsreichtum, der sich der Manufakturkommission mit dem Hinweis empfahl, daß er das Zeichnen, Formen und →Bossieren in Blei, Messing und Eisen, weiter die Arbeit in Mar-

mor und Elfenbein von Grund auf erlernt und sowohl in Dresden wie auch auf seinen Reisen in Norddeutschland und England praktisch erprobt hätte. Deshalb habe er keine Bedenken, auch mit dem neuen Werkstoff, dem →Porzellan, zurechtzukommen .– Noch im Jahre 1735 modelliert er in Lebensgröße mehrere Tiere (Uhu, Gemsbock, Schaf, Truthahn), ist dann mit der Bildung von Kaminteilen, Türpfosten und den »Ornamenta« zu Kaendlers Porzellanglockenspiel beschäftigt. Die Puttengriffe an dem Prunkservice, das 1738 für den Kurfürsten Clemens August von Köln entsteht,

Goldspitzenborte, um 1730

gehören ihm; ebenso hat er größten Anteil an dem plastischen Schmuck des →Schwanenservice. Er entwickelt die reliefierten Bordüren verschiedener Speiseservice, besonders das Dessin →Gotzkowsky erhabene Blumen, arbeitet ohne Unterbrechung, trotz eines schleichenden Lungenleidens, wie seine Berichte von 1735 bis 1747 zeigen, an dem weitgefächerten Kaendlerschen Programm mit. Bei kongenialer Könnerschaft ordnet er sich unter, fügt sich ein, besitzt aber eine eigene Handschrift, so daß der Versuch gewagt werden kann, seinen Anteil am gemeinsamen Werk auszusondern: Die von ihm gebildeten Gesichter sind schmal, die Augen leicht schräg gestellt; verglichen mit der drängenden Kraft Kaendlerscher Arbeiten erscheinen Modelle aus seiner Hand weicher und passiver in ihrer Linienführung.

Eberlein, Paul, s. Fürstenberg

Eckardt, Johann Tobias, s. Kelsterbach

Eckstein, Johannes, s. Berlin, *Kgl. Porzellanmanufaktur*

Eger, Jacob Heinrich, s. Kelsterbach

Eggebrecht, Carl Friedrich, s. Eggebrecht, Peter

Eggebrecht, Peter, gest. 1738 Meißen, Töpfermeister aus Berlin; 1708 als Leiter der →»Delffter Rund- und Stein Backerey« nach Dresden berufen; 1712 Pacht, 1718 Kauf des Betriebs. Um 1718 Reise nach Petersburg, 1721 wieder in Dresden, 1731 vergeblicher Versuch, die Stelle eines Inspektors in →Meißen zu erlangen, wo aber 1741 sein Sohn Carl Friedrich (1713–1773) als Malerlehrling eintritt und ab 1745 Vorsteher der Blaumalerei wird. – 1732 hatte J. J. →Kaendler die Tochter E.s geheiratet.

Ehder, Johann Gottlieb, 1717 Leipzig – 18.8.1750 Meißen, Bossierer und →Modelleur; seit 1739 Mitarbeiter →Kaendlers, vor allem mit der Modellierung des zartgliedrigen Beiwerks von Geschirr und Figur, auch der →Porzellanhäuser für den Grafen →Brühl, beschäftigt. – Als Merkwürdigkeit erwähnt O. Walcha, daß E. sich nebenher mit der Herstellung von Zahnprothesen beschäftigt habe.

Ehrenreich, Johann Eberhard Ludwig, s. Marieberg

Ehrlich, Carl Gottlob, s. Meißen, *Staatl. Porzellanmanufaktur*

62 *Flötenspieler. Berlin, Wegely, 1751–1757* ▷

66 *Teller. Worcester, um 1755*

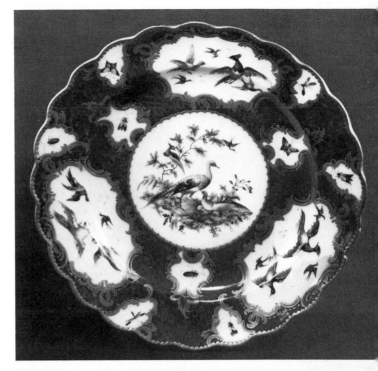

◁ ◁ 63 *Putto mit Wappenkartusche.*
Frankenthal, um 1760–1770

◁ 64 *Kurfürstin Elisabeth Auguste.*
Frankenthal, 1769

▽ ◁ 65 *Große Möpsin mit Jungem.*
Meißen, Mitte 18. Jh.
Modell wohl von J. J. Kaendler

67 *Doppelhenkeltasse mit Untertasse.* ▽
Sèvres, um 1755

69 *Chesterfield-Vase. Chelsea, um 1762/63*   70 *Vase. Worcester, um 1765*

◁ 68 *Chinesin. Berlin, um 1768. Modell von F. E. Meyer*

71 *Drei Teller. Sankt Petersburg,*
1762–1801

74 *Bär, einen Ochsen reißend. Nymphenburg,* ▷
1763–1772. Modell von D. Auliczek d. Ä.

72 *Jardinière.*
Sceaux, 2. Hälfte 18. Jh.

73 *Teller aus dem Flora-Danica-Service.*
Kopenhagen, um 1795

75 *Hogarths Hund Trump. Chelsea, um 1747–1750* ▷

76 *Zwei Figuren aus der Italienischen Komödie, Leda und Mezzetin.*
Nymphenburg, um 1760. Modelle von F. A. Bustelli

Eiche, Johann Georg, s. Fürstenberg

Eierschalenporzellan, mit einer Scherbendicke von unter 0,2 mm, ursprünglich eine chinesische Erfindung, als t'o-t'ai, »körperlos«, bezeichnet, von vielen europäischen Manufakturen nachgeahmt, besonders in Belleek, Minton und →Rozenburg (→China).

Eisenberg (→Thüringen, DDR), »Vereinigte Porzellanwerke«, 1796 bis heute; gegr. von Heinrich Ernst Mühlberg, zuvor Porzellanmaler in →Gera und →Volkstedt. Die Firma produzierte Kaffee- und Teegeschirr, dekoriert mit →Meißner Blaumustern, →Deutschen Blumen und Landschaften in Sepiabraun. Nachfolgefirmen, die fusionierten: 1843 Porzellanfabrik F. A. Reinecke (gegr. 1796), 1867 Porzellanfabrik Wilhelm Jäger (gegr. 1867). Produktion: Kaffee-, Tee-, Frühstücksservice, Hotelgeschirr.

Marken: 1796–1843 »E« = Eisenberg, blau u'glas.; 1843–1867 »RPME« = Reinecke Porzellan Manufaktur Eisenberg, zwischen gekreuzten Stäben; ab 1867 Schriftzug »Jäger«, mit Krone; nach der Fusion Kleeblatt, umschrieben »Fortuna Eisenberg«, sämtl. gestempelt.

Eisenporzellan, →Böttgersteinzeug, zu lange und bei zu hoher Temperatur gebrannt, so daß sich der Scherben mit einer schwärzlichgrauen Schicht überzieht (dem Eisenoxiduloxid, einer Verbindung des im roten Ton enthaltenen Eisens mit dem Sauerstoff der Luft).

Eisenrot, eine helle, kräftige Porzellanfarbe, auf der Basis von Eisenoxid ent-

Blumenstudie, deutsch, 18. Jh. Schwarze Federzeichnung, grau laviert. Staatsgalerie Stuttgart

wickelt, über die bereits →Böttger verfügte und die in der Folge vielfältig verbessert und variiert wurde.

Eisenträger, Johann Heinrich, geb. 1730 Kassel, Porzellanmaler (Landschaften, in klaren Farben und scharf konturiert, auch Bataillen und →Staffierung von Figuren); 1754–1768 in →Fürstenberg, wo es von ihm heißt, daß er »ohn-klagbar und zu jedermanns Zufriedenheit male«; 1768 →Kassel, hier Malereivorsteher; 1788 pensioniert, war aber weiter tätig (MT).

Ekberg, Josef, s. Gustavsberg

Elbogen/Loket (→Böhmen, ČSSR),

H: Eisenträger. pinx¹
1785.

Joh. Heinrich Eisenträger

Elbogen
blau u'glas.;
ab 1833 gedruckt

Ellwangen
blau u'glas.

Porzellanmanufaktur 1816 bis heute, gegr. auf Anregung M. →Niedermayers – Direktor der →Wiener Staatsmanufaktur, der mit dieser böhmischen Fabrik den Verlust von →Engelhartzell (1809) wettzumachen hoffte – von dessen Schützlingen Rudolf und Eugen Haidinger. Die schwere Wirtschaftskrise, die um 1817 auch Wien zu schärfsten Sparmaßnahmen und Niedermayer zur Rücknahme seiner großzügigen Versprechungen zwang, belastete die Anfänge des Haidingerschen Unternehmens. Trotzdem gelang es den Brüdern, gestützt auf das formelle Landesprivilegium von 1818, in zäher Arbeit ihre Gründung zu konsolidieren und die Produktion auszudehnen (Tafelgeschirr, Vasen, Leuchter, Uhrständer, Schreibzeuge, auch →Galanterien und figurales →Porzellan). Sie hatten mit sechs Angestellten begonnen, 1860 beschäftigte die Firma 200 Arbeiter. – Man verarbeitete →Kaolin aus Zedlitz, →Quarz aus der Nähe von →Schlaggenwald, gebrannt wurde mit Steinkohle der Grünlaser Gewerkschaften. Der E.er Scherben war ungewöhnlich rein, die →Glasur so glatt und weiß, daß die beiden Fabrikherren dazu neigten (neben den unumgänglichen Veduten von Kaspar Schumm, Porträts usw.), den malerischen Dekor auf lichtes Gerank und sparsame Ornamentik zu beschrän-

ken, um die Schönheit des Porzellans nicht zu verdecken. Früh schon ging man von den geradwandigen Formen des Empire zum Biedermeier über und entwickelte in der Folge auch bald, im engsten Anschluß an das →Meißner 18. Jh., einen reichbestückten Katalog des Zweiten Rokoko (→Ozier-Rand, Rocaillen, aufgelegte Blüten, →Höroldt-Muster, →Kaendler-Plastik). Das geschah zunächst nicht ohne Frische, vor allem nicht ohne Sorgfalt im Detail, doch bereits in den 50er Jahren überwog Routine und mit ihr künstlerischer Leerlauf. – Nach dem Tod der Brüder (Eugen 1861, Rudolf 1866) ging die Firma 1873 in den Besitz von Springer & Oppenheimer, 1918 in den der →Epiag über (Literatur →Böhmen).

Marken: 1817 bis heute das Elbogner Stadtwappen: ein Arm mit Schwert. Bis 1833 blau u'glas., verschiedenfarbig ü'glas., später gestempelt oder gedruckt (MT); nach 1918 mit dem Zusatz »Epiag«. – Großporzellane 1833 bis 1900 mit »Haidinger« gestempelt.

Elers-Ware, →Rotes Steinzeug, in Material und Form der →I-hsing-Ware nachgebildet, zwischen 1690 und 1700 in Hammersmith, später in Bradwell Wood in →Staffordshire von den Brüdern Elers (Johann Philip und David) produziert: Krüge, Kannen, Teedosen, Tassen, die sorgfältig gearbeitet und im Stil

146

des chinesischen Vorbilds dekoriert sind. Die Brüder, beide Silberschmiede, ehe sie die Töpfereien eröffneten, stammten wahrscheinlich aus Köln; sie müssen längere Zeit in Holland gelebt haben, vielleicht in Delft, ehe sie um 1688 nach →England gingen. Ob sie die keramischen Kenntnisse von A. de →Milde hatten, der seit mehr als einem Jahrzehnt Rotes Steinzeug fabrizierte, oder von John Dwight, Besitzer einer Steinzeugfabrik in Fulham, der behauptete, ebenfalls Rotes Steinzeug produzieren zu können – und, da er sich von den Brüdern bestohlen glaubte, erfolgreich einen Prozeß gegen sie führte –, ist ungeklärt; »for they were masters at surrounding themselves with mystery«, wie Warren E. Cox sagt. Um die Jahrhundertwende müssen die Elers ihre Produktion aufgegeben haben, denn um 1710 ist John Philipp in Dublin, während David als Kaufmann in London arbeitet. Das Elers-Steinzeug aber entwickelte J. →Wedgwood zu seinem »Rosso Antico« weiter.

Ellwangen (Württemberg, →Deutschland), Porzellanmanufaktur 1758/59 bis 1764; eine der flüchtigen Gründungen des 18. Jh., initiiert durch den Fürstlich-Ellwangischen Baumeister Arnold Friedrich Prahl. Er betrieb seit 1748 in Utzmemmingen bei Neeresheim eine Fayenceoder »Beinglas«fabrik, in der er, vielleicht unterstützt durch J. →Benckgraff, der wohl von →Künersberg kam, »mit äußerst angewendetem Fleiß« versucht hatte, »ächtes durchsichtiges Porcellain« herzustellen. Seine Experimente führten aber erst zum Erfolg, als es ihm im November 1757

gelungen war, J. J. →Ringler als Arkanisten an sich zu ziehen. Dieser setzte dann auch nach Prahls plötzlichem Tod, am 15.3.1758, mit dessen Witwe das geplante Unternehmen in E. in Gang. Allerdings ließ er die Manufaktur schon nach einem Jahr wieder im Stich, so daß die »Prahlin« gezwungen war, sich – neben der Fertigstellung des bereits gebrannten →Porzellans – wieder auf die Fayenceproduktion zu beschränken, die sie 1764 ebenfalls aufgab. – Produziert wurden Kaffee- und Teegeschirr, →Galanterien, Dosen, Pfeifenköpfe, Stockgriffe und an figuralem Porzellan Figuren, Gruppen, Tiere. Das Unternehmen beschäftigte in dem »Porzellanjahr« außer vier Tagelöhnern acht »Fabrikanten«. Unter ihnen waren neben Ringler die Maler Johann Andreas Bechdolff und Georg Adam Keyb, der →Modelleur J. →Nees sowie der Dreher Johann Ignaz Stegmann.
Marke: Eine »Mitra«, aus dem Ellwanger Wappen (MT).
Literatur: Karl Otto Müller. Die Prahl'sche Porzellanfabrik 1758–1764, Ellwanger Jahrbuch 1920/21.

Emmerich, Joseph Breidbach v. (zu Bürresheim), Kurfürst von Mainz, s. Höchst, *Porzellanmanufaktur 1746–1796*

En camaïeu, s. Camaïeumalerei

Engel, Ludwig, s. Aich

Engelhartszell (N'bayern, →Deutschland), ehem. Klosterbezirk nahe →Hafnerzell, der Kaolin-Sammelstelle; 1798 durch die Porzellanmanufaktur →Wien aufgekauft und zur Zweigfabrik umgebaut; 1809 im Frieden von Schönbrunn an Bayern verloren.

England. Ein Dokument von 1671 bezeugt die Herstellung von »transparent earthenware, commenly knowne by the names of porcelaine or china« durch J. →Dwight in Fulham. Es handelt sich aber noch nicht um »echtes« →Porzellan, sondern lediglich um verfeinertes Steinzeug. Frittenporzellan stellte erstmalig 1745 N. →Sprimont in →Chelsea her. Weitere Manufakturen folgten kurz nacheinander: 1748 →Bow und →Bristol, 1750 →Derby und →Longton Hall, 1751 →Worcester, 1755 →Liverpool, 1757 →Lowestoft und 1772 →Caughley. Häufig wurde der Frittenmasse →Steatit oder →Knochenasche beigefügt, wodurch die Ware eine für E. charakteristische Transparenz erhielt. Erst nach dem Auffinden der Kaolinvorkommen in Cornwall durch W. →Cookworthy um 1758 konnte dieser in →Plymouth die erste englische Manufaktur für →Hartporzellan eröffnen.

Englischglatt, s. Neuglatt

Engobe (engl. slip), Anguß keramischer Gefäße mit andersfarbiger, aufgeschlämmter, weißer oder gefärbter Tonmasse. – Besonders vielfältig sind die E. chinesischen Steinzeugs und →Porzellans, die die Verschiedenfarbigkeit von Scherben und Überzug bewußt als ästhetischen Reiz einsetzen (→China).

Entrecolles, François Xavier d', 1662 bis 1741, französischer Missionar; zu Beginn des 18. Jh. Leiter der Jesuitenmission von Kiangsi, einer Provinz im südöstlichen →China. – In zwei Briefen von 1712 und 1722 (die 1717 in Bd. 12 und 1724 in Bd. 16 der »Lettres édifiantes et curieuses«, einer Sammlung interessanter Missionarsberichte, in Paris veröffentlicht und später an verschiedenen Stellen nachgedruckt wurden) schildert der an Problemen der Porzellanproduktion lebhaft interessierte Pater detailliert Beobachtungen, die er in Ching-tê-chên, dem Zentrum der chinesischen Porzellanindustrie in Kiangsi, gemacht hatte. Dem Brief von 1722 hatte er neben →»Petuntse« Proben der Porzellanerde, wie sie am nahen Kaoling-Paß geschürft wurde, beigelegt. – In der Folge bürgerte sich in Europa der Terminus →Kaolin für die kaolinhaltigen Erden ein.

Epiag, Erste böhmische Porzellanindustrie AG, gegr. 1918, mit Unternehmen in →Aich, →Altrohlau (vorm. O. & E. Guterz, gegr. 1899), →Chodau, →Dallwitz, →Elbogen, →Fischern, →Pirkenhammer.

Erbsmehl, Johann Gottlieb, s. Meißen, *Staatl. Porzellanmanufaktur*

Erfurth (Heerfurth), s. Meißen, *Staatl. Porzellanmanufaktur*

Erikson, Algot, s. Rörstrand

Erikson, Gustav, s. Gustavsberg

Erstes Potsdamer Service, s. Berlin *Kgl. Porzellanmanufaktur*

Esser, Max, s. Meißen, *Staatl. Porzellanmanufaktur*, und Pfeiffer, Max Adolf

Este (Venetien, →Italien), Porzellanmanufaktur 1781 – um 1800; gegr. und geführt, gemeinsam mit dem Bossierer Antonio Costa, von Fiorina Fabris, Witwe des →Modelleurs J. P. →Varion, dem 1780, kurz vor seinem Tod, die Entwicklung einer brauchbaren Porzellanmasse gelungen war. Es handelte sich um ein →Hartporzellan, durchscheinend, weiß, mit einem Stich ins Gelbliche, für dessen fabrikmäßige Verwendung Fiorina Fabris 1781 die Konzession beim Senat von Venedig beantragte und erhielt. – Von der Geschirrproduktion der Firma wurde bis jetzt nur ein kleiner, henkelloser, unbemalter Becher im Museum zu Sèvres identifiziert, der mit »este CF« (wohl gleich Costa-Fabris) bezeichnet ist. Die gleiche Masse zeigen zwei ebenfalls mit »Este« und »Este 1783« gemarkte Figuren einer Kreuzigung (Maria, Johannes), heute im Londoner Victoria and Albert Museum. Von diesen Plastiken ausgehend, ist es möglich, der gleichen Hand, die nur Varion gehören kann, einige mythologische Gruppen, von französischen Kupferstichen inspiriert, in den Museen von Hamburg, London und Turin zuzuweisen (Jupiter und Kallisto, Flora und Amor, Venus und Vulkan, auch Venus mit Äneas und Achates). Hier wie dort das gleiche Material, der gleiche Stilwille, die gleiche Sensitivität, die mit der »Süße« jugendlicher Formen Festigkeit und Entschlossenheit der Modellierung verbindet. – Die Sockel sind aus Rocaillen oder Felsgestein gefügt, häufig mit Blü-

Etiolle

Etiolles
*verschiedenfarbig,
auch eingeritzt*

ten besteckt und zusätzlich auf ein vorfabriziertes Postament montiert. – In der Literatur wird außerdem ein Parnassus mit 30 Figuren erwähnt (der um 1876 noch vorhanden war, nun aber verloren scheint), dessen Modell ebenfalls Varion gehören soll.

Literatur: Gino Barioli. Mostra dell'antica ceramica di Este, Este 1960.

Etiolles (Seine-et-Marne, →Frankreich), Porzellanmanufaktur um 1768 bis nach 1770, eingerichtet von Jean Baptiste Monier und E. D. →Pellevé. Die Produktion, →Hartporzellan, bescheiden in Qualität und Umfang, war am Beispiel des »Porcelaine de Paris« ausgerichtet. Die Gefäße (Teekannen usw.) halten sich in schlichten Formen; der Dekor ist monochrom oder auch mehrfarbig: Girlanden, Streublümchen neben Figurenmalerei.

Marken: Orts- und Besitzernamen häufig ausgeschrieben (MT), doch auch abgekürzt: »P« = Pellevé; »E« = Etiolles; »MP« = Monier, Pelevé, meist eingeritzt.

Etruria (Staffordshire, →England). 1769 gründete hier J. →Wedgwood ein Keramikwerk, in dem zwischen 1795 und 1815 auch →Knochenporzellan hergestellt wurde. In der 2. Hälfte des 19. Jh. nahm die Firma erneut einen Aufschwung und lieferte sogar ein 950teiliges Steingutservice an den russischen Hof.

Idealvedute, entworfen von Franz Xaver Habermann, ausgeführt von Johann Georg Hertel; Blatt 1 der Folge 114, Verlag J. G. Hertel, um 1755

Etterbeek, s. Brüssel, *Porzellanmanufaktur Etterbeek*

Ettner, Andreas, s. Oettner

Evans, Etienne, geb. 1733 Paris, Porzellanmaler (Vögel); 1752–1806 an den Manufakturen →Vincennes und →Sèvres.

Faber, Johann Ludwig, Glas-, Fayence- und Porzellan-Hausmaler; 1678–1693 in Nürnberg, anschließend bis gegen 1720 wohl in →Böhmen oder →Schlesien; wahrscheinlich auch kurz in Breslau, da I. →Preisslers Arbeiten seinen Einfluß zeigen. – Von signierten und zwischen 1680 bis 1688 datierten Gläsern und Fayencen ausgehend, sind ihm durch Stilvergleich Porzellane (→Wien, →China) mit Marinen, Wald- und Flußlandschaften zuzuschreiben, auch Allegorien, Hirtenidyllen, Bauern- und Jagdszenen. Sie alle sind stets fein und klar gezeichnet, in →Schwarzlot und →Eisenrot, mit gelegentlicher Goldhöhung. – Heute in den Museen von Dresden, Hamburg, Prag, Stuttgart.

Fälschungen. Die Grenzen sind fließend; die Skala reicht von der ungewollten Täuschung über Nachahmung und Imitation (dem 18. Jh. noch nicht suspekt) bis zu der bewußten Irreführung und betrügerischen Manipulation späterer Zeit. In einer Reihe von Fällen gibt es auf die Frage nach der Echtheit eines Gegenstands keine eindeutige Antwort; oft scheint die Frage sogar falsch gestellt. Fabrikate einiger kleinerer Firmen des 18. Jh. sind »echt«, obwohl sie nicht das sind, was sie vorgeben zu sein. So markten →Weesp, →Tournai, →Bow oder →Lowestoft ihr →Porzellan mit den →Meißner Schwertern; andere Manufakturen wie →Limoges, die →Pariser Fabrik in der *rue de Clignancourt* oder auch das englische →Derby benutzten das Doppel-L von →Sèvres, während die →Thüringer Waldfabriken die eigene Fabrikmarke (z. B. →Volkstedt die Heugabeln, →Wallendorf das »W«, →Limbach das »L«) vorsichtiger, doch mit der gleichen Absicht zerdehnen und verzeichnen, bis sie das ungeschulte Auge für das Signet der berühmten Manufakturen nahm. – Zu der gleichen Dunkelzone zwischen Echt und Falsch zählen viele Erzeugnisse der Hausmalerei. Allerdings gilt dies nicht für Arbeiten des 18. Jh. wie die meist vorzüglichen Resultate der in Meißen mit drakonischer Strenge verfolgten Feierabendmalerei. Auch die Arbeiten aus Augsburger, Breslauer, →Wiener und →Bayreuther Werkstätten, deren künstlerischer Rang mit Namen wie →Aufenwerth, →Bottengruber, →Helchis oder →Metzsch zu bezeichnen wäre, fallen nicht hierunter;

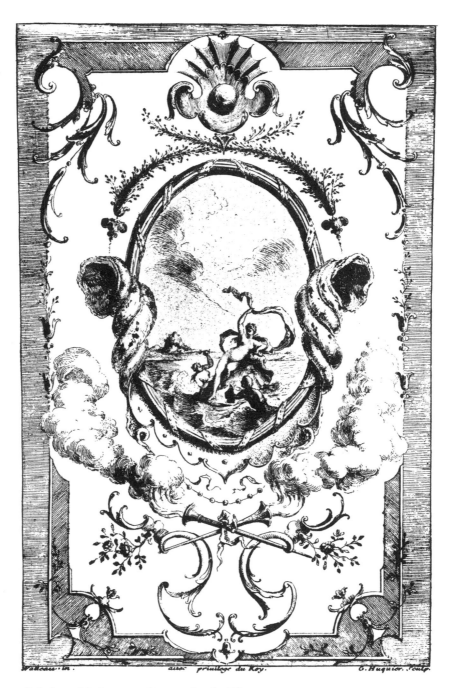

Galatheen-Motiv, entworfen von Antoine Watteau,
ausgeführt durch Gabriel Huquier, um 1730

ebensowenig die qualitativ recht unterschiedlichen Dekore, meist in den Muffelfarben Rot, Grün, Gold, mit denen holländische Keramiker und deutsche →Hausmaler aus dem Umkreis von Mayer-Preßnitz (F. →Mayer) und F. J. →Ferner dürftige oder aus der Mode geratene Unterglasur-Blaumuster europäischer und fernöstlicher Herkunft aufbesserten. Selbst noch das Machwerk des professionellen Fälschers, der, wenn irgend möglich, sein Material aus denselben Quellen bezog, besaß mit einem solchen echten Scherben den Anschein der Authentizität, obwohl nun der Dekor einen anderen Stil als den eigenen, den Stil einer zurückliegenden, doch höher im Preise stehenden Epoche vortäuschte. Die Manufakturen, deren Porzellan zu fälschen lohnte, hatten schon früh die Abgabe undekorierter Ware behindert, wenn nicht gestoppt. Trotzdem fand sich legal und illegal immer wieder Gelegenheit, Weißporzellan unterschiedlichster Qualität und Provenienz aufzukaufen. Firmenangestellte verschleppten und schmuggelten einzelne Stücke, überfüllte Lager wurden geräumt, veraltete Bestände abgestoßen, Unternehmen aufgelöst. In Sèvres verkaufte z. B. →Brongniart 1800 und noch einmal 1804 und 1813 die umfangreichen Restbestände der stillgelegten →Pâte-tendre-Produktion, was geschickte Porzellanmaler wie R. Robins, T. M. Randall und den Emailleur Soiron in die äußerst profitable Lage versetzte, den Antiquitätenmarkt ausgiebig mit kostbar dekoriertem, scheinbar echtem Sèvresporzellan der anspruchsvollsten Periode zu beliefern. Doch auch bemalte

Ware der verschiedensten Manufakturen (z. B. →Arras, →Chantilly, →Sceaux, Tournai) leistete ähnliche Dienste. Der originale, meist einfachere Dekor wurde durch Behandlung mit Säuren ganz oder teilweise getilgt und durch üppigere Muster (farbige Fonds, starke Vergoldung, Juwelendekor, komplizierte →Reserven-Füllungen wie Porträts oder figurenreiche Szenen) ersetzt. Manchmal taucht bei einem solchen Stück im schräg auffallenden Licht die ursprüngliche Zeichnung wie ein farbloser Schatten auf. An sich waren bedeutende Manufakturen wie Meißen, Sèvres, Wien, →Berlin oder →Nymphenburg schon gegen 1760 mehr und mehr dazu übergegangen, die →Marke des unbemalt verkauften wie auch die des Bracks (unter dem sich bemalte Porzellane finden konnten), der ebenfalls abgegeben wurde, durch eingeschliffene Zeichen zu entwerten. Dies waren jedoch nutzlose Maßnahmen bei Fälschern, die ihr Handwerk verstanden. Wie andere Firmenzeichen auch schliffen sie die Markierung vorsichtig ab, signierten das Porzellan (je nach Bedarf des Marktes) neu, polierten die abgeschliffene, nun glasurlose, leicht vertiefte Stelle und überzogen diese sogar, wenn der Verkaufspreis es lohnte, mit frischer →Glasur. Wie diese zarte »Delle« verraten auch die andersartige Vergoldung und andersartigen Farben (darunter vor allem ein gelbliches Chromgrün, das sich, erst gegen 1817 entdeckt, deutlich vom bläulich irisierenden Kupfergrün der alten Palette unterscheidet) dem Kenner die F. Farben und Vergoldung lassen den Experten ebenso Kopien entdecken; z. B. Einzelstücke im

Ensemble echter, alter →Service, die im 19. Jh. meist ohne betrügerische Absicht lediglich als Ersatz zerbrochener Teile mit aller Sorgfalt von verschiedenen Firmen (Edmé Samson in Paris, →Derby, auch →Herend in Ungarn) nachgearbeitet wurden und heute, unter Umständen ebenfalls arglos, als echt und alt weitergegeben werden. Eine allzu aufdringliche Alterung aber mit befremdlichen Kratzern, Sprüngen oder Abschürfungen mahnt zur Vorsicht, obwohl der echte alte Porzellangegenstand ähnliche Defekte zeigen kann. Warnsignale, die nie übersehen, sondern ernsthaft geprüft werden sollten, sind schwärzliche Flekken und Unebenheiten der Glasur (obwohl auch diese alt sein könnten), wie sie in dem stets gefährlichen, zusätzlichen Brand, dem der Fälscher seine Arbeit aussetzen muß, nur zu leicht entstehen. Auch starke Verformungen des Porzellans sind ein Zeichen, daß der Dekor keine Manufakturarbeit, häufig noch nicht einmal zeitgenössisch, sondern späte Zutat ist. – Ähnliche Zweifel und verwandte Kriterien gelten bei der Beurteilung figuralen Porzellans. Auch hier überlappen sich Echt und Falsch. Die echte Arbeit einer relativ unbekannten Manufaktur versieht der Fälscher mit einer berühmten Marke; beschädigte Figuren und Gruppen wertet er mit dem raffiniert verdeckten Ersatz abgebrochener Teile auf. Rokokoplastiken, wie sie Meißen, Wien oder Berlin noch im 19. Jh. produzierten, laufen als Erzeugnisse des 18. Jh.; Biskuitfiguren aus Sèvres, in neuerer Zeit nicht allzu begehrt, werden glasiert und staffiert. Alte Formen, die

u. a. Nymphenburg, →Höchst und →Ludwigsburg achtlos als störenden Ballast fortgegeben hatten, wurden eher schlecht als recht, redlich, doch auch unredlich, von verschiedenen Firmen (Damm, Bonn, →Passau) benutzt. →Schorndorf machte Gebrauch von der Marke der eingegangenen herzoglichen Fabrik in Ludwigsburg. In Wien kopierten, fast nur mit unzulänglichen Mitteln, private MaLerateliers nach Schließung der Staatsmanufaktur die klassischen Muster und Modelle. Anderswo, und zwar nicht selten, wurde die Figur oder die Gruppe im Original abgeformt; eine Manipulation, die sich durch die Schrumpfung der Masse im Feuer (etwa um ein Sechstel) verrät. – Der Bedarf des Marktes an Porzellan der produktiven Epochen, vom spätesten Barock der →Kaendlerschen Anfänge über Régence, Rokoko, Louisseize bis zum Empire und Biedermeier und dann wieder zum Jugendstil, wuchs proportional zum zeitlichen Abstand, wuchs auch mit der zunehmenden Kaufkraft der sich ausdehnenden Bevölkerung. Um die Mitte des 19. Jh. hatte darum die Fälschertätigkeit weithin eine fabrikmäßige Größenordnung erreicht, wobei die Massenproduktion alle Mißlichkeiten des Metiers steigerte. Die Unsicherheit in Fragen des Stils und der Motivwahl, auch die Gleichgültigkeit gegenüber dem künstlerischen und technischen Anspruch des Originals nahmen zu. Bedenkenlos wurde das →Weichporzellan-Modell in →Hartporzellan, das meist allzu weiß und hartglänzend erscheint, nachgearbeitet. Die Modellierung ließ Exaktheit im Detail vermissen, Dekor und →Staffierung zeigten fast durchweg die »falschen« modernen Chromfarben, die Marken wurden willkürlich gewählt und unintelligent verwandt. So bezeichnet z. B. das »AR«, in Meißen nur zwischen 1723 und 1736 benutzt, öfters gefälschtes Geschirr, das den 40er Jahren des 18. Jh. zugehören soll, und angebliche Derby-Figuren werden (besonders in dem thüringischen Sitzendorf) törichterweise mit der Goldankermarke von →Chelsea signiert. – Unter den auf die Porzellanfälscherei im großen spezialisierten Firmen wären u. a. die Bettignies zu nennen, die zu →Saint-Amand-les-Eaux und Tournai in Pâte tendre das Porzellan von Chantilly, →Saint-Cloud, Sceaux, Sèvres und auch von Chelsea und →Worcester fabrizierten. →Coalport und Madely imitierten stattdessen in englischem →Knochenporzellan und eine Reihe deutscher und französischer Unternehmen in Hartporzellan ebenfalls Chelsea, Derby und Sèvres. Carl Thieme in →Potschappel, Wolfsohn und Weise in Dresden, Samson in Paris hielten sich an das Meißner Beispiel, während sich Conrad Schomburg in Berlin Arbeiten der Kgl. Manufaktur zum Vorbild nahm. – Nicht zu verwechseln sind diese Täuschereien mit den Reproduktionen, durch die Manufakturen mit großer Tradition heute Erzeugnisse ihrer besten Perioden dem Publikum in guten, oft sogar makellosen und stets unverwechselbar bezeichneten Kopien zugänglich machen. – Obwohl Mittel der modernen Technik, darunter Quarzlampe und Spektralanalyse, dem Experten die Aufhellung raffiniert angelegter F. erleichtern, die es trotz und neben der Massen-produktion billiger Imitationen weiter gibt (wie z. B. die →Radierten Goldchinesen von 1930 in Dresden), bleibt für den Liebhaber und Sammler doch der sicherste Schutz vor Betrug und Enttäuschung die genaue Kenntnis der schwierigen Materie Porzellan, d. h. die Kenntnis der Manufakturen, Epochen und Stile, der unterschiedlichen Scherben, Glasuren, Farben und Marken. Dieses Wissen, erworben im langen Umgang mit gesicherten meisterlichen Arbeiten, schärft den Blick für Herkunft und Qualität; und ihm, durch immer wieder geübtes »vergleichendes Sehen« geschult, erschließt sich dann die Übereinstimmung aller Elemente, die die »Stimmigkeit« des kleinen Kunstwerks garantiert.

Fallot, Porzellanmaler (Vögel, Ornamente); 1773–1790 an der Porzellanmanufaktur von →Sèvres.

Farkashàzy, Jenö, s. Herend

Fassonieren, den Gefäßrand, besonders von Tellern und Platten, durch sechs, acht oder mehr Einkerbungen »ausbogen« und auf diese Weise plastisch beleben.

Fauquez, Jean Baptiste Joseph, 1742 bis 1804 Tournai; in →Saint-Amand-les-Eaux Besitzer einer Fayencefabrik (1718 von Pierre Joseph F., seinem Großvater gegründet), in der er zusätzlich 1771–1778 Frittenporzellan fabrizierte. Außerdem etablierte er 1785 in →Valenciennes eine Hartporzellan-Manufaktur, von der er sich allerdings bereits um 1787 wieder nach Saint-Amand zurückzog. – Vor den Wirren der Revolution wich er zunächst nach →Deutschland aus, lebte aber später, bis zu seinem Tod, in →Tournai.

Fauvel, s. Paris, *rue du Faubourg-Saint-Denis*

Fawkener, Sir Everard, 1684–1758, Sekretär des Herzogs von Cumberland; bis 1758 Miteigentümer der Porzellanmanufaktur in →Chelsea, die er zu höchster Blüte führte.

Faxoe, Nicolai Christian, 1762 bis 15. 5. 1810, Porzellanmaler (Blumen); 1776 bis 1783(?) an der Kgl. Manufaktur zu →Kopenhagen.

Feilner, Simon, 20. 2. 1726 Weiden (Oberpfalz) – 16. 3. 1798 Mannheim, Porzellanmaler, →Modelleur und Arkanist. Sohn eines Maurers, Enkel des bekannten Hafnermeisters Leimberger, Lehre in der heimischen Werkstatt; 1747 bis 1751 Stukkateur in Saarbrücken, Stuttgart, Bieberich, Paris; 1751–1753 Former und Blumenmaler an der Porzellanmanufaktur →Höchst; 1753–1768 in →Fürstenberg, hier zunächst »künstlicher Poussirer«, später Modellmeister. – Unter seiner Ägide entstanden 1753/54 nach Stichen eines unbekannten Augsburger Meisters, in Zusammenarbeit mit E. L. →Heller, 15 Figuren der Commedia dell'arte (heute Slg. E. Pflueger, New York). 1757 schloß sich eine Folge von 12 Bergleuten an, von F. entworfen und durch seinen Onkel Johann Georg Leimberger (1755–1763 Former in Fürsten-

berg) bossiert. Daneben findet sich Gerät wie der Kußleuchter, auch mancherlei Getier, Putten oder eine Wiederholung des Taubenpfeilers, den F. bereits in Höchst modelliert hatte, und schließlich eine Gruppe von fünf Göttern (Flora, Venus, Diana, Merkur, Apoll), die Vorlagen (darunter Elfenbeinplastiken Balthasar Permosers) stets ins Derbe, Robust-Bäuerliche transponiert. – 1768 in Fürstenberg entlassen, entschloß er sich 1770, in →Frankenthal die Stelle des technischen Inspektors anzunehmen. Hier rückte er 1775, nach harten Auseinandersetzungen mit A. →Bergdoll, zum Direktor der Firma auf; 1776 wurde er zum Hofkammerrat ernannt. – Bereits in Fürstenberg hatte sich F., überzeugt von der Wichtigkeit brauchbarer Farbrezepte, mit der Chemie der Metalloxide beschäftigt. In Frankenthal gelang ihm nun die Entwicklung ausgezeichneter Farben, die der Manufaktur erlaubten, mit →Wien und →Sèvres in Wettbewerb zu treten.

Feldspat, wesentlicher Bestandteil kristallinen Gesteins; da bei Zugabe von feinem →Quarz bereits unter 1000° C schmelzbar, wichtiges Flußmittel des Porzellanversatzes. – Verwandt wird meist der Orthoklas, ein Alkalifeldspat; bedeutende Lager befinden sich in Norwegen und Schweden (→Porzellan).

Ferner, F. J., um 1745–1765 in →Thüringen oder Sachsen Vorsteher einer Porzellan-Hausmalerei, die mit unterschiedlichen Begabungen arbeitete. Das Material – meist veraltetes, bereits dekoriertes Geschirr – stammte aus dem →Meißen

T. J. Ferner pinx F. J. Ferner

der 20er Jahre des 18. Jh., doch auch aus →Berlin und →Rauenstein. Die F.schen Zutaten bestanden in einfachen Ranken und Bordüren, dazu Szenen mit puppenhafter Personage, simpler Architekturkulisse und Baumstrünken, die in →Eisenrot und schmutzigem Grün, oft in radialer Anordnung, der dekorfreien Innenseite der Tassen und →Kummen mehr oder weniger geschickt eingepaßt waren (MT).

Ferrara (Emilia, →Italien). 1504 kaufte Ercole d'Este, Herzog von Ferrara, bei einem Venedigbesuch sieben Schalen aus »porcellana contrefatta«, also aus imitiertem →Porzellan. Nur solches war zu diesem Zeitpunkt in →Italien herstellbar. 1519 mühte sich sein Nachfolger Alfonso I. vergeblich, nachdem er mit einem Teller und einer Schale aus »porcellana ficta« beschenkt worden war, den Hersteller dieser Porzellannachahmungen (vermutlich der Glas- und Spiegelmacher Leandro Peringer) nach F. zu locken. Alfonso II. gelang es dann schließlich 1561/62, die Brüder Camillo und Battista, Keramiker aus Urbino, zu gewinnen; doch das »Porzellan«, wahrscheinlich in der Art der Ming-Gefäße (→China) mit Blaumustern dekoriert, wurde schon 1583 als gut gearbeitete Majolika erkannt und eingestuft. – Camillo da Urbino kam 1567 bei einer Explosion ums Leben; Battista ist 1571 noch in F.

Feustel, s. Pfalz-Zweibrücken

Fichthorn, Johann Andreas, s. Bayreuth

Fickaert, Barthélemy (gen. Verboeckhoven), s. Valenciennes

Fischer, Franz, s. Dallwitz

Fischer, Johann Christian Gottlieb und Johann Martin, s. Pirkenhammer

Fischer, Johann Conrad, s. Kassel

Fischer, Johann Sigismund, aus Dresden, gest. 1758 Capodimonte; Porzellanmaler (Figuren, Vignetten, Ornamente). 1750/51 an der Manufaktur →Wien; 1752/53 in →Le Nove, wo er Pasquale Antonibon bei dessen Masse-Experimenten unterstützt; 1754–1758 in →Capodimonte, ab 1757 mit der Ausmalung des Porzellanzimmers im Palazzo Portici beschäftigt.

Fischer, V. Th., s. Kopenhagen, *Kgl. Porzellanmanufaktur*

Fischer-Farkashàzy, Moritz, 1800 Tata (Westungarn) – 1880 ebd., Keramiker und Porzellanmaler; zunächst Pächter einer Prager Steingutfabrik, 1839 Gründer der Porzellanmanufaktur →Herend, die er 1874, nach schweren Auseinandersetzungen mit seinen Söhnen, verließ. Er zog sich nach Tata zurück und eröffnete hier wieder einen kleinen Betrieb, in dem aber wahrscheinlich nur →Porzellan aus Herend oder böhmische Ware dekoriert wurde.

»Fischer & Reichenbach«, s. Pirkenhammer

Fischern/Rybáře (→Böhmen, ČSSR), Porzellanmanufaktur 1848 bis heute; gegr. von Karl Knoll, der hier, bei Karlsbad, eine Kaolinschwemme betrieb. Die Produktion (Tee- und Kaffeeservice, Vasen, Schalen, Sprudelbecher), bewußt auf die Wünsche des Badepublikums eingestellt, hielt sich in den Grenzen eines modisch-gefälligen Durchschnitts. Die Masse ist gut, die Form meist einem gemäßigten Rokoko entlehnt, der Dekor Blumenarrangements (Literatur →Böhmen).

Marken: 1848–1900 »Carlsbad«, »Carl Knoll Carlsbad«, gestempelt; 20. Jh. Monogramm »CK« mit Fisch oder Krone, unterschrieben »Karlsbad« (MT).

Fischern
20. Jh. gedruckt

Flad, Adolph, s. Berlin, *Kgl. Porzellanmanufaktur*

Flakon (engl. scent bottle), Riechfläschchen; ein Galanterie-Artikel, der im 18. Jh. von vielen Manufakturen in reizvollen und amüsanten Variationen produziert wurde. Besonders originell und vielfach nachgeahmt werden die →Chelsea Toys, Fläschchen in Gestalt putziger Tiere oder winziger menschlicher Figuren.

Flight & Barr, s. Worcester

Flohbein, ein Pfeifenstopfer, manchmal auch ein schmales Döschen in Form eines Frauenbeins, das pikanterweise ein Floh ziert.

Flora-Danica-Service, s. Kopenhagen, *Kgl. Porzellanmanufaktur*

Flora-Service, →Berliner Tafelge-schirr, 1860 aus dem »Tafelservis mit relief Bluhmen« entwickelt, eine Variante von 1768 des →Meißner Musters →Gotzkowsky erhabene Blumen.

Florenz (Toskana, →Italien), Medici-Porzellan-Manufaktur 1575–1587. Diese Manufaktur, wie andere Werkstätten unter fürstlicher Regie in den Boboligärten gelegen, produzierte als erste in Europa →Weichporzellan. Gründer und Schirmherr war Francesco Maria de'Medici, seit 1574 Großherzog von Toskana, der, selbst eifriger Alchimist, bereits in dem Jahrzehnt vor seinem Regierungsantritt einen Arkanisten beschäftigte. Diesem, in den Quellen als »Levantiner« oder auch als Grieche bezeichneten Keramiker, gelang anscheinend der Masseversatz, der im Verhältnis 12:3 aus einer glasartigen Fritte und weißer, wohl kaolinhaltiger Erde von Vicenza besteht. Es handelt sich um ein Protoporzellan, ein Feinsteinzeug mit Majolikaglasur: der Scherben dünnwandig, zwar unrein, doch durchscheinend, mit einem Stich ins Gelbliche oder Graue; die durchsichtige →Bleiglasur, nach Bemalung und erstem Brand aufgetragen, ist oft verdickt geflossen und zeigt eine Neigung zu Bläschenbildung und Sprüngen. – Als Mitarbeiter bestellte Bernardo Buontalenti, neben vielerlei Funktionen (Hofarchitekt, Theateringenieur, Kostümbildner) auch Leiter der fürstlichen Werkstätten, die

1, 2 Florenz
blau

erfahrenen Majolikafabrikanten Flaminio Fontana aus Urbino (1573–1578) und aus Faënza Pier Maria »delle porcellane« (1580–1589). – Erhalten haben sich 59 Porzellane: tiefe, runde Teller oder Schüsseln mit glattem Rand; vielerlei Flaschen, darunter die handlichen, doppelhalsigen Menagen (→Huilier) für Essig und Öl; daneben Kannen mit eingezogenem Hals und gewundenem Henkel, auch Krüge mit Tiergriff und Tiertülle, die in ihrer scharfen Bildung an Bronzen der Zeit erinnern, während andere wieder in den weichen Rundungen des Majolikageschirrs geformt sind. Der malerische Dekor (abgesehen von einem Krug mit buntem Muster in der Slg. Baron M. de Rothschild), stets kobaltblau mit manganviolettscheinender Kontur, umspannt in zügiger Anordnung, mit Blüten und Ranken, mit Wappen und Grotesken, die dem Musterschatz chinesischen Porzellans, persischer Fayence oder der heimischen Majolika entnommen sind, wie ein weitmaschiges Netz das Gefäß. Seltener sind Szenen mit Jäger, Wild und Vögeln zwischen Gesträuch und Bäumen. Ausnahmen sind auch drei Schüsseln – heute in den Museen von Arezzo, F. und Lissabon –, deren Spiegel nach Zeichnungen von Georg Pencz (gestochen von Aldegrever) mit Darstellungen der Evangelisten gefüllt ist. – Datiert sind nur eine Flasche mit dem Wappen Philipps II. von Spanien (1581; Museum zu Sèvres) und ein Medaillon mit dem Reliefporträt des Firmengründers von 1585/86 (?), heute im Bargello zu F. – Es ist anzunehmen, daß die Manufaktur beim Tod des Großherzogs 1587 die Arbeit einstellte, obwohl in zeitgenössischen Berichten ein Nicolo Sisti auftaucht, der 1592 in F. und 1619 in Pisa neben Majolika noch →Porzellan hergestellt haben soll.

Marken: Kuppel von Santa Maria del Fiore, mit »F« = Firenze (oder Francisco); sechs Kugeln, dem Medici-Wappen entnommen, mit den Initialen »FMMFEDII« (= Franciscus Maria [oder Medicis] Magnus Dux Etruiae II) beschriftet; blau (1, 2).
Literatur: G. Liverani. Catalogo delle porcellane dei Medici, Faenza 1936.

Flurl, Matthias, s. Nymphenburg

Förster, Alexander, s. Wien, *Wiener kunstkeramische Fabrik A. Förster & Co.*

Fond écaillé, um 1770 in →Sèvres entwickelt; ein Fond, der an Schildpatt erinnert.

Fondporzellan, durch das ostasiatische Vorbild angeregt, →Porzellan mit einfarbigem Grund, oft mit ausgesparter →Reserve zur Aufnahme kleiner Szenen oder Blumenarrangements, wobei die jeweilige Fondfarbe gespritzt, gepudert, meist aber mit weichem Pinsel flüssig aufgetragen und mit dem breiten, stumpfen Stupfpinsel sorgfältig vertrieben ist. Besonders Barock und Klassizismus pflegten das F. Schönste Beispiele sind die →Höroldt-

blau	1, 2 Fontainebleau eingeritzt

schen Fonds in →Meißen, die Fonds von →Sèvres, →Chelsea oder →Wien. – Neben diesen monochromen Gründen entwickelten die Manufakturen auch eine Fondbemalung, die auf Augentäuschung, auf den Trompe l'œil, zielt; wie z. B. der →Décor bois, der →Fond écaillé oder die Fonds, die edelsteinartige Materialien vortäuschen.

Fontaine, Jacques, geb. 1735, Porzellanmaler (Blumen, Ornamente); 1752–1775 und 1778–1807 an den Manufakturen in →Vincennes und →Sèvres.

Fontainebleau (Seine-et-Marne, →Frankreich), Porzellanmanufaktur 1795 bis etwa 1900; gegr. von Benjamin Jacob und Aaron Smoll, um 1802 durch Baruch Weil, Smolls Schwiegersohn, weitergeführt; 1830 in den Besitz von Jacob und Mardochée Petit übergegangen, 1862 an E. Jacquemin verkauft, 1874 firmiert Godebaki & Co. – Die Erzeugnisse der Manufaktur (Tafelgeschirr, Uhren, Lampen, Vasen) aus einem guten →Hartporzellan, folgen in Form und Dekor zunächst einer einfacheren Spielart des →Pariser Empire, bis Jacob Petit, mit Spürsinn für den Wandel des Zeitgeschmacks begabt, die Produktion den

neuen historisierenden Tendenzen unterwirft. Es entstehen »gotische« Uhren, »Renaissance«-Schalen und Kästchen, das Geschirr in einem Stilgemisch mit Anklängen an das Rokoko oder fern- und nahöstliche Formen: alles bunt, auffallend, nahe am Kitsch, doch nicht ganz ohne Phantasie und Frische des Einfalls. *Marke:* Ab 1830 »j. P.« = Jacob Petit, die auch Jacquemin und Godebaki übernahmen; blau u'glas., eingeritzt (1, 2).

Forst, Johann Hubert Anton, s. Berlin, *Kgl. Porzellanmanufaktur*

Fournérat, s. La Seynie

Fournier, Louis Antoine, geb. 1720 Paris, Arkanist und →Modelleur; 1746 bis 1749 an der Porzellanmanufaktur von →Vincennes, 1752–1759 in →Chantilly. 1759 wurde er nach →Kopenhagen berufen; dort gründete und leitete er bis 1766 die *Porzellanmanufaktur am Blauen Turm.* 1766 kehrte er aber nach →Frankreich zurück. Hier stellte er 1774 ein Selbstbildnis in Terrakotta aus, das als »in Kopenhagen hergestellt« bezeichnet war.

Frankenthal (Rheinland-Pfalz, →Deutschland), Porzellanmanufaktur 1755–1799. Zur Aufgabe seiner →Straßburger Produktion durch den Monopolanspruch →Vincennes' gezwungen, hatte sich Paul A. →Hannong im April 1755 in der nahen Pfalz um die Konzession zur Fortführung des Unternehmens bemüht. Im Mai erteilte ihm Kurfürst Carl Theodor das gewünschte Privileg; im Juni war die Dragonerkaserne in F., die der Kurstaat Hannong zur Verfügung stellte, soweit

1755/56　　　*1759*　　　　　*1762*　　　*1762–1794*　　　*1795*
eingepreßt　　　　*meist blau u'glas.*

hergerichtet, daß der Straßburger Betrieb übersiedeln konnte; im November verließ das erste wohlgelungene →Porzellan den Ofen. – Hannong, den seine beiden Fayencefabriken im Elsaß festhielten, hatte seinen ältesten Sohn Karl Franz Paul Hannong mit der Einrichtung und Leitung des Werks betraut. Ihm folgte, als er 1757 im Alter von 25 Jahren starb, der Bruder Joseph Adam. Zwei Jahre später entschloß sich Hannong, diesem Sohn die Manufaktur für die Summe von 125 273 Livres zu übereignen; ein Betrag, von dem wohl Vater und Sohn hofften, daß er trotz seiner Höhe in weiteren Jahren gemeinsamen Wirkens bequem abzutragen wäre. Als aber der Vater ein halbes Jahr nach Vertragsabschluß plötzlich starb und der junge Hannong sich den rigorosen Erbansprüchen der Geschwister ausgesetzt sah, war er durch die hohe Schuldsumme genötigt, 1761 die Fabrik dem Landesherrn zum Kauf anzubieten. Da die Generalkasse das junge Unternehmen seit Jahren mit Darlehen (16 500 fl) gestützt hatte und der Fürst persönlich interessiert war, ging die Manufaktur 1762 in dessen Besitz über, allerdings nur zu einem Drittel des Schätzwertes. Hannong, von allen Seiten bedrängt, mußte sich mit 40 804 fl, zuzüglich 10 000 fl für die ausgelieferten →Arkana, begnügen. – Kurpfälzische Beamte dirigierten nun von

Mannheim aus die Firma. Zum technischen Leiter wurde A. →Bergdoll bestellt. Da jedoch dessen arkanistische Kenntnisse nicht ausreichten, teilte man ihm 1770 S. →Feilner zu, einen erfahrenen Keramiker, der 1775, nach erbitterten Auseinandersetzungen mit Bergdoll, zum Direktor aufstieg, während dieser entlassen wurde. – In immer neuen Anläufen versuchte man, die wirtschaftliche Lage der Firma zu verbessern und sie von staatlichen Zuschüssen unabhängig zu machen. Schon die beiden Hannong hatten geschickt für ihr Porzellan geworben; in Straßburg und Mannheim, später auch in Basel, Livorno, Mainz, Frankfurt und Nancy waren Niederlagen eröffnet. Lotterien wurden veranstaltet, erlesene Porzellane gingen als »Werbegeschenke« an einflußreiche Standespersonen; doch die überfüllten Magazine wollten sich nicht leeren, der Ausgleich zwischen Produktion und Verkauf nicht gelingen. Die Verlegung der Residenz von Mannheim nach München (1777 rückten die Pfälzer Wittelsbacher in die Herrschaft der erloschenen bayerischen Linie ein) kam erschwerend hinzu. Der Absatz sank von Jahrzehnt zu Jahrzehnt. 1775 hatte das Fabrikstatut 203 Beschäftigte verzeichnet, 1790 nur noch 70. – Der F.er Scherben aus Passauer →Kaolin, nach 1774 auch mit Beimischungen der billigeren Alzeyer

77 Ruhender ▷
Amor. Höchst,
um 1770–1775.
Modell wohl von
J. P. Melchior

79 Trommler. ▷ ▽
Buen Retiro,
2. Hälfte 18. Jh.

▽ 78 Blumen-
mädchen. Wien,
um 1744–1749

◁ 82 *Deckelterrine.*
Sèvres, um 1760

83 *Liebespaar in Gartenlaube* ▷
(Herbst). Frankenthal,
um 1755–1761.
Modell von J. W. Lanz

◁ ◁ 80 *Réchaud. Nymphenburg,*
um 1765

◁ 81 *Weihwasserbecken.*
Nymphenburg, um 1765

84 *Musizierendes Schäferpaar.*
Ludwigsburg, um 1763

85 *Kanne. Den Haag, um 1770–1780*

87 *Straßenverkäufer. Mennecy, um 1755* ▷

86 *Teedose mit Schlachtenszenen.*
Fürstenberg, um 1770

88 *Terrine. Nymphenburg,*
um 1760–1765

90 *Die Affenkapelle.* ▷
Meißen, um 1765/66.
Modelle von J. J. Kaendler
überarbeitet

91 *Schlittengruppe.* ▷ ▽
Meißen, um 1741.
Modell von J. J. Kaendler

89 *Der Schlummer der*
Schäferin.
Höchst, um 1760–1765

92 *Galanterien. Kelsterbach, 1764–1766. Modelle von C. Vogelmann*

93 *Die hohe Frisur. Höchst, 1767/68*

Erde, ist weiß mit leichtem Gelbton, die →Glasur zartschmelzend, so daß die Farben sich mit seidigem Schimmer entfalten und keine Feinheit der Modellierung verlorengeht. Am Anfang stehen, kühn entworfen, aus der Rocaille gebildet, festliche Vasen, Terrinen, Uhrgehäuse, Leuchter, →Potpourris und →Tafelaufsätze. Die einfacheren Stücke waren wohl nach Entwürfen G. F. →Riedels, die reicheren, eigenwilligen Unikate sicher von J. W. →Lanz modelliert. Bei der Bildung der Kaffee-, Tee- oder Tafelgeschirre bediente man sich schlichterer, gegen Ende des Jahrhunderts schließlich auch klassizistischer Formen (Krönungs-Geschirr, 1790). Viereckig sind die Anbieteplatten, die Gefäße glattwandig, Teller und Schüsseln häufig mit dem →Meißner →Ozier-Rand oder mit →Gotzkowsky erhabene Blumen reliefiert; Schnaupen und Henkel haben eine leichte Schweifung, die Lavoirkannen sind mit flachem Deckel nach französischem Vorbild versehen. Anregungen von allen Seiten nutzte man auch für den malerischen Dekor, der stets penibel und mit Geschmack ausgeführt ist. Der Zusammenklang von tiefem Purpur und sattem Grün ist charakteristisch, daneben aber auch en camaïeu ein lebhaftes Karmin, später Grau- und Brauntöne. Wie überall dominiert die Blumenmalerei mit ihren Varianten der →Indianischen oder →Deutschen Blumen, der Buketts und flatternden Gewinde. Die wichtigsten Namen sind: Rochus Andrich (1762–1793), Philipp Drach (1767–1780), Andreas Handschuh (1757 bis 1789), Carl Haussmann (1755–1799), Sebastian Marx (1763–1780), Johann Ni-

kolaus Mittmann (1756–1776) und Johann Georg Konrad Rahner (1766–1797). Es fehlen auch nicht die Bunten Kinder oder die Ovidischen Figuren, staffierte Landschaften, die Szenen nach Watteau oder Teniers, die Tierhatzen nach Ridinger oder das →Quodlibet mit vorgetäuschtem Kupferstich auf scheinbarer Holzmaserung: Michael Glöckle (1762 bis 1799), Georg Hetterich (1773–1799), Bartholomäus Kayser (1761–1799) werden immer wieder Könner ihres Faches genannt; ebenso Johann Bernhard Magnus (ein hervorragender Figurenmaler, 1758 in →Höchst, 1762–1793 in F.), Jacob Osterspey (1759–1782), J. M. →Schöllhammer, J. F. →Steinkopf, Johann Samuel Friedrich Tännich (ab 1757), F. J. →Weber oder auch Christian Winterstein (1758–1781), der zuvor ein Jahr in Höchst war, und F. K. →Wohlfahrt. Schönstes Beispiel der vielgeübten Vogelmalerei (Joseph Arnold, 1772–1799; die beiden Höflich, um 1765; Nikolaus Leyser, 1764–1774; G. F. Riedel) ist das 1771 entstandene »Vogelservice«, ehrgeizige Steigerung eines französischen Beispiels, des Tafelgeschirrs aus →Sèvres, das Ludwig XV. dem pfälzischen Kurfürsten geschenkt hatte. Feilner, unermüdlich um die Bereicherung der F.er Palette bemüht, hatte ein Schwarz entwickelt, von dem er sagte, daß es leicht wie Tusche zu handhaben sei und doch im Scharffeuer standhielte. Weiter gelangen ihm ein tiefes Königsblau, ein lichtes →Bleu céleste, ein Purpur-changeant und Gold à quatre couleurs, d. h. die Möglichkeit einer erhaben aufgebrachten Vergoldung mit polierten Lichtern und

Schatten. Diese Erfindungen erlaubten, dem Beispiel Sèvres' zu folgen und kostbarste Porzellane mit farbigem Fond, mit deliziös gemalten →Reserven und reichstem Goldschmuck zu liefern. Nur flüchtig, ohne praktische Folge, hatte Anfang 1770 P. →Berthevin das Umdruckverfahren demonstriert.– Das große Preisverzeichnis von 1777 nennt neben 25 Geschirrsorten 800 Figuren und Gruppen. Auf diesem Gebiet lag die Leistung der Manufaktur. Nach- und miteinander arbeiteten hier außer Hilfskräften wie Cornelius Carlstadt so begabte →Modelleure wie J. W. →Lanz, die beiden →Lücks aus Meißen sowie F. C. →Linck, dem A. →Bauer, J. P. →Melchior und mit nur wenigen Modellen der Mannheimer Bildhauer Peter Anton von Verschaffelt (1762 bis 1793) folgten. Sie alle waren Meister, Protagonisten des jeweils geforderten Stils vom Rokoko bis zum Klassizismus, deren Imagination ausreichte, die immer gleiche Aufgabe mit Geschmack zu lösen und dem Käufer das begehrte Spielzeug für Konsole oder Tafel zu liefern. Sie waren Könner, die aus dem bunten Zug der Götter, Exoten und Nationalitäten, aus dem Gewimmel der Tiere, Putten, Kinder, aus den Reihen der Handwerker, Komödianten oder Bauern, der Damen und Kavaliere immer neue Folgen zusammenstellten, nach Neigung oder Mode ihre Wahl trafen, auch das Porträt als Büste oder Medaillon nicht versäumten und für die immer gleichen Themen, mit oder ohne allegorische Sinngebung, neue, überraschende Wendungen fanden. – Doch mit dem steigenden Jahrhundert geriet nicht nur, trotz der delikaten

→Staffierung eines Georg Elias Hermany (1763–1791), die heiter-bunte Rokokoszene ins Abseits. Auch die kühlen, unfarbigen Plastiken, nicht mehr auf schmiegsamer Rocaille, sondern auf geschichtetem, kantigem Sockel, drängten sich mehr und mehr unverkäuflich auf den Regalen der Warenlager. – Das Hin und Her des ersten Koalitionskrieges besiegelte dann den Untergang der Manufaktur: 1794 wurde sie durch die französische Armee beschlagnahmt und 1795 an Peter van Recum aus Grünstadt verschleudert, der, unterstützt von Bergdoll, die Produktion wieder in Gang setzte. Ein halbes Jahr später jedoch ist die Fabrik, durch den Wechsel des Kriegsglücks, wieder in kurfürstlicher Hand. Feilner, legitimer Leiter der Firma, nimmt die Arbeit erneut auf, muß aber im April 1797 den Betrieb stillegen. Durch die Beschlüsse von Campo Formio kehren die Franzosen im Herbst zurück. Wieder wird die Manufaktur beschlagnahmt und nun an Johann Nepomuk van Recum ausgeliefert, der noch einmal die Produktion anlaufen läßt. Doch siedelt er bereits im Sommer 1799, unter Abtransport der Maschinen, Vorräte und kostbaren Formen, nach Grünstadt um, wo er eine Fayencefabrik eröffnet. Mit einer Verfügung vom 27. 5. 1800 bestätigt schließlich von München aus Kurfürst Max IV. Joseph das Ende der »Carl-Theodor-Manufaktur«.

Marken: 1755–1759 »PH«, »PHF« = Paul Hannong Frankenthal, eingepreßt (1); 1759 bis 1762 »JAH« = Joseph Adam Hannong, blau u'glas. (2); beide →Marken oft verbunden mit Rautenschild (3) und dem stehenden Löwen (4), dem kurpfälzischen Wappen ent-

nommen, blau u'glas.; 1762–1794 »CT« mit
Kurhut = Carl Theodor, blau u'glas. (5);
1795 und 1797–1799 »PvR« = Peter van Recum, blau u'glas. (6). – Außerdem verschiedene Beizeichen: Direktorialmarken (»AB« =
Adam Bergdoll), Jahreszahlen, Maler- und
Bossierermarken, auch ausgeschriebene Signa-
turen.
Literatur: Ludwig W. Böhm. Frankenthaler
Porzellan, Mannheim 1960; Frankenthaler
Porzellan aus Heidelberger Privatbesitz (bearb. von Karl Lohmeyer). Städtische Sammlungen Heidelberg 1912; Frankenthaler Porzellan. Ausstellung zur Erinnerung an die
Gründung der Porzellanmanufaktur Frankenthal im Jahre 1755 (bearb. von Karl Schultz).
Neues Rathaus der Stadt Frankenthal/Histori-
sches Museum der Pfalz in Speyer 1955;
Frankenthaler Porzellan. Ausstellung im
Stadtmuseum Ludwigshafen a. Rh. 1970 (bearb. von Siegfried Fauck); Emil Heuser. Porzellan von Straßburg und Frankenthal im
18. Jahrhundert, Neustadt a. d. Haardt, 1922;
Friedrich H. Hofmann. Frankenthaler Porzellan, 2 Bd., München 1911; Anna Maus und
Lili Steinemann. Die Künstler und Fabrikanten der Porzellanmanufaktur Frankenthal
(1755–1799), o. O. 1961; Sammlung Pauls,
Riehen/Schweiz. Porzellan des 18. Jahrhunderts. Bd. II, Frankfurt a. M. 1967.

Frankreich. Selbst wenn das Privileg
zur Herstellung von →Porzellan »aussi
belle et plus que qui vient des Indes
Orientales«, das 1664 C. →Réverend in
→Paris erteilt worden war, wohl nur
»Nederlants porceleyn«, d. h. Fayence im
Stile Delfts, meinte, so bleibt doch F. der
Ruhm, fast vier Jahrzehnte vor →Meißen
zwar nicht »echtes« Porzellan, doch eine
der wichtigsten Porzellanformeln, die
Rezeptur der →Pâte tendre, gefunden zu
haben. Louis Potérat zu →Rouen nutzte
sein Privileg von 1673 fast nur in den
Grenzen des Experiments; aber das von
ihm hergestellte Porzellan, das sich in
wenigen Exemplaren erhalten hat, ist

kaum von den Erzeugnissen →Saint-
Clouds zu unterscheiden, wo wahrscheinlich seit 1678, sicher aber seit 1683 Porzellan im Manufaktur-Maßstab produziert wurde. 1711 folgte dann →Lille,
1725 →Chantilly, 1734 →Mennecy und
1738 →Vincennes. Scherben und →Gla-
sur besaßen, bei allen Unterschieden von
Manufaktur zu Manufaktur, hohen sen-
suellen Reiz; der Stil, beeinflußt von
Fayence und Silber, inspiriert auch durch
das Vorbild ostasiatischen und (nach
1720) sächsischen Porzellans, gewann
rasch Selbständigkeit, gewann einen spe-
zifisch französischen Flair, greifbar in der
Frische der Erfindung, in der maßvollen
Rhythmisierung der Form und in dem
heiter-lebhaften Zusammenklang der Farben. – War in →Deutschland, mit seiner
seit dem Dreißigjährigen Krieg verarmten
bürgerlichen Schicht, die Eröffnung eines
Porzellanbetriebs fast nur dann möglich,
wenn der Landesherr die Kosten übernahm, so genügte dem französischen Keramiker, meist Besitzer einer florierenden
Fayencefabrik, gleichsam als Ausweis ge-
sellschaftlichen Chics, die Protektion
durch ein Mitglied des hohen Adels oder
der königlichen Familie. Um 1745 wurde
deutlich, daß Vincennes (und in der
Nachfolge ab 1756 →Sèvres) die Gunst
Ludwigs XV. gewonnen hatte. Die Firma
wurde nicht nur fürstlich dotiert, sondern
auch mit Privilegien ausgestattet, die die
schon bestehenden Fabriken empfindlich
beengten und Neugründungen ausschlos-
sen. Sèvres besaß innerhalb F.s praktisch
keine Konkurrenz. Diese Sonderstellung
nutzte die »Manufactur royale de porcelaine« (seit 1753) zu einer großartigen

Steigerung der technischen und künstlerischen Qualität ihrer Produkte. Der Scherben, die Glasur waren untadelig, die Formen von Geschirr und Gerät erlesen, die Palette von außerordentlicher Vielfalt, der malerische Dekor in Zeichnung und Farbgebung durch die Jahrzehnte von gleichbleibender Subtilität. Die Einführung des unglasierten →Biskuits revolutionierte die Porzellanplastik; die Entwicklung der strahlenden Fondfarben setzte neue Akzente. In F., ja in Europa hatte nun in Sachen Porzellan Sèvres die Führung übernommen. – Doch trotz der bestrickenden ästhetischen Vorzüge der Pâte tendre hatte die Suche nach →Kaolin, dem Material der Pâte dure (→Hartporzellan), nicht aufgehört. 1750 fand →Guettard ein erstes Lager bei →Alençon; 1768 entdeckten die Chemiker →Macquer und →Montigny das riesige Kaolinvorkommen bei →Saint-Yrieix. Um bei dieser langwierigen Suche die Privatinitiative anzureizen, hatte die Staatsmanufaktur 1766 die Restriktionen, die die Keramikindustrie niederhielten, gelockert, was, wie sich zeigen sollte, nicht wieder rückgängig zu machen war. Mit der Entdeckung der Vorkommen von Saint-Yrieix entstanden verblüffend rasch und zahlreich Betriebe, die Hartporzellan herstellten: in und um →Paris, in →Limoges, →Marseille und →Bordeaux, in →Niderviller, →Lunéville und →Straßburg, in →Valenciennes, →La Seynie, →Etiolles oder →Caën. Doch im Gegensatz zu Deutschland, wo ähnlich viele kleine Manufakturen auch ein buntscheckiges Angebot an Mustern und Formen entwickelten, hielten sich die französischen Firmen an den »goût général«, wie ihn Sèvres pflegte. Die Interpretation, die die Staatsmanufaktur dem jeweils dominierenden Stil gab, war Gesetz; die Auswahl, die sie unter den Stilelementen traf, wurde, wenn auch vereinfacht, übernommen. Geschmack, Gefälligkeit und ein gleichbleibendes Niveau waren das Resultat, allerdings drohte auch die Gefahr der Routine und Monotonie. – An der Führungsrolle von Sèvres hat sich nichts geändert. Für die mächtige französische Porzellanindustrie, heute vor allem im Limousin (Limoges) und im Berry angesiedelt, bleibt die Staatsmanufaktur die Musteranstalt, die verpflichtet ist, Spezialisten auszubilden, Materialien zu erproben und künstlerisch das Experiment zu wagen zum Nutzen der modernen Industriefirmen.

Literatur: Paul Alfassa et Jacques Guérin. Porcelaine française du XVIIe au milieu du XIXe siècle, Paris 1930; Nicole Ballu. La Porcelaine française, Paris 1958; X. de Chavagnac et A. de Grollier. Histoire des manufactures françaises de porcelaine, Paris 1906; G. Fontaine. La Céramique Française, Paris 1946; ders. Les porcelainiers du XVIIIe siècle français, Paris 1964; W. B. Honey. French porcelain of the 18th century, London 1950; George Savage. Seventeenth and eighteenth Century French Porcelain, London 1960; Emile Tilmans. Porcelaines de France, Paris 1953.

Fraureuth (Sachsen, →Deutschland), Porzellanfabrik, gegr. 1866. Produzierte Tafelgeschirr und Kleinplastik.*

Frede, Johann Christian, s. Kelsterbach

Friberg, Berndt, s. Gustavsberg

Frick, Georg Friedrich Christoph, s. Berlin, *Kgl. Porzellanmanufaktur*

Friedl, Emil, s. Wien, *Wiener Porzellan-Manufaktur Augarten*

Friedländer-Wildenhain, Marguerite, s. Berlin, *Kgl. Porzellanmanufaktur*

Friedrich I., König von Preußen, s. Böttger, J. F.

Friedrich II., Herzog von Württemberg (als König Friedrich I.), s. Ludwigsburg, *Porzellanmanufaktur 1758–1824*

Friedrich II., König von Preußen, s. Berlin

Friedrich II., Landgraf von Hessen, s. Kassel

Friedrich August II., Kurfürst von Sachsen, s. Brühl, H. Graf v.

Friedrich Karl Joseph Erthal v., Kurfürst von Mainz, s. Höchst, *Porzellanmanufaktur 1746–1796*

Friedrich Wilhelm, Prinz von Hildburghausen, s. Closter Veilsdorf

Frittenporzellan, s. Pâte tendre

Fritzsche, Georg, geb. 1698 Meißen. Er tritt 1712 in der eben gegründeten Porzellanmanufaktur als »Junge bei den Töpfern« ein und entwickelt sich zum Former und →Modelleur. Er war ein guter Handwerker, der die Schwierigkeiten des Materials aus jahrzehntelanger praktischer Erfahrung kannte und für Männer wie →Kirchner, →Lücke oder →Kaendler eine unentbehrliche Hilfskraft war. Selbst

aber, obwohl ihm ein Rapport aus dem Jahre 1727 »aller Handt Thiere und viele andere Figuren, die vorhero bey der Fabrique noch zu keinem Vorschein gekommen« zuschreibt, besaß er keine nennenswerte künstlerische Begabung. Die →Pagoden, Nationalitäten, die zwei Bergleute und ein Uhrgehäuse aus den Jahren zwischen 1720 und 1727, deren Schöpfer er sein muß, sind schwerfällig, ohne Schwung und Ausdruck.

Fruth, Benedikt, s. Kassel

Frye, Thomas, 1710 bei Dublin – 1762 London, Kupferstecher und Porzellanmaler; Gründer der Porzellanmanufaktur in →Bow. Er erhielt 1748 das Patent für die Herstellung von →Knochenporzellan.

Fürstenberg, Fürst Egon v., s. Tschirnhaus, E. W. v.

Fürstenberg (Niedersachsen, BRD), Porzellanmanufaktur 1747 bis heute; gegr. von Carl I., Herzog von Braunschweig, der, modischen Zwängen gehorchend, eine »Porcellain-Fabrique« zu besitzen wünschte und als deren Sitz das unbewohnte Schloß bei Höxter, am Rande des Solling auf dem Hochufer der Weser gelegen, bestimmte. Die Installierung der Firma übernahm der Jägermeister des Landes, Johann Georg von Langen, der als Forstmann glücklich war, die Holzvorräte des Solling nutzen zu können. Mit Johann Christoph Glaser, der sich in Braunschweig durch Stücke bemalten →Porzellans eingeführt hatte (angeblich Proben eigenen Könnens, in Wahrheit ungemarkte →Meißner Ware), hoffte man, den Fachmann gefunden zu haben, der das Geheimnis der Porzellanherstellung kannte. Es bedurfte Jahre eines ebenso hektischen wie nutzlosen Experimentierens, bevor v. Langen 1751 durchschaute, daß Glaser ein Schwindler und der Scherben, den er mit wechselndem Glück fabrizierte, »vom echten Porzellan verschieden sei wie Messing vom Golde«. Erst im Oktober 1753 sollte mit der Ankunft J. K. →Benckgraffs, einem durch Erfolg ausgewiesenen Arkanisten, die Herstellung dieses »echten Porzellans« glücken. Zwar erlag Benckgraff, bereits ein kranker Mann, als er zusammen mit S. →Feilner und J. →Zeschinger im Mai in F. eintraf, vier Wochen später einem Schlaganfall. Doch das unentbehrliche →Kaolin hatte er noch vor seinem Aufbruch aus →Höchst nach F. in Passau bestellt und schon bei Vertragsabschluß v. Langen Aufzeichnungen ausgehändigt, in denen er Bau und Bedienung des Brennofens sowie die →Arkana der Masse und Farben beschrieb, so daß die Arbeit nach seinem Tod ungehindert fortschreiten konnte. Als man dann noch 1754 bei Lenne, nicht weit von F., Kaolin entdeckte, mit dem die Manufaktur von der durch den Transport stark verteuerten Passauer Erde unabhängig wurde, war man kühn genug, jährlich 1000 Brände mit einer Produktion von etwa 20000 Stück Porzellan zu planen und teilweise auch herzustellen. Man bedachte weder die ungünstige Lage der Manufaktur, verkehrsfern und ohne zureichende – aber unabdingbare – Wasserversorgung, noch den chronischen Mangel an Betriebskapital, der jede großzügige Initiative lähmte;

noch verschaffte man sich Klarheit über die geringen Absatzchancen dieses Luxusartikels in dem winzigen und armen Land. Es bedurfte kaum der Mißernten, Hungersnöte und Kriege, obwohl sie stets die Situation aufs bitterste verschärften, um den Betrieb immer wieder fast zum Erliegen zu bringen. Nur Männer, von nüchternem Sachverstand geleitet und auf ihre Arbeit konzentriert, vermochten diese strukturellen Schwierigkeiten halbwegs zu balancieren: unter ihnen an der Spitze bis 1762 Baron Langen, 1769–1790 ein umsichtiger Techniker wie Johann Ernst Kohl oder 1790–1814 der begabte V. L. →Gerverot, schließlich 1825–1856 ein guter Administrator wie Wilhelm Stünkel. – Auch die technischen Probleme wurden, da die Lenner Erde stark verunreinigt abgebaut wurde, nur langsam gemeistert. Bis in die 70er Jahre neigte die Masse im Brand zu Deformation und Rissen, der Scherben behielt einen Stich ins Graugelbliche, die Glätte der →Glasur beeinträchtigten Bläschen und Spuren der Flugasche. – Produziert wurden außer hübschen →Galanterien (um 1755–1781 oft durch den Kasseler Goldschmied Johann Hermann Goedecke gefaßt) in vielerlei Ausfertigungen Kaffee-, Tee- und Schokoladegeschirr. Nur zögernd aber, da komplizierter, kam das vollständige Tafelservice heraus, obwohl man bereits 1756 für den Ansbacher Hofrat v. Seckendorff ein solches nach Meißner Muster hatte anfertigen können. Dagegen entstanden in immer steigendem Maße →Tafelaufsätze, Terrinen, Konsolen, Uhrgehäuse, Teekessel mit Stövchen, →Cachepots, →Kühlgefäße und – durch

1–4 Fürstenberg

bis nach 1900　　　　　　　　　　*20. Jh.*
blau u'glas.　　　　　　　　　　　*gedruckt*

die Jahrzehnte ein fester Programmpunkt der F.er Produktion – in vielerlei Variationen die lange Reihe der Vasen, →Potpourris und Räuchergefäße, die, oft als →Garnitur zusammengestellt, sich dem Stilwandel vom Rokoko zum Klassizismus anpaßten und im Umriß wie Dekor, üppig oder schlicht, besonders einfallsreich modelliert sind in den letzten Jahrzehnten des 18. Jh. – Vorbild für Geschirr und Gerät war zunächst Meißen; →Berlin, →Sèvres und →Wedgwood folgten; ein spätes Rokoko also, das F. mit Durchbruchsmustern, mit →Ozier-Bordüren, Schuppenmosaiken, mit zart aufgelegtem Relief aus Blüten, Ranken, Stegen oder Rocaillen steigerte und übertrieb. Darunter war auch das Gravierte Muster, eine anmutige F.er Erfindung: Schuppenfelder, die mit schmalen Rocaillen alternieren. Nach 1770 schwinden langsam die →Radierten Dessins; unter dem Diktat des Louis-seize glätten sich die Flächen, beruhigen sich die Formen, bis schließlich mit dem Klassizismus um 1800 die Lust an der geraden Linie, die Neigung zu tektonischen Formen wie Kegel oder Zylinder triumphiert. – Nachdem man etwa um 1760 über taugliche Farben verfügte, folgte die Malerei mit sicherem Geschmack der plastischen Form. Sie höhte mit Gold oder Purpur Griffe, Henkel, Tüllen, Füße, betonte

mit →Mosaik-Bordüre, mit Spitzen- und Schnörkelleisten, später durch ein schlichtes Goldband, durch Wellenlinie oder Perlenschnur den Gefäßrand. Sie füllte die Flächen neben simplen Blaumustern mit vielerlei Früchten, mit Sträußchen und Buketts, später mit Girlanden, Blütenmonogrammen oder flatterndem Gezweig. Endlich entwickelte sie mit Eiche-, Akanthus- und Lorbeerblatt, mit Weinlaub und Efeuranke, in Braun, Grün oder Gold, das Empire-Ornament, dem dann wieder die biedermeierlich bunten, oft allzu saftig gemalten Sträuße und Rosengirlanden folgten. Unter diesen Blumenmalern seien vor allem genannt: Johann Friedrich Berger (1760–1771), Christian Gotthelf Beuchel (1759–1802 f.), Sigmund Wilhelm Braun (1767–1780), Werner Daniel Dommes (1762–1777), Christof Ernst Hopstock (1754–1777) und Franz Christian Mertin (1767–1794). Sie arbeiteten, wie die übrigen Porzellanmaler auch, teils in F., teils in Braunschweig; hier im Rahmen der sogenannten »Malerakademie«, die 1756 von dem Herzog eingerichtet wurde, da er das künstlerische Niveau des Malercorps durch erhöhte Aufsicht sowie durch Zugang und Nutzung der fürstlichen Kunstsammlungen zu heben wünschte. Nach jahrzehntelangem, oft ärgerlichem Hin und Her wurden schließlich sämtliche Porzellanmaler F.s in die-

175

ser »Braunschweiger Buntmalerei« (1774 bis 1828) zusammengeschlossen. – Von strahlender Farbigkeit ist die Vogel- und Federviehmalerei des brillanten C. G. →Albert, des Christian Friedrich Gercke (1767–1815); talentiert waren auch Johann Christof Kind (1751–1798), der als »einer der geschicktesten« galt oder 1766 bis 1802 Johann Friedrich Balthasar Wegener. Äußerst variabel in Thema und Technik zeigte sich die Figuren- und Landschaftsmalerei, die um 1760 noch häufig monochrom, doch originell von einem Kranz bunter Rocaillen umgeben und später frei in die Fläche komponiert war wie die Marinen und Viehweiden, die Park- oder Ruinenlandschaften, von Hirten, Bauern oder galanten Paaren belebt. Im Gegensatz dazu standen Pascha J. F. →Weitschs »würkliche Gegenden des Braunschweiger Landes«, von den Stichen eines Weirotter, Leprince, Waterloo oder Nilson inspiriert; je nach Zeitstimmung heiter oder elegisch aufgefaßt und duftig, unter geschickter Nutzung der Luftperspektive, gemalt. – Hierher gehören auch, als eine F.er Spezialität, die »Tableaus«, die um 1767 auftauchten; kleine Porzellanbilder in breitem, vergoldetem Rokokorahmen, häufig signiert, die oft die gleiche Handschrift wie der Gefäßdekor zeigen. Wichtige Namen sind: H. Ch. →Brüning, Johann Georg Eiche (1762–1799), J. H. →Eisenträger, A. A. →Hartmann, Georg Heinrich Holtzmann (1757–1798), Johann Ludwig Balthasar Junge (1768–1772), Anton Wilhelm Jungesblut (1757–1799), Johann Georg Nerge (1754–1768) und Anton Stahn (1765 bis 1778). Gegen Ende des Jahrhunderts wich dann mehr und mehr die muntere Farbigkeit der →Grisaille und Sepia, kühlen »Unfarben«, die Porträtisten wie J. Ph. C. →Degen, J. A. →Oest oder L. →Sebbers für Silhouette und Brustbild auf Gedächtnisvasen oder Erinnerungstassen nutzten. – Wie nahezu alle Manufakturen des 18. Jh. verfügte auch F. über das übliche Sortiment an figuralem Porzellan. Wie überall hatten hier →Modelleure und Bossierer (unter ihnen S. →Feilner, Johann Georg Leimberger, A. C. →Luplau, J. Ch. →Rombrich, C. G. →Schubert) in Serien Komödianten, Götter, Kinder, Putten gebildet, sie hatten die mythologischen und allegorischen Themen abgehandelt, hatten die Tierplastik, die Liebespaare und die vielerlei Genrefiguren nicht vergessen. Aber es entspricht dem Tatbestand, wenn Christian Scherer sagt, diese Modelleure seien, von dem begabten →Desoches abgesehen, im Grunde nur geschickte Handwerker gewesen, und man erweise ihnen zuviel Ehre, wenn man ihnen Genie und Originalität zuschreibe. Trotzdem zeigen nicht nur die Büsten und Porträtmedaillons, an denen zwischen 1770 und 1785 wohl alle Modelleure mitgearbeitet haben, eine Frische, Unmittelbarkeit und Feinheit im Detail, die sie in den Rang kleiner Kunstwerke erheben; auch unter der übrigen Kleinplastik findet sich manche Gruppe oder Statuette, besonders in der kraftvollen →Staffierung eines J. Zeschinger, die Witz, Anmut und Charme besitzt. Nach Wilhelm Stünkels Tod im Jahre 1856 konnte sich die Braunschweigische Bergwerks-Kammerdirektion, der die Manufaktur unterstand, nicht mehr zur

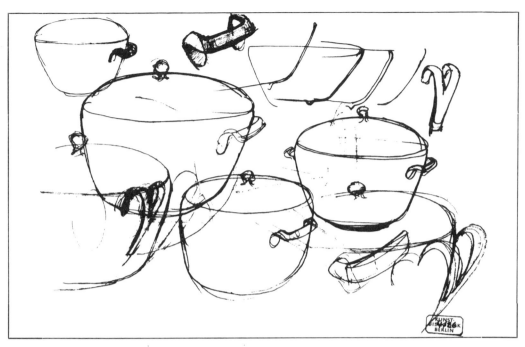

Schüsselentwürfe für Kasinogeschirr, Wilhelm Wagenfeld, 1941

Weiterführung des Unternehmens in staatlicher Hand entschließen. 1859 wurde die Firma verpachtet, 1888 in eine Aktiengesellschaft, die »Fürstenberger Porzellanfabrik AG Fürstenberg Weser«, umgewandelt. – In Form und Dekor hatte man sich auch hier während dieser Zeit an Muster gehalten, wie sie der Historismus lieferte. Erst Johann Kruse gelang, unterstützt von Paul Eberlein, Anton Zentner und Hermann Gradl, nach der Jahrhundertwende der Anschluß an den Jugendstil, der dann in den 30er Jahren überzeugend durch die Arbeiten eines Wilhelm Wagenfeld, später auch eines Siegfried Möller, Walter Nitzsche oder Ernst August Sundermann abgelöst wurde. Mit Wagenfelds Service 639 von 1934,

mit seinen Vasen, Dosen, Stövchen wurden (wie nochmals 1974) ebenso noble wie brauchbare Formen entwickelt, die über den Bereich der Manufaktur hinaus beispielgebend auf die Produktion anderer Firmen einwirkten. – Parallel zu dieser entschlossenen Öffnung gegenüber der Moderne laufen die Bemühungen einer pfleglichen Wiederbelebung und Nutzung alter Modelle; darunter Feilners Komödianten oder Bergleute ebenso wie Rombrichs Graviertes Dessin oder Vasen aus der klassizistischen Epoche Gerverots.

Marken: »F« = Fürstenberg: 1753 bis nach 1900, meist blau u'glas. (1, 2); etwa ab 1914 mit Krone, gestempelt (3); heute umschrieben: »Fürstenberg« (4). Biskuitbüsten mit springendem Pferd geprägt; seit 1900 Neuaus-

formumgen alter Modelle durch eingeprägtes »A.a.M.« = Aus alten Modellen gekennzeichnet.
Literatur: Siegfried Ducret. Fürstenberger Porzellan, 3 Bd., Braunschweig 1965; Fürstenberger Porzellan aus drei Jahrhunderten (bearb. von Christel Mosel). Ausstellungskatalog Hannover-Bremen-Braunschweig 1956; Fürstenberger Porzellan. Tradition und Gegenwart (bearb. von Ekkart Klinge), Hetjens-Museum, Düsseldorf 1970; Christian Scherer. Das Fürstenberger Porzellan, Berlin 1909; Heinrich Stegmann. Die Fürstlich Braunschweigische Porzellanfabrik zu Fürstenberg, Braunschweig 1893; Beatrix Freifrau v. Wolff-Metternich. Fürstenberg-Porzellan, ein Brevier, Braunschweig 1976.

Fulda (Hessen, →Deutschland), Porzellanmanufaktur 1764–1789. Beraten von Bürgermeister Joh. Phil. Schick und Kammerdirektor C. B. Welle entschloß sich 1764 Fürstbischof Heinrich VIII. v. Bibra zur Gründung einer Porzellanmanufaktur, wo keramische Fachkräfte, die seit der Stillegung der berühmten Fayencefabrik im Jahre 1758 arbeitslos waren, wieder Beschäftigung finden konnten. Als Arkanist wurde N. →Paul gewonnen, noch 1764 ein Brennofen nach →Wiener Modell gebaut und →Kaolin aus Passau, vor allem aber aus dem nahen Abtsroda bezogen. Unglücklicherweise ließ sich Paul bereits 1766 nach →Kassel abwerben; noch fataler wirkten sich der ruinöse Brand im nächsten Jahr und 1768 der Tod Schicks aus, der die technische Leitung des Betriebs übernommen hatte. Doch obwohl auf diese Weise »unsere dahiesige Porzellain Fabrique aus dem fernerweiten Verfolg und kunstmäßigen Betrieb hinausgesetzt ist«, wie der Fürstbischof schrieb, nahm man, nach Instandsetzung des Gebäudes, 1770 die Arbeit, nun unter der Leitung des ehemaligen

Fayencemalers Abraham Ripp, wieder auf. – Der F.er Scherben ist von einem milden Weiß und von makelloser Qualität, die →Glasur zart und glatt. Den modischen Tendenzen folgend bildete man Geschirr und Gefäß in den ruhigen Formen des Louis-seize; glattwandig, der Gefäßkörper leicht gerundet, nur Henkel, Fuß und Tülle sparsam betont. Selbst die Rocaillen, das Muschelwerk eines Weihwasserbeckens, der Schreibzeuge, Uhrgehäuse oder Dosen bleiben zahm, erlahmen gleichsam im Schwung. Der kühlen Formgebung entspricht die Farbenwahl. Die Blumen sind noch bunt, Landschaften gern in →Eisenrot, Vögel in Purpur, die Medaillons en →grisaille oder als Silhouette. Spät tauchen auch vereinzelt Gefäße im klassizistischen Geschmack auf: die Henkel eckig verformt, die zylindrische Tasse oder Kanne mit einem Biskuitrelief geschmückt. – Reicher, vielfältiger ist die Auswahl figuralen Porzellans. Johann Valentin Schaum, Bildhauer, Glasschneider, jetzt →Modelleur, begann 1765, gleichsam als Einübung in das ihm unbekannte Material, mit der Nachbildung →Frankenthaler Figuren, die Bürgermeister Schick 1758 für das fürstbischöfliche Schloß besorgt hatte. Mit genauer Kenntnis des Materials, mit entschiedenerem künstlerischem Temperament, setzte dann 1768 W.→Neu die Arbeit fort. Neben ihm waren Johann Georg Schumann, ab 1770 auch als Bossierer G. L. →Bartholomae tätig. Wenzel Neu allein gehören die kühn konzipierten Figuren der Commedia dell'arte und die schöne Immaculata auf der Weltenkugel. Wie groß sein Anteil an der langen Reihe

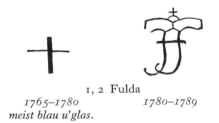

1, 2 Fulda
1765–1780   1780–1789
meist blau u'glas.

der lebhaften kleinen Mädchen, der artigen Buben (mit und ohne allegorische Sinngebung), der Damen, Kavaliere und Offiziere ist, inwieweit er an den Schäfern und Jägern mitarbeitete, ob ihm eine so reizende Gruppe wie Le panier mystérieux oder Die Apfelernte, die Amourkinder und Harlekin oder Der schlafende Knabe gehört, ist noch ungeklärt. Stilistisch und thematisch weisen die Arbeiten nach →Höchst, wobei in einigen Fällen wohl nur die gleiche Vorlage in beiden Manufakturen benutzt wurde. Dagegen »zitierte« Bartholomae, nach dem Tod Neus 1774 zum Modelleur aufgerückt, mit seinen Gärtnern und Winzern, den Musikanten und »Operntänzern detto Tänzerinnen« viel direkter K. G. →Lück, ohne allerdings die unbeschwerte Grazie des Frankenthaler Meisters zu erreichen. Er übernimmt auch den hochgewölbten Rocaillesockel, während vor ihm in F. der flache, wenig dekorierte Grassockel vorherrschte. Höchst anmutig, erfindungsreich, immer dem Gegenstand oder Thema angepaßt ist die →Staffierung; außerordentlich sorgfältig im Detail, doch durchaus des kräftigen Kontrastes fähig. – 1789, ein Jahr nach dem Tod des Gründers, ordnete dessen Nachfolger, der Fürstbischof Adalbert III. v. Harstall, die Schließung der Manufaktur an. Der Betrieb war zu unrentabel geworden.

Marken: 1765–1780 Kreuz, dem Fuldaer Stadtwappen entnommen (1); »FF« mit Kurhut = Fürstlich-Fuldaisch: 1781–1788 ein »H« suggerierend, die Heinrichsmarke = Heinrich VIII. v. Bibra (2); 1789 zu einem »A« auseinandergezogen, die Adalbertmarke = Adalbert III. v. Harstall, alle blau u'glas.
Literatur: Hanns H. Josten. Fulder Porzellanfiguren, Berlin 1929; Ernst Kramer. Fuldaer Porzellan in hessischem Staatsbesitz, Keramos 13/1961.

Funcke, Johann Georg, 1691–1727 Goldschmiedemeister mit eigener Werkstatt in Dresden, wo er etwa seit 1710, gemeinsam mit seinem Sohn und dem Gesellen Johann Jacob Gäbel, →Meißner →Porzellan im Auftrag der Manufaktur mit Gold oder Silber (Bordüren, Kartuschen, Goldchinesen, Flächenvergoldung), doch auch farbig dekorierte. Obwohl er vermeidet, sich als »Inventor« zu bezeichnen, ist ihm wohl die Entwicklung der →Schmelzfarben Grün, Blau, Schwarz, Purpur und Rot zu verdanken, von denen er schreibt, daß er »sie auf der Vestung in des Herrn Baron (→Böttger) Laboratorio« eingebrannt habe. – 1727 wurde er »wegen hohen Alters« durch Ch. C. →Hunger abgelöst.

Gaberszig, Ernest, s. Wien, *Wiener Porzellan-Manufaktur Augarten*

Gaboria, s. Lille, *Porzellanmanufaktur 1784–1817*

Gabriel, Matthäus Joseph, 1692 Planowitz (O'schlesien) – 2. 10. 1745 Wien, Porzellanmaler; 1723–1745 an der Manufaktur →Wien, seit 1731 als Obermaler geführt.

Gäbel, Johann Jacob, s. Funcke, J. G.

Gärtner, Friedrich, s. Nymphenburg

Galanterien, die vielen kleinen Artikel, die Knöpfe, →Flohbeine, Dosen, Pfeifenköpfe, die zierlichen Büchsen, die Stockkrücken oder Riechfläschchen, alle als Geschenk geeignet und von allen Manufakturen in zahllosen Variationen angeboten.

Garbrand, s. Porzellan

Gardner, Francis, s. Werbilki

Garnitur, im 18. Jh. ein Satz von drei, fünf oder auch sieben Vasen, in Form, Dekor und Größe aufeinander abgestimmt, die Mitte meist akzentuiert durch eine höhere Deckelvase, die einen modischen Schmuck der Kommoden, Kaminsimse oder Schränke darstellten. Zunächst wurde die G. aus →China importiert, wo man sie für den europäischen Markt herstellte. Dann übernahmen die europäischen Manufakturen sie in ihr Produktionsprogramm und boten sie als »Garniture de cheminée« oder – meist kleiner im Format – als »Garniture de table« (für Anrichten und schmalere Borde) an.

Garreau de Grévigne, Chevalier, s. La Seynie

Gattenberger, Franz Xaver, s. Werbilki

Gaul, August, s. Meißen, *Staatl. Porzellanmanufaktur*, und Pfeiffer, Max Adolf

Gauron, Nicolas Joseph, geb. 1736 Paris, Modelleur; 1753 an der Porzellanmanufaktur →Mennecy, 1754 in →Vincennes, 1758–1764 Modellmeister in →Tournai, 1764–1766 in →Weesp. 1766 war er in →Brüssel, 1767 versuchte er in Lüttich vergeblich in eigener Regie Fayencefabriken zu betreiben und mußte schließlich vor seinen Gläubigern nach →England ausweichen. Hier wurde er 1773 noch einmal als →Modelleur in →Chelsea-Derby genannt. – G.s Kavaliere und Damen, seine Putten, Götter und vielerlei Allegorien sind in ihrer Anmut ganz der französischen Tradition verhaftet: die Glieder lang und schlank, die Köpfe klein, die Gesichtszüge nur angedeutet, die Haltung, trotz des kompliziert gewundenen Aufbaus der Plastik, lässig und elegant. Bezeichnend für G. ist der ungleichmäßig geriefelte Sockel, der, mit Baumstumpf oder aufgerichteter Garbe, mit Gesträuch, Muscheln und Astwerk, die meist unbemalte Figur stützt.

Geijer, Bengt Reinhold, s. Rörstrand

Gelbes Service, s. Berlin, *Kgl. Porzellanmanufaktur*

Genelli, Hans Christian, s. Berlin, *Kgl. Porzellanmanufaktur*

Genest, geb. 1731, Porzellanmaler (Figuren); 1752–1789 an den Manufakturen in →Vincennes und →Sèvres.

Gera (→Thüringen, →Deutschland), Porzellanmanufaktur 1779 bis nach 1900; im Gelben Haus zu G.-Untermhaus durch den Stadtpfeifer Johann Gottlob Ehwaldt

Kartuschen, entworfen und ausgeführt von Johann Elias Nilson, aus der Folge VI von 4 Blatt
»Cartouches modernes orné avec des différentes Figures«, um 1760

(der auf eigenem Grund →Kaolin entdeckt hatte) und den Hafner Johann Gottlieb Gottbrecht 1779 gegründet; ein Jahr später aber, da man mit der Produktion nicht zurechtkam, an den Porzellanmaler Johann Andreas Greiner und dessen Bruder, den Porzellantechniker und Hofkommissar Johann Georg Wilhelm Greiner, verkauft. Beide planten, den Betrieb mit der Porzellanmanufaktur →Volkstedt, wo sie noch angestellt waren, als Filiale zu verbinden, was aber nur vorübergehend (bis 1782) gelang. Obwohl das Unternehmen Jahrzehnte hindurch, trotz unaufhörlicher Zwistigkeiten zwischen den Brüdern, gewinnbringend arbeitete, mußte es trotzdem 1804 Konkurs anmelden. Teure Prozesse unter den Erben, auf die sich der Familienhader übertragen hatte (die Brüder waren 1792 und 1799 gestorben), dazu die steigenden Holz-

preise und die Konkurrenz neuentstandener Fabriken waren Ursache des Rückgangs. Erst als Gustav Heinrich Leers, in Verbindung mit der Witwe des Hofkommissars Greiner, 1804 die Manufaktur aus der Konkursmasse übernahm, normalisierte sich die Lage. – Der G.er Scherben ist grau und von grober Struktur, die →Glasur dick mit graugrünem Stich. Neben einfachem Gebrauchsgeschirr mit den üblichen Blaumustern produzierte die Firma auch hübsche Terrinen, Vasen, Leuchter, Gedenktassen, Streubüchsen, Pokale und Schraubflaschen. Die Formen sind steif und glatt, der malerische Dekor besteht meist aus Blüten, Ranken, Girlanden, doch finden sich auch Veduten, Porträts, Silhouetten und auf scheinbarer Holzmaserung der scheinbare Stich (→Décor bois). – Die Figurenbildnerei bevorzugte die Darstel-

lung der Berufe und Handwerke: Stra-
ßenkehrer, Gärtner und Gärtnerin, Holz-
fäller, Winzer, ein Köhler, ein Fischer-
mädchen, alle rank und sehr schlank auf
hohem Rocaillesockel, jedoch nicht sonderlich gut staffiert. Eine Ausnahme bilden zwei vorzüglich modellierte Sitzfigu-
ren, Jupiter und Juno, die sichtlich die
Arbeit eines erfahrenen →Modelleurs
sind (Leipziger Kunstgewerbemuseum).
Marken: »G« = Gera, blau u'glas. (1); daneben »Gera«, meist rot ü'glas. (2).

Gérard, Claude-Charles, 1757–1826,
Porzellanmaler (Pastoralen); 1771–1824
an der Manufaktur von →Sèvres.

Gérard, François, s. Ottweiler

Gérault d'Areaubert, s. Orléans

Gercke, Christian Friedrich, s. Fürstenberg

Gerlach, Johann Carl, 1723 Dresden –
7. 7. 1786 Meißen; ausgezeichneter Porzellanmaler (Blumen), ab 1742 in →Mei-
ßen; um 1746/47 im Dienste Friedrichs
des Großen in →Berlin; 1757/58 in
→Ansbach; im gleichen Jahr in →Wien;
1759 in →Nymphenburg; 1762–1768
nochmals in Ansbach, schließlich wieder
bis zu seinem Tod in Meißen.

Gerlach, Johann (Christian ?) Benjamin,
s. Loehning, Johann Georg

Gerlach, Ludwig, s. Schlaggenwald

Gerverot, Victor Louis, 8. 12. 1747 Lu-

1, 2 Gera
blau   *meist rot*
u'glas.   *ü'glas.*

néville (Lothringen) – 6. 1. 1829 Schloß
Bevern bei Holzminden, Porzellanmaler
und Arkanist. Er war eine unstete Existenz, typisch für die frühen, schwierigen
Zeiten der Porzellanproduktion: fähig,
ehrgeizig, rastlos unterwegs, überall ar-
beitend, lernend, vorwärtsdrängend, doch
immer wieder, selbst im Erfolg, schei-
ternd. – Er beginnt 1764 als Malerlehrling
in →Sèvres, arbeitet ein Jahr später in
→Niderviller, stiehlt hier die geheimen
Rezepturen der Masse- und Farbenberei-
tung und taucht im nächsten Jahrfünft
als Blumen- und Vogelmaler in den Manufakturen von →Ludwigsburg, →Ans-
bach, →Höchst, →Kassel und →Für-
stenberg auf. 1770/71 gerät er in den
Bankrott von →Weesp, wird jedoch als
Arkanist von →Oud-Loosdrecht übernommen, leistet hier 1771–1778 Ent-
scheidendes für den Aufbau der Firma,
kann aber trotzdem den wirtschaftlichen
Niedergang nicht aufhalten. Zwischen-
durch, 1773–1775, ist er in Schrezheim
gewesen, wo er vielleicht versucht hat,
in der dortigen Fayencefabrik die Porzellanproduktion in Gang zu setzen. – 1778
zieht er sich nach Amsterdam zurück,
nimmt von hier aus die Verbindung zu
John Turner auf, hofft in →England Fuß
zu fassen, kehrt zurück und baut in
Köln 1788 eine Steingutfabrik »à la
→Wedgword« auf, was 1792 zu seinem

finanziellen Ruin führt. Über die Stationen →Brüssel, Münster, Hannover gelangt er 1795 schließlich wieder nach Fürstenberg, wo man ihn kennt und als Maler mit 10 Tl Monatsgehalt einstellt. Zwei Jahre später aber ist er Leiter der Firma. Er reorganisiert in jeder Hinsicht das heruntergewirtschaftete Unternehmen, das unter seiner Direktion eine neue Blüte erlebt. In den Jahren der französischen Besetzung weiß er geschickt Jérome Bonaparte, 1807–1813 im nahen Kassel neuer König eines neuen Westfalens, für die Manufaktur zu interessieren: eine Rettungsaktion, die ihm aber nach 1814 als schändliche Kollaboration angekreidet wird. – Der 70jährige, finanziell immer noch ungesichert, muß glücklich sein, in Wrisbergholzen, einer kleinen Fayencefabrik bei Hildesheim, Unterschlupf zu finden. Hier leitet er 1816–1826 die Firma.

Literatur: Siegfried Ducret. Das Schicksal des großen Keramikers Louis Victor Gerverot, Keramos 28/1965.

Gessner, Salomon, 1. 4. 1730 Zürich – 2. 3. 1788 ebd., Dichter empfindsamer Hirtenidyllen, Maler und Graphiker; 1763 Mitbegründer der Porzellanmanufaktur →Zürich. Er beeinflußte, wie zeitgenössische Berichte bezeugen, durch künstlerische Mitarbeit die Maler und →Modelleure der Fabrik; dekorierte auch selbst in Stil und Technik seiner Aquarelle und Gouachen einiges →Porzellan, teils mit hübscher Blumenmalerei, teils auch mit kleinen, still-heiteren »Landschäftlein«, durch Ruinen oder Hütten unter hohen Bäumen belebt und mit wenigen Figürchen meist mythologischer

Herkunft staffiert. – Nur ein signierter Tabaktopf (»Zürich. 1765. S. Geßner pinx.«) hat sich erhalten: in drei von Rocaillen gerahmten →Reserven, die lockere Blütengehänge verbinden, befinden sich →Grisaillen nach Stichen von Teniers und Ostade. – Heute im Schweizerischen Landesmuseum, Zürich.

Literatur: H. Angst. Salomon Gessner und die Zürcher Porzellanfabrik im Schooren. Anzeiger für Schweizerische Altertumskunde II/1900; K. Frei. Salomon Gessner und die Porzellanmanufaktur im Schooren. Salomon Gessner, ein Gedenkbuch zum 200. Geburtstag, Zürich 1930.

Geyger, Johann Caspar, s. Würzburg

Geyling, Remigius, s. Wien, *Wiener Porzellanmanufaktur Josef Böck*

Gies, Ludwig, s. Berlin, *Kgl. Porzellanmanufaktur*

Gießhübel/Kysibl (→Böhmen), Porzellanmanufaktur 1803–1940(?); von Ch. →Nonne in den ehemaligen Stallungen des Schlosses G. eingerichtet, doch ohne rechten Erfolg betrieben. Darum wurde die Manufaktur wohl 1810 an Jan Hladík, der die Herrschaft G. übernommen hatte, verkauft, von diesem aber bereits 1816 an Benedict Knaute und Josef Schmellovsky verpachtet. Diese versuchten, unterstützt von Franz Lehnert (seit 1825 Werkmeister der Firma), den nun als B. Knaute & Co. firmierenden Betrieb nach Jahren fast völligen Stillstands wieder in Gang zu setzen. – Der Scherben aus Zedlitzer →Kaolin und Engelhauser →Feldspat präsentierte sich jetzt untadelig; die veralteten →Thüringer Muster, die Nonne verwandt hatte, wurden aufgegeben, dafür nach dem Vorbild von →Meißen und →Wien modische Empireformen eingeführt. Maler wie Josef Müller, K. F. →Quast und Franz Weis dekorierten die walzen- oder auch glockenförmigen Vasen, Tassen, Kannen, Schalen, Teller und Platten in kräftigen Farben und minuziöser Pinselarbeit mit mythologischen Themen, Veduten oder staffierten Landschaften, mit Blumengewinden und Schmetterlingsgeflatter, auch mit Porträts und Heiligen. – Den Aufstieg der Firma, deren Erzeugnisse zum besten böhmischen →Porzellan zählten, bestätigte 1837 das erteilte Landesprivilegium. Lehnert, seit 1835 Mitpächter, 1840 Alleinpächter, mußte aber 1846 Wilhelm Ritter v. Neuberg weichen (durch die Heirat von Hladíks Nichte Besitzer von G.), der die Fabrikleitung übernahm. Lehnert ging nach Hirschen, wo er eine eigene kleine Porzellanfabrik eröffnete. – In G. führte Neuberg, dem Wandel des Geschmacks folgend, Formen des Zweiten Rokoko ein, nahm auch die Produktion figuralen Porzellans in das Programm auf, erreichte aber weder die Originalität noch das Niveau, die die Firma unter Lehnerts Führung ausgezeichnet hatten (Literatur →Böhmen).

Marken: 1803–1811 »G« = Gießhübel, mit nach unten gerichteter Lanze; 1812–1828 »G«, mit nach oben gerichtetem Pfeil, blau u'glas., verschiedenfarbig ü'glas.; 1828–1830 zusätzlich mit eingepreßtem »BK« = Benedict Knaute; 1840–1846 »GIESSHÜBEL«; 1846–1940 »N. G. F.« = Neuberg Gießhübel Fabrik, auch »NG«, »NGF GIESSHÜBEL«, sämtl. gestempelt.

Gillis, Antoine, 7. 6. 1702 Dôle – 16. 11. 1781 Tournai; als Bildhauer in Antwerpen und →Valenciennes; 1756–1764 →Modelleur an der Porzellanmanufaktur von →Tournai; hier 1757 Direktor der Akademie; 1764 arbeitsunfähig geworden.

Ginster-Frühstücksservice, s. Hüttensteinach

Giovanelli-Martinengo, Marquesa, s. Ludwigsburg, *Porzellanmanufaktur 1758 bis 1824*

Girl-in-a-Swing-Porzellan, eine Gruppe von bisher 29 bekannten Stücken ungemarkter und meist unbemalter Porzellanfiguren mit gleichen Stilmerkmalen, die mit Figuren aus der Reliefankerperiode von →Chelsea verwandt sind und wahrscheinlich auch in einer Manufaktur in Chelsea hergestellt wurden.

Glacière, s. Kühlgefäß

Gläserkühler, s. Verrière

Glanzgold, ein dünner Goldfilm, Niederschlag einer etwa zwölfprozentigen Goldresinatlösung; 1827 von H. G. Kühn in →Meißen gefunden; 1833 in die Produktion eingeführt. Diese Vergoldung kommt im Gegensatz zu dem kostbaren →Poliergold glänzend aus dem Brand und bedarf darum nicht der Politur, erreicht allerdings auch nicht dessen warmen, vollen Glanz.

Glaser, Johann Christoph, s. Fürstenberg

Glasur, der glasartige Überzug keramischer Erzeugnisse, der den porösen Scherben abdichtet und mit einer glänzenden Haut überzieht. Bei der einfachen Irdenware, bei Steingut, Majolika und Fayence, auch bei den verschiedenen Frittenporzellanen werden →Blei- und Zinkglasuren verwandt, bei Steinzeug und →Porzellan eine Salz- oder auch Feldspatglasur (dünnfließende Porzellanmasse). – Besonders vielfältig und von delikater Schönheit sind die G.en chinesischen Porzellans und Steinzeugs (→China).

Glattbrand, s. Porzellan

Glöckle, Michael, s. Frankenthal

Glot, Richard, s. Sceaux

Glück, Franz Michael, s. Baden-Baden

Godronieren (von frz. godronner), rund fälteln oder, in der Sprache der Metall-Treibtechnik, einen Gegenstand mit geschweiften Randverzierungen, im Falle des Porzellangefäßes mit einem oft mehrgliedrigen, zarten Wulst versehen.

Goedecke, Johann Hermann, s. Fürstenberg

Göhring, August, s. Nymphenburg

Göhringer, Carl, s. Baden-Baden

Göltz, Johann Christoph, s. Höchst, *Porzellanmanufaktur 1746–1796*

Görne, Friedrich v., s. Plaue

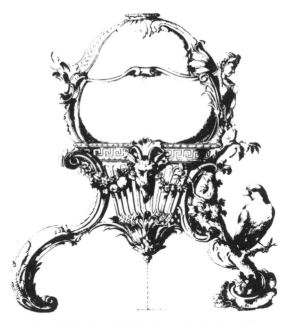

Entwurf für einen Tafelaufsatz, deutsch, 18. Jh. Feder- und Pinselzeichnung in Grau, grau laviert. Staatsgalerie Stuttgart

Göz, Johann, 1732 »Geißlenberg in Pohlen« – 1762 Ludwigsburg, →Modelleur; vielleicht mit Zwischenstation und Schulung in →Meißen, 1759–1762 in →Ludwigsburg. – Er war ein liebenswürdiges Talent, doch anscheinend etwas kompilatorischer Natur. Arbeiten, die ihm Christ und Landmann zuschreiben, lassen an →Riedel, an →Kaendler denken (Apollo-, Dianaleuchter, Hanswurst), erinnern aber auch in ihrer kecken Frische an →Lanz' »Elsässerinnen« (Toilette der Venus, Götter und Allegorien). Daneben finden sich Putten; ebenso, mit zierlichster Noblesse im modischen Zeitkostüm, unter anderen Figürchen, die Dame mit dem Fächer und der Kavalier aus der Commedia dell'arte.

Golddekor. Um 1712 stellte →Böttger

in →Meißen erste Versuche an, durch kalte Lackmalerei die Oberfläche des →Roten Steinzeugs und →Porzellans zu beleben (M. →Schnell, J. C. Bähr). Wenig später, um 1717, entdeckte er das Poliergold, eine Metallfarbe, die sich der Glasur aufschmelzen ließ. Diese Farbe ermöglichte den Malern neben dem Dekor mit der schlichten Goldkante, der leicht hingewischten Goldhöhung oder der festlichen Vergoldung größerer Flächen die Entwicklung subtil gezeichneter Goldspitzen (J. G. →Höroldt) und reich in die Goldfläche guillochierter Muster. Unter diesen sind für diese frühe Zeit die →Radierten Goldchinesen besonders charakteristisch. – Daneben tauchten die reizvollen Reliefgold-Emails C. C. →Hungers und die knittrigen →Goldrelief-Figuren von C. F. →Herold auf. – Diese Dekorationsmöglichkeiten wurden allerorts aufgenommen, meist simplifiziert, doch auch in Manufakturen wie →Berlin, →Höchst oder →Nymphenburg, in →Buen Retiro, →Chelsea, →Worcester oder →Derby in Technik und Stil selbständig weiterentwickelt und variiert, in →Sèvres schließlich mit dem →Juwelenporzellan, in →Frankenthal mit S. →Feilners »Vergoldung à quatre couleurs« und in →Wien mit dem »Reliefgold« zu höchstem Glanz gesteigert.

Goldpurpur, vor 1685 von Andreas Cassius in Leiden gefunden, als kostbare Farbe von den Emailmalern auf Kupfer verwandt, zugleich der Farbstoff der Kunckelschen Rubingläser. Der G. wurde durch Jesuitenmissionare um 1720 in →China eingeführt und dort als die

Goldspitzenborte, um 1730

Fremde Farbe benutzt; besonders bei der Dekoration der Famille-rose-Porzellane. Ebenso führten →Böttger und →Höroldt ihn in →Meißen ein; in ihrer Nachfolge wurde er dann von vielen Manufakturen (besonders schön in →Straßburg) aufgenommen. – Je nach Ofentemperatur entwickelt sich die Farbe vom lichten Rosa bis zum tiefen Violett.

Goldrelief-Figuren, eine Technik, von der Emailmalerei inspiriert, durch C. F. →Herold entwickelt und als Porzellandekor verwandt. Die Muster werden plastisch in Gold aufgelegt und mit der →Glasur verbunden. Sie erscheinen als zartknitteriges Relief.

Gollwitzer, Gerhard, s. Berlin, *Kgl. Porzellanmanufaktur*

Gomery, Edme, geb. 1736, Porzellanmaler (Vögel); 1756–1758 an der Manufaktur von →Sèvres.

Gorbunow (Gouv. Moskau, →Rußland), Porzellanmanufaktur 1806–1875; gegr. durch den Engländer Charles Milly; 1811 käuflich erworben von Alexej Popow, einem Porzellanhändler aus dem nahen Moskau, der die Firma gemeinsam mit seinem Sohn rasch erweiterte und bis zu seinem Tod, in den 50er Jahren, erfolgreich führte. – Auf geschickte Weise schuf er sich durch die Massenproduktion billigen Geschirrs, bunte, protzige Variationen des Empire und Zweiten Rokoko, die Möglichkeit, im schmalen Rahmen →Porzellan für den Kenner und Liebhaber herzustellen; darunter, liebevoll gearbeitet in fröhlichen Trachten, Bauern, Handwerker, Hirten; außerdem schöne Schalen mit Blumen und Früchten, und, eine Spezialität der Fabrik, große, flache Platten, auf denen man in Rußland dem Ehrengast Brot und Salz als Willkomm zu reichen pflegt. – Um 1865 verkaufte die Familie Popow die Manufaktur, die bis zu ihrer Liquidation, zehn Jahre später, noch mehrere Male den Besitzer wechselte.

Marke: Kyrillisch das Monogramm »AP« = Alexej Popow, u'glas. blau.

Gornik, Friedrich, s. Wien, *Wiener kunstkeramische Fabrik A. Förster & Co.*

Gorodnitza (Wolhynien, ehemals →Polen), Porzellanmanufaktur 1798–1832; Nachfolgerin der Manufaktur von →Korzec, die ein Jahr zuvor niedergebrannt war und die Fürst Czartoryski nun hier etablieren ließ. Die Brüder Melzer schieden aus der Geschäftsleitung aus und wurden durch zwei Spezialisten aus →Sèvres, den Chemiker Mérault und den Vergolder Pétion, ersetzt. Durch sie gewann die Produktion (vor allem Tee- und Kaffeeservice) an Eleganz und luxuriöser Prätension, denen aber nicht der wirtschaftliche Erfolg entsprach. Nach dem Tod des Fürsten (1810) beschränkte die Firma den Dekor ihres →Porzellans auf schlichte Blumenmalerei. Mérault war 1815 nach Frankreich zurückgekehrt (Marken →Korzec).

Variation der Deutschen Blume, entworfen von Pierre Ranson, ausgeführt von Pierre Gabriel Berthault, aus 12 Blatt »Nouveau recueil de jolies Trophées«, um 1775

Gosse, M. F., s. Valognes

Gotha (→Thüringen, →Deutschland), 1757 bis um 1900; der Gründung nach die älteste thüringische Porzellanmanufaktur. Doch im Gegensatz zu →Volkstedt, wo die Fabrikation nach der Etablierung des Unternehmens 1760 sofort anlief, scheint in G. die Produktion nur stockend in Gang gekommen zu sein. Der Initiator, Wilhelm von Rotberg, Oberhofmeister und Kammerpräsident, der zur Gründung einer Porzellanfabrik wohl durch das Interesse der höfischen Umgebung ermutigt wurde, bewies seiner Manufaktur durch die Jahre zwar eine freundlich-fördernde, aber im Grunde lässige Teil-

bis 1805 blau u'glas.

1805–1834
blau
u'glas., nach
1815 auch schwarz
und eisenrot

1835–1900
blau u'glas.

nahme. Immerhin nahm er Verbindung zu Arkanisten auf, wie 1757 zu N. →Paul in →Fürstenberg; er handelte auch ein →Arkanum ein, nach dem eine Masse hergestellt wurde, die aber grau, unrein und schwer blieb. Trotzdem installierte er seine »Fabrik« mit angeblich drei Arbeitern in einem stattlichen, 1767 eigens zu diesem Zweck erworbenen Anwesen vor dem Sundhäuser Tor. Als es ihm 1772 schließlich gelang, Fachleute wie den →Modelleur Johann Adam Brehm und den Maler Johann Georg Gabel (Landschaften, Historien) sowie Christian Schulz, Blumenmaler und zugleich ein ausgezeichneter Porzellantechniker, zu gewinnen, war endgültig der Zustand eines vagen Experimentierens überwunden. Der Scherben wurde verbessert: die Masse zeigt sich nun makellos, zart und leicht; die →Glasur, wie Elfenbein getönt, wirkt sahnig und leuchtend. Dem technischen Fortschritt verband sich die künstlerische Qualität. Nur kurz werden die Formen des schwindenden Rokokos benutzt; der Anschluß an den Zeitstil wird gefunden, die Neigung des Louisseize zum maßvollen Umriß, zum zartgewölbten Ei- oder Birnenrund aufgenommen und mit sicherem Geschmack den eigenen Arbeiten adaptiert. – 1782 verpachtete v. Rotberg, wohl erleichtert, daß seine Intentionen richtig verstanden

und seine Pläne so glücklich gefördert wurden, die Fabrik dem Trio Schulz, Gabel und Brehm, die nun als »Schulz und Co.« firmierten. Im Oktober 1795 starb v. Rotberg; 1802 verkaufte seine Witwe, die nach Kassel übersiedeln wollte, die Firma für 13 000 Tl dem gothaischen Erbprinzen. Dieser erkannte scheinbar den bestehenden Pachtvertrag an, bestellte aber seinen Kammerdiener Egidius Henneberg zum Mitpächter und »Kontrolleur bei der Fabrik«, deutlich in der Absicht, die bisherigen Pächter, denen doch das Gedeihen des Unternehmens allein zu danken war, zu verdrängen. Brehm und Gabel fügten sich den neuen Verhältnissen, während Schulz, tief verstimmt, nach →Gera ging. Henneberg verlegte bereits gegen 1805 die Manufaktur in ein in seinem Besitz befindliches Gebäude an der Sieblebener Allee, und um 1813 war er alleiniger Inhaber der Firma (seit 1807 »Friedrich Egidius Henneberg & Co.«), die nach seinem Tod (1834) bis 1881 im Besitz der Familie blieb. 1883 übernahmen die Gebrüder Simson das Unternehmen. – Bei aller künstlerischen Sensibilität bewiesen Schulz, Gabel und Brehm Nüchternheit in der Abschätzung ihrer Möglichkeiten und praktischen Sinn für die Bedürfnisse ihres Kundenkreises. Ohne das Niveau zu senken, erreichten sie, was vielen Manufakturen der Zeit nicht gelingen wollte: die wirtschaftliche Stabilität. Sie beschränkten die Produktion auf Kaffee-, Tee- und Schokoladeservice, darunter ausnehmend elegant die →Solitaires und die nach →Wiener Vorbild auf herzblattförmigen Tabletts angeordneten Tête-à-têtes (→Déjeuner). Sie stellten Geschenk- und Gedenktassen her, früh bereits mit Silhouetten oder Porträts dekoriert; außerdem in erstaunlicher Vielfalt Dosen, →Cachepots, →Potpourris und Vasen. Die Formen, zunächst im Stil des Louis-seize, später dem geradlinigen Empire folgend, bewahren Maß; sie zeigen die Noblesse schlichter Proportionen und sind nur sparsam, jedoch exquisit mit plastischem Dekor belegt. Auch der malerische Schmuck hält sich an das Gesetz, daß weniger oft mehr ist: in den 70er Jahren Putten, bukolische Szenen und Blumen in delikater Farbigkeit, die zwischen 1780 und 1790 durch zarteste Goldmalerei ergänzt sind; mit dem aufsteigenden Klassizismus Veduten und Phantasielandschaften, mit Ruinen oder Gedenksteinen staffiert. Außerdem erscheinen in Sepia, seltener in →Eisenrot, doch auch en →grisaille, goldgerandete Porträtmedaillons und besonders diffizil ein Gefäßdekor à l'étrusque, eine Nachahmung spätgriechischer rotfiguriger Vasenmalerei, die durch William Hamiltons Publikation über die Ausgrabungen in Herculaneum angeregt wurde. – Schmal ist die figurale Produktion der Manufaktur, dazu weder selbständig noch formal überzeugend. Aus der Frühzeit stammt, auf hohem Rocaillesockel, die Büste der gothaischen Herzogin Luise Dorothee;

um 1800 entstehen die üblichen Biskuitfiguren, spätrömischen Bildwerken nachempfunden (ungemarkt); und in der Nachfolge Fürstenbergs, auf gedrehtem Sockel, Miniaturbüsten, auch das meist Kopien antiker Skulpturen.

Marken: Bis 1805 »R« und »R-g« = Rotberg, blau u'glas. (1, 2); 1805–1834 »G« und »Gotha«, in verschiedenen Farben (3); 1835–1900 eine Rebus-Marke: Henne auf dem Berg = Henneberg, mit der Umschrift: »Porzellan Manufaktur Gotha«, blau u'glas. (4).
Literatur: Die Gothaer Porzellan-Manufaktur. Geschichtliche Entwicklung und künstlerische Eigenart. Bestandverzeichnis der Gotha-Porzellan-Sammlungen auf Schloß Friedenstein (bearb. von Lotte Liers und Ingeborg Neumeister), Gotha 1975.

Gotzkowsky, Johann Ernst, 21.11.1710 Konitz (Westpreußen) – 9.8.1775 Berlin; in Dresden erzogen, Kaufmannslehre in Berlin; Unternehmer, Finanzier und Vertrauensmann Friedrichs des Großen. – Bereits 1740 unterhielt er Geschäftsverbindung mit →Meißen; nach ihm wurde der Dekor →Gotzkowsky erhabene Blumen benannt. 1761 gründete er die zweite Porzellanmanufaktur in →Berlin, die 1763 in königlichen Besitz überging.
Literatur: Otto Hintze. Ein Berliner Kaufmann aus der Zeit Friedrichs des Großen, Schriften des Vereins für die Geschichte Berlins, 1888.

Gotzkowsky erhabene Blumen, ein →Meißner Reliefmuster, 1740 von J. F. →Eberlein entworfen; 1741–1744 zur Dekoration eines Tafelgeschirrs für J. E. →Gotzkowsky benutzt, in der Folge häufig verwandt und vielerorts nachgeahmt. – Acht Stege gliedern den Tellerrand; die kleineren Felder sind der Bemalung vorbehalten, die größeren mit reliefierten Blütenzweigen, die Tellermitte mit einem Blumenkranz belegt – ein Muster, das sich geschickt den verschiedensten Geschirrformen anpassen läßt.

Goujon, Louis-Jacques, geb. 1711; →Modelleur an der Fayencefabrik in Rouen; 1736 an den Porzellanmanufakturen in →Chantilly und 1738 in →Saint-Cloud erwähnt.

Gradl, Hermann, s. Fürstenberg

Gräbner, Christian Zacharias, s. Ilmenau

Gräf & Krippner, s. Selb, *Porzellanfabrik Heinrich & Co.*

Grahl (Krahl), Carl Gottlieb, 1740 Dresden – 19.5. (11.1.?) 1782 Meißen, Porzellanmaler; 1764/65 in →Wallendorf, 1767/68 in →Ottweiler, 1769/70 in →Kassel; ab 1771 in →Meißen, hier Zeichenmeister und 1780 Vorsteher der Buntmalerei.

Grassi, Anton, 1755 Wien – 31.12.1807 ebd., Bildhauer; seit 1778 →Modelleur an der →Wiener Porzellanmanufaktur, sechs Jahre später Modellmeister, 1794 zusätzlich mit der Aufsicht über die Figuren- und Landschaftsmalerei betraut, auf diese Weise bis 1807 der verantwortliche künstlerische Leiter der Fabrik. – Er kam von der Wiener Akademie, war Schüler Franz Xaver Messerschmidts, hatte unter J. Chr. W. →Beyer an der Parkplastik in Schönbrunn mitgearbeitet und schuf nun, in rascher Umstellung auf das kleine Format, zunächst noch unter dem Einfluß von →Sèvres, dann angeregt durch das Werk einer Angelika Kauffmann, auch inspiriert durch Stiche und Bilder englischer Herkunft (häufig in →Biskuit), Figuren und Kompositionen von empfindsamer Noblesse. Thema und Kostüm sind zeitnah, stilistisch dem Louis-seize verpflichtet: Der Handkuß, Besuch im Atelier, Das Hauskonzert oder die Familie des Erzherzogs Leopold. – Auf einer Reise nach Florenz, →Rom und →Neapel, 1792 im Auftrag der Manufaktur unternommen, erarbeitete er sich, im Studium der Antike und Renaissance, einen Formenkanon klassizistischer Observanz, dem er nach seiner Rückkehr die gesamte Produktion, Gefäß, Plastik und den malerischen Dekor, unterwarf.

Gravant, François, gest. 1765, Töpfer aus Vauréal, Ladenbesitzer in Chantilly. 1738 begleitete er die Brüder →Dubois nach →Vincennes, arbeitete hier zunächst mit ihnen gemeinsam, ab 1741 allein an der Entwicklung einer brauchbaren Frittenmasse, die ihm 1745 gelang. 1750 war der Scherben, den er herstellte, bereits rein weiß, die →Glasur außerordentlich klar und glatt. Er blieb Arkanist der Firma bis zu seinem Tod.

Gravant, Louis-François, Sohn des F. →Gravant; 1765–1774 Arkanist an der Porzellanmanufaktur in →Sèvres; 1776 bis 1779 Pächter der Porzellanmanufaktur in →Chantilly, deren Leitung er 1779 seiner Frau, Caroline-Gasparine Adam, anvertraute, die die Konzession 1781 an Antheaume de Surval weitergab.

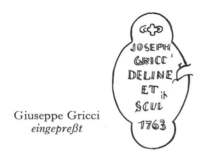

Giuseppe Gricci
eingepreßt

Greco, Emilio s. Nymphenburg

Green, Guy, 1729–1803, Kupferstecher
in J. →Sadlers Manufaktur für →Druck-
dekor in →Liverpool, später Alleininhaber der Firma.

Greiner, Anton, Elias und Wilhelm
Heinrich Immanuel, s. Volkstedt

Greiner, Christian Daniel Siegmund
und Johann Georg, s. Rauenstein

Greiner, Gottfried, s. Greiner, Gotthelf
und Wallendorf

Greiner, Gotthelf, 22.2.1732 Alsbach
(Thüringen) – 12.8.1797 Limbach; der
Vater Glasmacher und Besitzer einer
Glashütte in Limbach; G. selbst mit 18
Jahren Pächter und Leiter des väterlichen
Betriebs; außerdem (angeregt durch seinen Glasmacher-Vetter Gottfried G. und
unterstützt durch den Coburger Töpfermeister Johann Georg Dümmler) Nach-
erfinder des →Böttgerschen →Porzellans.
In der Folge dann 1764 Mitbegründer
der Porzellanmanufaktur in →Wallen-
dorf; 1772 Eröffnung der eigenen Firma
in →Limbach; 1782 Kauf der Manufaktur von →Großbreitenbach und 1786 bis
1792 Pächter der Porzellanfabrik in →Il-
menau. – Die fünf Söhne (Johann Georg
Daniel, Johann Friedemann, Johann Jakob Florentin, Ernst Friedrich Ferdinand, Johann Michael Gotthelf), vom
Vater zur Mitarbeit bestimmt, traten in
seine Firma ein und übernahmen und
gründeten weitere Manufakturen. – In
einer Autobiographie schildert Gotthelf
G. lebhaft die Schwierigkeiten des Anfangs, die er, ein zäher Arbeiter und wah-
rer Unternehmer, mit dem nüchternen
Blick für die Bedürfnisse des Marktes, erfolgreich überwand.

Greiner, Johann Andreas und Johann
Georg Wilhelm, s. Gera

Greiner, Johann Friedrich, s. Rauenstein und Wallendorf

Grellet, Brüder, s. Limoges, *Porzellanmanufaktur 1771–1796*

Gretsch, Hermann, s. Hohenberg

Gricci, Giuseppe, s. Capodimonte (MT)

Griemert, Hubert, s. Berlin, *Kgl. Porzellanmanufaktur*

Grieninger, Johann Georg, 1716–1798
Berlin. Er kam aus dem Ansbachischen;
zunächst Sächsisch-Polnischer Kommis-
sionsrat; bei Ausbruch des Siebenjährigen Kriegs in Berlin. Hier übernahm er
die Leitung von *Gotzkowskys »Fabrique de
Porcelaines«* und anschließend die der
Kgl. Porzellanmanufaktur (1761–1798). –
1766 schuf F. E. →Meyer ein Porzellan-
relief, »Grieninger im Kreis seiner Familie«, 1791 Johann Carl Friedrich Riese ein
Biskuitmedaillon mit dem Porträt des

alten Mannes: zwei ausgezeichnete Arbeiten.

Grisaille, Malerei Grau in Grau, ein Porzellandekor, der dem klassizistischen Geschmack des ausgehenden 18.Jh. entgegenkam.

Gros bleu, ein schönes Kobaltblau, dunkel und etwas wolkig, meist mit dem Schwamm aufgetragen, das sich innig mit der →Glasur der →Pâte tendre verbindet. 1749 wurde es in →Vincennes unter J. →Hellot gefunden, bis etwa 1760 in →Sèvres verwandt und dann durch das →Bleu royal ersetzt. Es wurde überall nachgeahmt, besonders gut als Mazareen-blue in →Chelsea.

Großbreitenbach (→Thüringen, →Deutschland), Porzellanmanufaktur 1777–1869; durch den Kammerjunker Anton Friedrich Wilhelm Ernst von Hopfgarten gegründet, doch nach der Chronik von Hopfgartens Sohn erst 1779 in Betrieb genommen und bereits 1782 für 4000 Tl von Gotthelf →Greiner erworben. Dieser betraute seinen Sohn Johann Friedemann mit der Leitung der Firma, die als Filiale →Limbachs rasch reüssierte. – Wahrscheinlich fertigte man nur weiße oder mit einfachen Blaumustern dekorierte Ware, die aber schon wenige Jahre später bis in die Schweiz und auch nach Hamburg und Lübeck geliefert wurde. Sie ist kaum zu identifizieren, da sie mit der Limbacher →Marke bezeichnet wurde. – F. →Kotta, der begabte →Modelleur, hielt sich 1778 kurz in G. auf; wahrscheinlich hat er aber hier nur

den Kammerjunker und dessen Familie porträtiert.

Grossmann, Christian Gotthelf, vielleicht aus Königsbrück (Lausitz); vorzüglicher Porzellanmaler (Blumen, Früchte), 1750–1766 in →Meißen, 1766 mit dem Auftrag der Werkspionage in →Sèvres; 1769 in →Ludwigsburg; ab 1774 wieder in Meißen.

Grünes Service, s. Berlin, *Kgl. Porzellanmanufaktur*

Grünhut, Josef, s. Wien, *Wiener kunstkeramische Fabrik A. Förster & Co.*

Guerhard, s. Paris, *rue de Bondy*

Guettard, Jean-Etienne, 1715–1786, Chemiker und Arkanist. Er entdeckte vor 1750 das Kaolinlager bei →Alençon und um 1764 das von →Saint-Yrieix la Perche. – G.s Anspruch, als erster in →Frankreich im Dienst des Herzogs von →Orléans →Hartporzellan hergestellt zu haben, ist nicht nachprüfbar. Die Proben, die er angeblich 1751 der Académie des Sciences übersandte, sind verschwunden; die Rezeptur, die er im versiegelten Kuvert beilegte, ist lediglich eine Beschreibung der Materialien →Kaolin und →Petuntse.

Gustavsberg (Stockholm, Schweden), »Aktiebolaget Gustavsbergs Fabriker« 1827 bis heute. Die Firma, einer der größten keramischen Betriebe Schwedens, auf der Insel Värmdö im östlichen Schärengebiet Stockholms gelegen, durch

94 Weinkühler.
Sèvres, 1784

95 Deckeltasse mit
Untertasse.
Niderviller oder
Tournai, um 1775.
Bezeichnet A. J. Mayer

96 *Frühstücksservice Neuglatt mit farbigen Blumensträußen. Berlin, um 1780*

98 *Zuckerdose. Paris, La Courtille, 1771–1787*

97 *Teil eines Waidbestecks.*
Meißen, wohl um 1750–1755

99 *Teller. Frankreich, Paris, rue Thiroux, nach 1776*

100 *Potpourri-Vase. Berlin, um 1770–1775*

101 *Liebespaar mit Traube und zwei Putten. Le Nove oder Doccia, um 1785–1790* ▷

102 *Silhouettentasse. Ansbach, um 1770*

103 *Deckelterrine. Straßburg, J.-A. Hannong,*
1771–1781

104 *Teekanne mit Stövchen.* ▷
Kopenhagen, um 1779

etwa seit 1920,
verschiedenfarbig gedruckt

Jahrzehnte Produzent einer guten Gebrauchsware, meist in Steingut, nach 1870 auch in →Porzellan, entwickelte, ähnlich wie →Rörstrand, erst gegen Ende des 19. Jh. unter der Leitung von Gunnar Gunnarson Wennerberg (1897–1908) ein Produktionsprogramm, das künstlerischen Ehrgeiz bekundete. Wennerberg, Maler und Kunstgewerbler, in Paris ausgebildet und bereits durch seine Entwürfe für Möbel, Keramik und Gobelins bekannt, entwarf für G. elegante Geschirrdekore im Geschmack des Art nouveau und modellierte, häufig als Unikate, unterstützt von Josef Ekberg und Gustav Erikson, Vasen, Urnen, Dosen, Schmuckteller sowohl in Porzellan mit Unterglasurmalerei als auch in raffinierten Techniken wie Fayence-Sgraffito und Relief-Majolika. Nachdem Wennerberg 1908 nach Paris zurückgekehrt war, übernahm Ekberg die künstlerische Leitung, den 1917 der Keramiker und Graphiker Wilhelm Kåge ablöste, unter dem G. mit schönem Geschirr den Anschluß an die Moderne gewann. Neben ihm wären noch Stig Lindberg und Berndt Friberg zu nennen.

◁ *105 Die Verlobung. Wien, um 1780*

Marken: In vielerlei Abwandlungen ein Anker, mit »Gustavsberg« umschrieben, dazu häufig Name des Modells und →Modelleurs, verschiedenfarbig gedruckt (MT).

Gutbrand, s. Porzellan

Gutenbrunn, s. Pfalz-Zweibrücken

Gutherz, Oscar & Edgar, s. Altrohlau

Guy, Charles und Charles Barthélemy, s. Paris, *rue du Petit Carrousel*

Gylding (Gülding), Jürgen, 1725–19. 12. 1765 Kopenhagen, Email- und Porzellanmaler; vielleicht Schüler der Werkstatt von Ismael Mengs in Dresden. Er war bis 1753 an der Porzellanmanufaktur in →Meißen tätig, wo er Amalie Christine, Tochter des J. G. →Mehlhorn, heiratete. 1795 ging er nach →Kopenhagen und arbeitete 1759–1765 an der dortigen *Porzellanmanufaktur am Blauen Turm.*

Haag, Johann Jakob Heinrich, s. Wallendorf (MT)

Haas, Wenzel, s. Schlaggenwald

»Haas & Czjzek«, s. Schlaggenwald und Chodau

Haberditzel, Franz Anton, s. Rabensgrün

Häckher, Bonifatius Christoph, s. Ludwigsburg, *Porzellanmanufaktur 1758 bis 1824*

Härtl, Anton Thaddäus, s. Nymphenburg

Heinrich Haag.

Joh. Jakob Heinrich Haag

Härtl, Johann Paul Rupert, s. Nymphenburg

Häuer, Bonaventura Gottlieb, s. Hoyer

Hafnerzell, richtiger Obernzell, bei Passau, im 18. Jh. Sammelplatz für die Kaolinvorkommen der Umgebung, die Passauer Erde, die in den benachbarten Dörfern im Tagebau von den Bauern gefördert wurde.

Haidinger, Rudolf und Eugen, s. Elbogen

Haimhausen, Sigismund Ferdinand Graf v., s. Nymphenburg

Hald, Andreas Madsen, gest. 5. 1. 1811, Modelleur. Er trat 1780 als Lehrling in die *Kgl. Porzellanmanufaktur* →Kopenhagen ein und wurde 1784 zum →Modelleur ernannt. Das Tonmodell eines Liebespaars, signiert »A. Hald 1797«, gestattet, ihm mehrere anmutige Figuren und Gruppen im Geschmack des Louis-seize durch Stilvergleich zuzuweisen.

Hallin, F. August, s. Kopenhagen, *Bing & Grøndahl's Porcelaensfabrik*

Haly, François, vielleicht aus Nevers; Arkanist und →Modelleur, 1751 nach →Alcora berufen, wo er vergeblich versuchte, →Porzellan herzustellen. – Das Museum zu Sèvres bewahrt ein Brennofenmodell, 1756 von H. signiert und datiert.

Hamman, Johann Wolfgang, 11. 6. 1713 Weidenberg bei Bayreuth – 10. 10. 1785 Wallendorf; ein energischer, zielbewußter Mann, Handwerkerssohn, vielleicht im Bergfach vorgebildet, längere Zeit Pächter des »Wernerischen Hammerwerks« im Amt Lauenstein, 1747 Pacht der Eisengruben in Katzhütte, vier Jahre später deren Besitzer. – Zugleich war er lebhaft an der Porzellanproduktion interessiert. Zwischen 1760 und 1763 unternahm er Experimente, es gelang ihm sogar ein erster Probebrand in Katzhütte; doch →Rudolstadt verweigerte, wohl um die eigene Porzellanmanufaktur in →Volkstedt vor Konkurrenz zu schützen, die Konzession, die H. von der Kammer erbeten hatte. – Darum kaufte er das Rittergut →Wallendorf für 96 000 Tl, kein landwirtschaftlicher Betrieb, eher ein Komplex stillgelegter Hammerwerke, nur etwa 20 km von Katzhütte entfernt. Doch bei der damaligen thüringischen Kleinstaaterei war es bereits im Gebiet des Herzogs von Coburg-Saalfeld gelegen, der das Privileg zur Eröffnung einer Porzellanmanufaktur gern erteilte.

Hammel, Rudolf, s. Wien, *Wiener Porzellanmanufaktur Josef Böck*

Hancock, Robert, 1730 Burslem/Staffordshire – 1817 Bristol, Emailmaler und Meister für Porzellandruck. Er arbeitete hauptsächlich in →Bow, →Worcester und →Caughley. 1775 erschienen in London H.s »The compleat Drawing Book« und »The Ladies Amusement«.

Handschuh, Andreas, s. Frankenthal

Hanley (Staffordshire, →England), Keramik- und Porzellanfabrik Brown-Westhead, Moore & Co. Cauldon Place, 1859–1904; Nachfolgefirma 1904–1962. Produzierte Tafelgeschirr.*

Hannong, Balthasar und Karl Frantz, s. Hannong, Paul Anton

Hannong, Joseph Adam, s. Frankenthal und Straßburg

Hannong, Karl Franz Paul, s. Frankenthal

Hannong, Paul Anton, 1700 Mainz – 31. 5. 1760 Straßburg; Sohn des bedeutenden Keramikers Karl Frantz H., der über Köln und Mainz ins Elsaß gekommen war und hier zwei Fayencefabriken in →Straßburg und Hagenau gründete. 1732 bzw. 1737 übernahm Paul Anton H. die väterlichen Firmen; er steigerte die Produktion technisch und künstlerisch, da er verstand, so ausgezeichnete →Modelleure wie J. W. →Lanz und Maler wie die →Löwenfincks an sich zu binden. Sein Versuch, in Straßburg →Porzellan herzustellen, scheiterte an der Monopolpolitik →Frankreichs, der er mit der Gründung →Frankenthals auswich.

Hannong, Peter Anton, 17. 1. 1739 Straßburg – um 1794 Frankreich; jüngster Sohn von P. A. →Hannong; Fayence- und Porzellanfabrikant, dessen Leichtfertigkeit zum Untergang des Familienunter-

nehmens entscheidend beitrug. – 1760 im Auftrag der Geschwister Übernahme der Familienfirmen in →Straßburg und Hagenau; 1761 widerrechtlicher und törichter Verkauf der →Arkana an →Sèvres; darauf 1762 Entzug der Firmenleitung. 1763 kurzer Versuch, in Hagenau ein Konkurrenzunternehmen zum Familienbetrieb zu starten; 1765–1771 Gründung einer Porzellanmanufaktur in →Vincennes, 1771–1776 in →Paris, *rue du Faubourg-Saint-Denis;* 1776–1779 Leiter in →Vinovo; 1783/84 Porzellanproduktion in Hagenau; um 1786 Betrieb einer Steingutfabrik in Verneuil.

Hansen, Hans Jacob, Blaumaler; 1779 bis 1797 an der *Kgl. Porzellanmanufaktur* →Kopenhagen.

Hansen, Lars, 1746 Frederikshald – 1807 Kopenhagen. Zunächst Musketier, wird er 1775 als Blaumaler an die *Kgl. Porzellanmanufaktur* →Kopenhagen befehligt; in den 90er Jahren »förste Blaamaler«.

Hardenberg, Karl August Fürst v., s. Ansbach, *Porzellanmanufaktur 1758–1860*

Hard paste, s. Hartporzellan

Haringschaltjes, Heringschalen, kleine Schüsseln in Fischform, eine Spezialität von →Oud-Loosdrecht.

Harstall, Adalbert III. v., Fürstbischof, s. Fulda

Hartmann, Ahrend August, 13. 3. 1752

Königslutter (am Elm) – 11. 6. 1818 Braunschweig, Porzellanmaler (Landschaften, selten Veduten); Schüler von P. J. F. →Weitsch, dessen delikate Manier er übernahm und den er 1766 auf einer Studienreise in den Harz, 1770 nach Antwerpen und Brüssel begleitete. Seit 1765 arbeitete er von der Braunschweiger Buntmalerei aus in →Fürstenberg mit; 1787 ließ er sich pensionieren, war aber weiter für die Manufaktur tätig, wo man überzeugt war, »daß wenige Fabriquen seyn werden, welche einen so guthen Landschaftsmahler besitzen«.

Hartporzellan (frz. →pâte dure, engl. hard paste), so bezeichnet, da mit Stahl nicht ritzbar; ein Versatz, der wegen des hohen Kaolingehalts (50–55%) und der geringeren Beigabe von →Quarz und →Feldspat (je 20–30%) bei Temperaturen von 1350° bis 1460° C zu brennen ist. – →Böttgers Erfindung war H., ihm folgten im deutschsprachigen Raum alle Manufakturen; in →England nur →Plymouth, →New Hall und →Bristol; in →Frankreich 1751–1754 →Hannong in →Straßburg und nach der Entdeckung der Kaolinlager bei →Saint-Yrieix auch →Sèvres, →Paris, →Niderviller, →Lunéville und →Limoges.

Haselmeyer, Johann Christoph (zwischen 1741 und 1771 erwähnt), aus Tübingen; Wachsbossierer und Porzellanmodelleur; Schüler von P. F. →Lejeune; 1760–1771 in →Ludwigsburg, wo M. Landenberger ihm, von einer signierten Wachsarbeit ausgehend, durch eindringenden Stilvergleich Porzellane zuweist

wie den Gänsestecher, die Gänsestopferin, auch Kinder, ländliche Tänzer, Bauern, Diener, Handelsleute, schlanke Chinesen samt ihren Partnerinnen, ebenfalls so heiter-gelöste Gruppen wie Das Mädchen und der Mohr oder die jungen Paare unter Bäumen. – M. Landenberger macht deutlich, daß die Komposition der Figuren relativ flächig ist, die Modellierung aber stets prägnant, wobei Haltung und Bewegung kompliziert, häufig wie »verdreht« erscheinen. Jede Einzelheit ist jedoch stets sorgsam bossiert: die Locken geradezu gedrechselt, Falbeln, Krausen, Häubchen zierlich gefältet, die Gesichter, besonders die der männlichen Figuren, durch Betonung der Nase, Stirn- und Wangenknochen individualisiert.
Literatur: Mechthild Landenberger. Johann Christoph Haselmeyer als Modelleur und Bossierer der Ludwigsburger Porzellan-Manufaktur, Keramos 10/1960.

Hastière-sur-Meuse (Namur, →Belgien), Porzellanmanufaktur 1785–1790, gegr. von P. L. →Cyfflé nach dem Zusammenbruch seiner Firma in →Lunéville. Auch hier vor allem Ausformung seiner Figuren und Gruppen in →Biskuit und Terre de pipe (Pfeifenton); zugleich aber wohl eine schmale Geschirrproduktion in Fayence und Steingut. – 1790 Aufgabe des Betriebs, der anscheinend während des durch die Französische Revolution ausgelösten Aufstands gegen Habsburg schwere Schäden erlitten hatte.

Hausmaler (frz. chambrelans, engl. private enamellers), im Gegensatz zum Angestellten der Manufaktur der selbständige Kunsthandwerker, der Gläser,

*L'Heureuse Rencontre, entworfen von Antoine Watteau, ausgeführt durch Gabriel Huquier.
Aus einer Jahreszeitenfolge, um 1730*

Fayencen und →Porzellan unbemalt von Hütten und Manufakturen bezog, in der eigenen Werkstatt dekorierte und auf eigenes Risiko vertrieb. Wie beim Manufakturerzeugnis wechselt auch hier technische Perfektion und künstlerische Qualität von Werkstatt zu Werkstatt. Neben Beweisen schöner Könnerschaft finden sich Beispiele billiger Pfuscherei, neben Phantasie und Erfindungskraft gedankenlose Routine. – Ausgezeichnete Arbeiten entstanden um 1715–1750 in den Augsburger Werkstätten der →Aufenwerth und →Seuter; in Breslau bildete sich unter I. →Preissler und I. →Bottengruber (dazu H. G. v. →Bressler, C. F. v. →Wolfsburg) ein nobel-kraftvoller Dekorationsstil, der wiederum fördernd auf H. in →Wien einwirkte, wie die →Anreiter,

J. →Helchis oder A. F. J. →Schulz. In →Bayreuth entwickelte, unterstützt durch J. Ch. →Juchts Farbrezepturen, J. F. →Metzsch (in seiner Nachfolge R. Ch. v. →Drechsel, F. →Teutscher) die Lust am festlichen Farbakkord. Weiter sind, trotz schwankender Qualität, die Werkstätten von F. J. →Ferner und die der beiden →Mayer im böhmischen Pressnitz zu nennen. Auch die schimmernden Emails des ruhelosen Ch. C. →Hunger und das knitterige Goldrelief von Ch. F. →Herold gehören ebenso in diesen Bereich wie die Porzellanradierungen der Hildesheimer Canonici v. d. →Busch und Kratzberg. – Für die Hausmalerei, der zunächst nur chinesisches Porzellan zur Verfügung stand, bedeutete →Böttgers Erfindung von 1708 eine entscheidende Bereicherung ihres Repertoires. Auch der Manufaktur in →Meißen, die noch tastend nach Farben suchte, die im Feuer standhielten, war die Mitarbeit der Werkstätten willkommen, da deren Meister, meist Goldschmiede, Emailleure und Fayencemaler, ausgedehnte Erfahrungen im Umgang mit Muffelfarben besaßen. Als aber →Höroldt um 1725 die Meißner Malstube zu einem Instrument umgeschaffen hatte, das künstlerisch und technisch allen Anforderungen genügte, wurden die H., nun plötzlich lästige Konkurrenz, als »Pfuscher und Stimpler« diffamiert, die Lieferung des einwandfreien, unbemalten Porzellans unterbunden und den Fabrikangehörigen, bei Androhung schwerster Strafen, jede Heimarbeit untersagt. Trotzdem blühte, wenn auch illegal, in Meißen und Dresden eine Hausmalerei, deren Resultate in Pinselführung, Thema und Stil den Dekoren glich, die ein J. B. B. →Borrmann, August Dietze oder Ph. E. →Schindler jun. in der Malstube der Manufaktur schufen, nur daß sie in der eigenen Muffel nicht ganz den Glanz der Höroldtschen Palette erreichten. – Um die Jahrhundertmitte, mit der Gründung immer neuer Manufakturen, die bereit waren, jede gewünschte Porzellansorte zu liefern, verloren die Meißner Restriktionen Sinn und Wirkung. Werkstätten in Regensburg, Passau oder Landau dekorierten im Schnellverfahren Türkenkoppchen für den Vorderen Orient, und nach 1800 etablierten sich überall, besonders in den Badeorten und Universitätsstädten, Porzellanmalereien, die die Andenkenindustrie mit bemalten Pfeifenköpfen, Bierseideln, Erinnerungstassen und Geschenktellern versorgten. Noch kam es im Umkreis der »Kunstanstalten« großer Manufakturen wie →Wien, →Berlin oder →Nymphenburg, die jetzt ihren Meistern die Möglichkeit zur privaten Arbeit einräumen mußten, mit der beliebten Kopie berühmter Ölbilder auf Porzellan zu Bravourleistungen der Porzellanmalerei. Meisterhaftes auf diesem Gebiet schufen auch Werkstätten wie die von Karl Hermann Schmidt in Bamberg oder die eines Johann Zacharias Quast in →Prag, doch der Trend ging in Richtung der Kommerzialisierung. Porzellan besaß nicht mehr Seltenheitswert; es war Massenartikel geworden. Notgedrungen mußte die Hausmalerei sich den neuen Zwängen fügen und Betriebsformen entwickeln, die diesen genügten. Es ist symptomatisch, daß Männer wie Carl Magnus Hutschenreuther oder Philipp Rosenthal, Gründer moderner Großunternehmen, von der Porzellan-Hausmalerei herkamen (→Selb).

Literatur: Gustav E. Pazaurek. Deutsche Fayence- und Porzellan-Hausmaler, 2 Bd., Leipzig 1925.

Haussmann, Carl, s. Frankenthal

Hayer, Bonaventura Gottlieb, s. Hoyer

Haynemann, Christian Adolf, s. Meißen, *Staatl. Porzellanmanufaktur*

Hébert, François, s. Paris, *rue de la Roquette I*

Heerfurth, Christian, s. Meißen, *Staatl. Porzellanmanufaktur*

Hegermann-Lindencrone, Effie, s. Kopenhagen, *Bing & Grøndahl's Porcelaensfabrik*

Heinecke, Albert, s. Berlin, *Kgl. Porzellanmanufaktur*

Heinitz, Friedrich Anton v., s. Berlin, *Kgl. Porzellanmanufaktur*

Heinrici, Johann Martin, 1711 Lindau – 21. 4. 1786 Meißen; vorzüglicher Porzellanmaler (Dosen), Farbenlaborant, Kunsthandwerker (→Galanterien mit einer Art Piquédekor), geschickter Lehrer. – 1741 bis 1757 in →Meißen, 1756 (nach O. Walcha) Hofmaler; 1757–1761 in →Höchst und →Frankenthal (hier noch einmal 1775 erwähnt); nach 1761 wieder in Meißen, seit 1764 Farbenlaborant. Neben brillant gemalten Porträts, →Chinoiserien, Watteau- und Komödiantenszenen unternahm er erste Versuche, Wirkungen der Tafelmalerei auf Porzellangrund zu erzielen (Kopie von Raffaels Madonna della Sedia, 1763; Porträts von August III. von Sachsen und dessen Gemahlin Maria Josepha, 1753–1756).

Heintze, Johann Georg, geb. um 1707 Dresden; 1720 →Höroldts erster Lehrling, 1725 Geselle, spezialisiert auf »Feine Figuren und Landschaften«, ab 1733 in Festlohn, 1739(?) Vorsteher in der »unteren Malstube«, 1745 erkrankt, 1746 pensioniert, doch 1747 Wiederaufnahme der Arbeit. – Bereits 1731 hatte Höroldt ihn als »seinen vielleicht besten Maler« bezeichnet, aber keineswegs angemessen gefördert, so daß H. in die verbotene

Heimarbeit auswich. 1748 wurde er verhaftet und auf dem Königstein festgesetzt; im April 1747 gelingt (mit J. G. →Mehlhorn) die Flucht über Prag, Wien, Holitsch, Breslau nach Berlin. – Eine signierte Emailplatte (Landesmuseum Stuttgart) erlaubt, ihm Park-, Fluß- und Hafenszenen zuzuschreiben, die duftige Tiefe besitzen und deren Vordergrund durch gut gezeichnete Figürchen und durch Requisiten wie Säulen, einen Obelisk oder einen einsamen Baum belebt ist.

Heinzmann 1830

Carl Friedrich Heinzmann

Heinzmann, Carl Friedrich, 1795 Stuttgart – 1846 München, Landschafter, Lithograph und Porzellanmaler. Seit 1822 Mitarbeit in →Nymphenburg: Landschaften (»Kronprinz Ludwig in Italien«), auch Tierstücke, diese meist Kopien berühmter Meisterwerke auf →Porzellan (MT).

Helchis (Felchis), Jacobus, geb. in Triest, einer der besten Porzellanmaler der →Du-Paquier-Periode; nach W. Neuwirth zunächst bei I. →Preissler in Breslau, anschließend in den Manufakturen von →Turin, →Venedig und →Wien; 1747–1750 Arkanist in Neudeck (→Nymphenburg). – Signierte Arbeiten erlauben, H. die drei Großen Jagdservice für den Wiener Hof, dazu Vasen, →Flakons, Schüsseln und Platten zuzuschreiben, meist in einer äußerst subtilen →Schwarzlot-Malerei, seltener farbig dekoriert:

HEREND
1843

meist blau u' glas.

1, 2 Herend

1897–1948
eingepreßt oder gedruckt

Putten nach J. Stellas »Les ieux et plaisirs de l'enfance«, Tierhatzen nach Ridinger, auch →Deutsche Blumen, die Szenen bereichert durch ein feingliedriges, mit Gold oder Silber gehöhtes →Laub- und Bandelwerk.

Heller, Eberhard Laurentius, 1714–1779 Höchst; begabter, sensibler Former und Bossierer; 1746–1754 an der Porzellanmanufaktur →Höchst. 1754–1756 ist er in →Fürstenberg, wo ihm S. Ducret aus der →Feilnerschen Komödiantenserie Pantalone, Scaramuz und Columbine zuweist, die in ihrer Feingliedrigkeit nicht der derben Formensprache Feilners entsprechen. – 1756 kehrt er nach Höchst zurück, wo H. bis zu seinem Tode tätig ist.

Hellot, Jean, 1685–1766, Chemiker; Mitglied, zeitweise Direktor der Académie des Sciences in Paris. 1751–1766 leitet er die technische Abteilung der Porzellanmanufakturen von →Vincennes und →Sèvres; hier entwickelt er eine Reihe ausgezeichneter Fondfarben. – Das Archiv in Sèvres bewahrt von ihm Notizen über Mitarbeiter, Darstellungen der Farbrezepturen und Arbeitsberichte für Machault und Ludwig XV.

Hempel, s. Meißen, *Staatl. Porzellanmanufaktur*

Henneberg, Egidius, s. Gotha

Hentzschel, Christian Gottlob, s. Meißen, *Staatl. Porzellanmanufaktur*

Herend (Ungarn), Porzellanmanufaktur 1839 bis heute; nach ersten Versuchen der Fayencearbeiter Vince Stingl und János György Mayer, aus Tata und Papa, die Gründung von Moritz Fischer, unter dessen Leitung die Fabrikation 1839 anlief. Da er übersah, daß der kleine Betrieb mit nur 54 Arbeitern nicht die böhmischen Manufakturen mit ihrer Massenproduktion vom ungarischen Markt verdrängen konnte, spezialisierte er sich auf Kopien historischer Geschirrsorten (→China, →Meißen, →Sèvres, →Wien), die den Besitzern solcher Porzellane die Möglichkeit gaben, unvollständig gewordene →Service zu ergänzen. Zugleich entwickelte er nicht ohne Geschmack und Talent die kopierten →Chinoiserien, die Figuren-, Blumen-, Vogel- und Obstdekore zu eigenen Mustern weiter (darunter Cubas, Gödöllö-Muster, Ming, Miramar, Siang-Noir-Dekor, Tschung usw.). Er schuf auf diese Weise den Stil des »Vieux-Herend«, dessen historisierende Tendenz eine in die Historie verliebte Epoche nicht störte und das auf Ausstellungen in Wien, London, Paris, New York Bewunderung und Entzücken erregte. Fischers Kunden waren Hochadel und Geldaristokratie. Als auszeichnenden Gunstbeweis empfand er mit Recht, daß Kaiser Franz Joseph ihm bei Schließung der Wiener Staatsmanufaktur 1864 Muster und Modelle der berühmten Fabrik überließ und Fischer (nun Farkas-hàzy) 1865 den Adel verlieh. – Doch diese Achtungserfolge hinderten nicht, daß das Unternehmen mehr und mehr mit Verlust arbeitete. Gedrängt von seinen Söhnen, die Rationalisierung und Verbilligung der Produktion wünschten, verließ Fischer 1874 die Firma. Quali-tätsminderung ohne wirtschaftliche Erholung war die Folge. – Erst Jenö Farkas-hàzy, der 1897 widerstrebend die zerrüttete Firma (seit 1884 eine AG) übernommen hatte, knüpfte wieder an die Traditionen von »Vieux-Herend« an. Mit Sorgfalt wurden die alten Muster wiederholt, einige neue Dekore in engster Anlehnung an den H.er Stil entwickelt und vor allem mit Bildhauern wie Elek Lux oder Zsigmond Kisfaludi Figuren geschaffen (Husar, Tänzerin, Gänsejunge), die gefielen und noch gefallen. – 1948 ging die Manufaktur in Staatsbesitz über; künstlerisch blieb man den Prinzipien Fischers treu.

Marken: 1842 »Fischer Moricz Herend 842«; 1843 »Herend 1843« (1); 1847–1890 in unterschiedlichen Zusammenstellungen »Herend« mit dem ungarischen Wappen und der Jahreszahl (oft unter Weglassung der 1), meist blau ü'glas.; 1897–1948 Band mit »Herend«, gepreßt (2); ab 1948 hell im dunklen Quadrat Wappen mit gekreuzten Degen, umschrieben »HEREND . HUNGARY«.
Literatur: Clara C. Boncz/Kàroly Gink. Herender Porzellan, Budapest 1962; J. Ruziska. Herender Porzellan, Budapest 1950.

Hermannsdorffer, Ambrosius, s. Nymphenburg

Hermany, Georg Elias, s. Frankenthal

Herold, Christian Friedrich, 1700 Berlin – 24. 8. 1779 Meißen, Emailleur und Porzellanmaler; 1725–1778 an der Manufaktur in →Meißen. Wie einige signierte, wahrscheinlich in verbotener Hausarbeit entstandene Porzellane zeigen (Schnupftabaksdose, Staatliche Porzellan-Slg., Dresden; Humpen, ehemals in der Slg. Goldschmidt-Rothschild), war H. einer der fähigsten Mitarbeiter →Höroldts, der mit subtilem Strich in der Frühzeit →Chinoiserien und Hafenszenen, später Bataillen und auch Blumen malte; Motive, mit denen er auch aufs sorgfältigste Kupferdosen in Heimarbeit emaillierte. – Sein ganzes Interesse galt außerdem einer Technik, die ihm erlaubte, »Figuren von massiv geschlagenem Gold dauerhaft auf das Porcelin zu bringen«. Anscheinend formte er das Muster (Blätter, Blüten, Ranken, Vögel, Getier, Figürchen) in flachen, mit Goldfolie gefüllten Modeln und kittete Stück um Stück mit kaltem Email auf die →Glasur. Die radierte Innenzeichnung läßt das Blattgold wie knittrige Folie wirken (signierte Tasse und Untertasse im Britischen Museum, London). Mit einer Eingabe vom 9. 3. 1739 bittet H., sich »Maître« dieser Erfindung nennen zu dürfen, was ihm aber untersagt wurde.

Herr, Johann Claudius, geb. 1775 Wien, Sohn des Porzellanmalers Johann H.; selbst ausgezeichneter Porzellanmaler (Historien, Landschaften). 1791–1838(?) an der Porzellanmanufaktur →Wien; hier und an der Wiener Akademie ausgebildet.

Etwa bis 1806 die figurale Dekoration von Tassen, Olliobechern oder →Déjeuners, dann Teller und Platten, schließlich fast nur noch Tableaux mit Kopien berühmter Meister auf →Porzellan. 1818/19 Mitarbeit am Wellington-Service.

Herr, Lorenz, geb. 1787 Wien, Bruder von J. C. →Herr, wie dieser ein brillanter Porzellanmaler; nach Besuch der Wiener Akademie 1804–1828 an der Porzellanmanufaktur ebenda. Außer dem Dekor erlesener Geschirre mit Landschaften, Figuren und Bildnissen sowie Tableaux mit Kopien berühmter Tafelbilder war er spezialisiert auf die Imitation antiker Onyx-Kameen in →Porzellan. – 1819/20, neben der Manufakturarbeit, Gründung eines eigenen lithographischen Betriebs.

Herrmann, Paul, s. Böttgersteinzeug

Hervé, s. Lorient

Hess, Franz Joachim, s. Fürstenberg, Höchst, *Porzellanmanufaktur 1746–1796*, und Kassel

Hess, Gregorius Ignatius, s. Kelsterbach

Hetterich, Georg, s. Frankenthal und Nymphenburg

Heubach, Gabriel, s. Wallendorf

Heubach, Gebr., s. Lichte*

Heylin, Edward, Kaufmann in Bristol. Er erhielt 1744 zusammen mit Th. →Frye das Patent zur Herstellung von →Porzellan, blieb aber ohne Erfolg.

Hillard, Johann, s. Klösterle

Hillerbrand, Joseph, s. Nymphenburg

Hittel, s. Closter Veilsdorf

Hladik, Jan, s. Gießhübel

Hocquart, s. Vaux

Höchst (Hessen, BRD)
Höchster Porzellanmanufaktur, gegr. 1965; produziert in Anlehnung an H.er Traditionen Gebrauchs- und Kunstporzellan. *Marke:* Sechsspeichiges Rad, unterschrieben »HÖCHST«.

Porzellanmanufaktur 1746–1796. Nach →Meißen und →Wien war sie die dritte deutsche Manufaktur: nur langsam in Gang gekommen, stets vom wirtschaftlichen Ruin bedroht, künstlerisch aber von erstaunlicher Produktivität. Das Privileg hatte am 1. 3. 1746 Johann Friedrich Karl von Ostein, Kurfürst zu Mainz, gegeben; angesiedelt wurde die Fabrik im Speicherhof an der H.er Stadtmauer. Geldgeber waren zwei Frankfurter Geschäftsleute, Johann Christoph Göltz und sein Schwiegersohn Johann Felician Clarus. Die Firmenleitung lag in den Händen von A. F. v. →Löwenfinck, der vorgab oder auch glaubte, das Geheimnis der Porzellanherstellung zu kennen, dann aber doch, zum Verdruß seiner Teilhaber, nur Fayence, diese allerdings in reizvollster Qualität, zu produzieren vermochte. Göltz zwang Löwenfinck, von dem Vertrag zurückzutreten; im Mai 1749 verließ er angewidert und erzürnt H. – Erst

1750–1763
verschieden-
farbig ü'glas.,
eingepreßt,
eingeritzt

1765–1796
blau
u'glas.

1765–1774
blau
u'glas.

Malermarke

Modelleurmarke

im Juni des nächsten Jahres war mit J. K. →Benckgraff der Fachmann gefunden, dem, unterstützt von dem Ofenbauer J. J. →Ringler, bereits im Spätherbst der erste Brand des »ächten, feinen Porcellains« gelang. Ringler entschwand allerdings bereits wieder Ende 1751; Clarus hatte Göltz im Jahre zuvor beiseitegeschoben, und Benckgraff, ebenfalls durch Göltz verärgert, folgte 1753 dem Ruf des Herzogs von Braunschweig nach →Fürstenberg. – Göltz übernahm nun die Betriebsleitung selbst, sah sich aber 1756 gezwungen, den Bankrott anzumelden. Er hatte die Produktion vergrößert, zugleich aber, um anderweitige geschäftliche Verluste zu decken, dem jungen Unternehmen Kapital entzogen, das eigentlich hätte investiert werden müssen. Dem Mainzer Pfandhaus, hinter dem das kurmainzische Hofamt stand, fiel als wichtigstem Gläubiger die Konkursmasse zu. Die Fabrikation lief, wenn auch gedrosselt, weiter. 1759 überließ man – nach vergeblichen Versuchen, Käufer zu finden – Gebäude, Inventar, den Rohstoffvorrat, Formen und die halbfertige Ware »frey und onentgeltlich« dem Pfandamts-Assessor Johann Heinrich Maas unter der Bedingung, den Betrieb auf eigene Kosten weiterzuführen. Die Fabrik prosperierte.

Trotzdem zog sich Maas, der bei der günstigen Ausgangssituation gut verdient hatte, 1764 zurück. – Kurfürst Emmerich Joseph von Breidbach zu Bürresheim, seit 1763 Nachfolger Osteins, versuchte nun das Weiterbestehen der Manufaktur durch die Bildung einer Aktiengesellschaft zu sichern, wobei er finanziell die Hauptlast auf sich nahm. Die gleichen Fehler wurden wiederholt: die Produktion drastisch gesteigert, der Absatz nicht gesichert; wieder stapelte sich die Ware, wieder erlagen die Geldgeber, jetzt 34 Aktionäre, der Versuchung, allzu rasch allzu hohe Gewinne einheimsen zu wollen. Sie forderten 15 bis 18% Zinsen, zahlbar in untadeligem →Porzellan, das zum Herstellungspreis zu verrechnen war. J. Kauschinger, seit 1770 Geschäftsführer, verfügte nicht über die Autorität, diese unbilligen Forderungen abzuwehren. 1776 war erneut der Zusammenbruch nahe. Friedrich Karl Joseph von Erthal, nunmehr Inhaber der Kurwürde, sah sich genötigt, wenn die Arbeitsplätze erhalten bleiben sollten, die Firma durch seine Privatschatulle zu stützen und seiner Aufsicht zu unterstellen. 1778 löste er die Aktiengesellschaft auf; der Kurstaat übernahm die Verantwortung. Ohne wirtschaftlichen Auftrieb, nun auch ohne frischen künstlerischen Impetus, vegetierte die »Churfürstlich Mainzische Manufaktur« bis 1796 weiter. Die Revolutionskriege beschleunigten das Ende. 1798 wurden die Liegenschaften verkauft, das große Porzellanlager verschleudert.

Der Scherben, den Benckgraff anfangs produzierte, war sandsteingrau und porös, die →Glasur zwar weiß (wahrscheinlich gefärbt), doch dick fließend. Aber noch ehe der Arkanist H. verließ, hatte er, erfolgreich experimentierend, Masse, Glasur und Brand so aufeinander abgestimmt, daß das Porzellan sich in einem milden Weiß und die Glasur in zarter Glätte präsentierten. – Es ist schwierig, die H.er Gefäß- und Geschirrbildnerei genauer zu datieren. Zu Anfang nutzte man, wie H. Jedding nachweist, bis zur direkten Ausformung vorhandener Modelle (ein Beispiel die Terrinen in Tiergestalt) den einfallsreichen und differenzierten Musterkatalog der eigenen Fayenceproduktion, die neben der Porzellanherstellung noch bis 1758 im gleichen Betrieb mitlief. Daneben wirkten das Meißner Vorbild und die Nähe →Frankenthals. Abgesehen von den üppig mit Rocaillen und Gitterwerk, mit Blumengewinden und spielenden Putten ausgestatteten Schreibzeugen, Vasen und →Potpourris schuf man im Geschmack eines gemäßigten Rokoko, mit sanften Kurven und anmutig geschwungenen Henkeln, mit Formen, die allmählich in die des schlichteren Louis-seize und schließlich in die des geradlinigen Klassizismus übergingen, Kaffee-, Tee- und Tafelgeschirr samt dem Zubehör: reich durchbrochene Körbe, Platten, Teller für Obst oder Konfekt, zierlich gedrehte »Kännger für Essig und Öl«, die Menagen (→Huilier) für vielerlei Gewürze, die →Kühlgefäße ebenso wie die →Réchauds. Es fehlten auch nicht die Lavoirschalen mit ihren Helmkannen, die Nachtlichter mit Blendschirm, die →Bourdalous und mancherlei →Galanterien bis hin zu den »Aufsatzstücken«: Vasen für den Kamin bestimmt und als →Garnitur mit drei, fünf oder sieben Exemplaren lieferbar. Der malerische Dekor, meist von ausgezeichneter Qualität, belebte in lichter Farbigkeit, oft auch nur in einem tiefen Purpurcamaïeu, mit Landschaften und →Chinoiserien, mit Blumen, Batailen, »Comödien« oder Szenen nach Teniers und Chodowiecki, die Gefäßwand. Häufig war er locker über die Fläche verteilt, oft aber auch als Vignette aufgefaßt und durch Rocaillen, flatternde Bänder, lose Zweige oder Goldmuster gerahmt; schließlich weiß, auch grau die »Medaillons à l'antique« und dunkel die Silhouetten. Zu den wichtigsten Malern zählen: Joseph Angele (1757–1792), Johann Heinrich Andreas Hintze (1762), Adam Ludwig (1749–1758), Johann Bernhard Magnus (1758), J. →Nerwein, A. →Oettner, G. F. →Riedel, J. M. →Schöllhammer, Johann Heinrich Usinger (1774–1784) und F. K. →Wohlfahrt.

Den Ruhm von H. aber macht die Vielfalt und Originalität der figuralen Produktion aus. Eine Reihe begabter →Modelleure muß hier am Werk gewesen sein, deren unterschiedliche »Handschrift« auszumachen ist, ohne daß man sie mit bestimmten Namen sicher belegen könnte. Selbst die Arbeiten der aus dem Dunkel der Anonymität hervortretenden Modelleure, der J. G. →Becker, S. →Feilner, E. L. →Heller, die Arbeiten eines Jacob Carlstadt, der beiden →Höckel, des J. J. →Meyer oder Karl Ries (seit 1779 Modellmeister), ja selbst die Spuren, die die →Lücks in H. hinterließen, sogar das Werk eines L. →Russinger oder J. P. →Melchior, sind nicht ohne Schwierigkeit und Diskussion gegeneinander abzugrenzen. – Neben Figuren, die mit ihren weicheren, wärmeren Konturen noch an Fayence denken lassen, neben Meißen-Imitationen, Jahreszeiten und Tugenden, Putten und Kaufrufen, weder originell noch sonderlich geschickt gearbeitet, stehen bereits in den ersten Jahren der Manufaktur zwei Folgen gut modellierter Schauspieler der Commedia dell'arte: die einen auf Rasensockeln, nach Stichen von François Joullain, die anderen, mit ausfahrenden Bewegungen auf steilem Podest balancierend, nach Augsburger Kupfern gebildet. Ebenso eigenständig wirkt das Bauernpaar oder der Bauer am Taubenschlag, derbknochig, stotzig, wohl von Feilner modelliert; verspielt exotisch dagegen, eine Puppenwelt auf hohem Rocaille-Thron, der Türkische Kaiser. Ingeniös wirkt die Verbindung von Gerät und Figur: ausgewogen der Chinesenleuchter, kapriziös der Kußleuchter; großartig ist das Freyspringende Pferd, das Ducret Becker zuschreibt. Laubengruppen, auch kleine Statuetten auf gegittertem Rost gehören wohl »denen 2 sächsischen Modelleurs«, den Lücks (die im Frühsommer 1758 in H. waren), darunter J. F. Lücks geniale Leistung: die Tänzer mit schwarzer Maske, schwebend im Menuettschritt, mit ausgebreiteten Armen, das schwierige Gleichgewicht haltend. – Noch ist Umfang und Art des Russingerschen Werks nicht ausreichend beschrieben; Melchiors Arbeiten dagegen, die Kinder, die jungen Paare auf geschichtetem Fels- und Rasensockel, seine Büsten und Porträts, sind bekannt. Ob aber Gruppen wie Amyntas und Sylvia oder Der Schlummer der Schäferin, diese berühmteste Idylle, seinem Werk zuzuzählen sind oder dem »Chinesenmeister« gehören, bleibt offen. Keine Archivalie nennt einen Namen, der mit diesem Anonymus identisch sein könnte; doch eine Reihe allerschönster Porzellane, wohl zu Beginn der 60er Jahre des 18. Jh. entstanden, deuten in Richtung einer bildnerischen Kraft, die auf Melchior und Russinger kräftig eingewirkt haben muß, ja beide noch überragt. Der Einfluß →Frankreichs, besonders das Beispiel Falconets, ist unübersehbar. Ob dieser anonyme Meister mit einer kühnen Drehung der Leiber einen Erschreckten Knaben, ein Fliehendes Mädchen modelliert oder chinesische Musikanten, die, in sich versunken (Chinese mit Serpent), dem soeben von ihnen erzeugten Ton nachzulauschen scheinen, oder ob er Venus den drängenden Cupido beschwichtigen läßt oder den Chinesenkaiser bildet, einen Herrn von hochmütiger Noblesse – stets sind seinen Schöpfungen Erlesenheit und Präzision eigen.

Um 1840 erwarb die Steingutfabrik Damm bei Aschaffenburg H.er Modelle, unter denen besonders Melchiors Kinderfiguren in Steingut nachgearbeitet und mit dem H.er Rad sowie einem »D« bezeichnet wurden. 1884, nach Schließung der Dammer Fabrik, übernahm F. A. Mehlem in Poppelsdorf bei Bonn die Formen, die 1903 in den Besitz der Porzellanfabrik Dressel, Kister & Co. in →Passau übergingen und dort bis 1942 benutzt wurden. – Auch die 1966 wieder eröffnete *Höchster Porzellanmanufaktur* stellt, ebenfalls nach alten Modellen, gerne Melchior-Plastiken her, die mit dem Rad und »HÖCHST« gemarkt sind.

Marken: Ein Rad, mit sechs oder mehr Speichen, dem kurfürstlichen Wappen entnommen, geritzt, gepreßt, auch verschiedenfarbig ü'glas. (1–3). Etwa seit 1765 blau u'glas., mit oder ohne Kurhut (4). – Daneben Maler-, Modelleur- und Bossiererzeichen (5, 6).
Literatur: Karl Heinz Esser. Höchster Porzellan, Königstein i. Taunus o. J. (1962); Höchster Porzellan aus der Sammlung des Historischen Museums Frankfurt am Main (bearb. von Ludwig Baron Döry), Frankfurt a. M. 1963; Höchster Fayencen und Porzellane (bearb. von K. H. Esser und H. Reber). Altertumsmuseum und Gemäldegalerie der Stadt Mainz, Mainz 1964; Hermann Jedding. Höchster Porzellangeschirr aus Fayence-Formen, Keramos 7/1960; Ernst Kramer. Höchster Porzellangruppen von Johann Peter Melchior, Keramos 56/1972; Sammlung Pauls, Riehen/Schweiz. Porzellan des 18. Jahrhunderts, Bd. II, Frankfurt a. M. 1967; Kurt Röder und Michel Oppenheim. Das Höchster Porzellan auf der Jahrtausend-Ausstellung in Mainz 1925, Mainz 1930; Rudolf Schäfer. Die kurmainzische Porzellanmanufaktur zu Höchst a. M. und ihre Mitarbeiter im wirtschaftlichen und sozialen Umbruch ihrer Zeit (1746–1796). Höchster Geschichtshefte 5/6, Frankfurt a. M. 1964; Ernst Zais. Die kurmainzische Porzellan-Manufaktur zu Höchst, Mainz 1887.

Hoecke, Friedrich, s. Pirkenhammer

Höckel, Jakob Melchior, Arkanist, →Modelleur und Maler; 1759–1767 tätig in →Höchst, 1767–1775 in →Pfalz-Zweibrücken, 1775–1789 wieder in Höchst, 1789–1802 in →Kelsterbach.

Höckel, Nikolaus(?), Bossierer; 1759 bis 1767 tätig in →Höchst, 1767–1775 in →Pfalz-Zweibrücken, anschließend vielleicht wieder in Höchst, später in →Kelsterbach.

Höflich, Gottfried und Johann Jakob, s. Frankenthal

Höroldt, Johann Gregorius, 6. 8. 1696 Jena – 26. 1. 1775 Meißen. Er war Schöpfer des →Meißner farbigen Porzellandekors, kein genialer, doch ein »geschickter, raffinirter und curiöser Mensch«, einer der Kleinmeister der Zeit, mit delikatem Geschmack, mit Sinn für das Verhältnis von Material, Form und Schmuck begabt, ein Mann, der an der richtigen Stelle (und das wurde Meißen für ihn) Bedeutendes zu leisten vermochte. – Ein Jenaer Schneider war der Vater; von H.s Ausbildung wissen wir nichts, nur daß die Jenaer Kämmereirechnungen von 1718 ihn als einen in Straßburg lebenden Maler und ein Jahr später als Tapetenmaler in Wien registrieren, wo er auch vorübergehend in →Du Paquiers eben gegründeter Porzellanfabrik arbeitete. Hier sah er sich wahrscheinlich zum ersten Mal mit den Problemen der Feuermalerei konfrontiert. Hier lernte er auch den Emailleur und Vergolder Ch. C. →Hunger kennen und ließ sich von dem Farblaboranten S. →Stöltzel überreden, mit ihm nach Meißen überzuwechseln, wo man, wie Stöltzel als alter Meißner wußte,

Johan Gregorius Höroldt inven:
Meißen. Den 22. Janu.
ano 1727

Joh. Gregorius Höroldt

einen »wohl ein- und abgerichteten KunstMahler« gebrauchen konnte. Von der Meißner Manufaktur-Kommission unter günstigsten Bedingungen (Stückhonorar, Werkstatt in eigener Regie) im Frühjahr 1720 angestellt, Bedingungen, die ihm in der Organisation der Arbeit nahezu jede Freiheit ließen und von großem finanziellem Vorteil für ihn waren, setzte H. zunächst seine ganze Kraft und Zähigkeit ein, um sich eine leistungsfähige Werkstatt zu schaffen. Mit nüchternem Blick hatte er sofort erkannt, was dem Manufakturbetrieb fehlte: neben dem Künstler, der dem neuen Material den neuen Schmuck schuf, vor allem die vielen Hände, die zur Vervielfältigung der vom Künstler gelieferten Muster und Vorlagen zu gebrauchen waren. Nur so konnte H. an seinem Platz dazu beitragen, den Absatz und die Einnahmen der Manufaktur und damit das Gewicht der eigenen Stellung zu steigern. – Er begann mit zwei Lehrlingen; elf Jahre später, 1731, als die Manufakturleitung darauf bestand, die H.sche Werkstatt in den größeren Betrieb einzugliedern, beschäftigte er über 40 Gesellen und Lehrlinge. Seine Arbeitskräfte kamen selten aus künstlerischen Berufen; er bevorzugte Leute ohne Vorbildung, nahm sogar Handschuhmacher, Beutler, Jäger, Tisch-ler oder Tuchmacher auf, weil sie, seiner Erfahrung nach, willfährigeres Material in seinen Händen waren, sich wehrloser der harten Disziplin unterwarfen und leichter seinen oft unbilligen Forderungen nachkamen. Jeder wurde gedrillt, im »Bunten« und im »Blauen«, alle hatten sich zu spezialisieren und durften sich nur im engsten Zirkel regen. Die Arbeit verlangte Rationalisierung. Nahezu jedes größere Gefäß oder umfangreichere →Service ging durch mehrere Hände. Der eine war zuständig für Blumen- und Blattwerk, andere für Kartuschen, Goldspitzen, wieder andere für Landschaften, Genreszenen und Seeprospekte. Strikte Anonymität war Gesetz; es bedarf heute eindringlichster Stilkritik, um einzelne Handschriften zu scheiden. Originalität weckte H.s Mißtrauen. Offenbar fürchtete er die Konkurrenz. »Ampizgonen« waren ihm verdächtig; die teilnehmende Freude an der Leistung der Schüler und Mitarbeiter kannte er nicht. Ein Mangel an Großmut, eine peinliche Mesquinerie hafteten ihm an, die, wenn nicht ihm persönlich, so doch der Manufaktur schadeten. Starke, eigenständige Begabungen wie A. F. →Löwenfinck, K. J. →Klipfel oder der Bataillenmaler →Borrmann, Talente, von denen frische Anstöße hätten ausgehen können, entzogen sich ihm und der Manufaktur. – H.s Werkstatt hat Ausgezeichnetes geleistet, sein Dekorationsstil wirkte weithin, doch langsam schlich sich Routine ein. Schon in den 30er Jahren des 18. Jh. spricht →Kaendler von der »alten Leier«; kein neuer Impuls erfolgte mehr von innen, und um die Jahrhundertmitte war klar, daß die Führung nun an jüngere Unternehmen, an →Sèvres, wenig später an →Berlin oder →Wien übergegangen war.

Schon die ersten Proben, einige in Rot und Blau bemalte Schälchen, Becher und →Koppchen, die H. 1720 bei seinem Eintritt in Meißen vorgelegt hatte, erregten durch die Klarheit der Pinselführung und durch die »Glätte«, d. h. das vorzügliche Einschmelzen der Farbe in die →Glasur, die Bewunderung der Kommission. H. wußte, daß man von ihm kein künstlerisches Programm erwartete, sondern die Bereicherung der noch immer mageren Meißner Palette und die technische Verbesserung des Farbauftrags. Zunächst aber war er noch auf Stöltzel und →Köhler, die Farblaboranten der Manufaktur, angewiesen. Er selbst verstand wenig oder, wie Stöltzel – der sich immer mehr übergangen fühlte – grollend feststellte, »null und nichts« von der Zubereitung und Behandlung der schwierigen →Schmelzfarben. Trotzdem ist H. der große Farbtechniker des 18. Jh. geworden. Hellwach, wendig, überall lernend und aufnehmend, nicht wählerisch in den Mitteln (noch spät mußte er den Vorwurf hinnehmen, in der Sterbenacht Köhlers im Mai 1723 illegalerweise sich dessen geheimste Rezepte angeeignet zu haben), doch auch in zahllosen eigenen Experimenten, in Mühen, die, wie er selbst schreibt, ihn »Tag und Nacht« nicht losließen, gelangen ihm nach und nach die »neuen Inventionen«: neben erlesenen Fonds die berühmten 16 »Meißner Farben«, eine für die Porzellanmalerei praktisch unbegrenzte Farbskala von reichster toniger Differenzierung und

leuchtendem emailartigem Glanz. Am Weihnachtsabend 1731 schloß H. dann die »Wahre und richtige Beschreibung der emaillier oder Schmelz-Farben, wie ich solche mit Gottes Hilfe erfunden«, ab; ein schmaler Band, in Pergament gebunden und mit Goldschnitt versehen, in dem er »nach seinem besten Verstande« die Resultate jahrelangen Experimentierens darlegte.

Aber weder er selbst noch die »monathlichen Cassen-Extracta«, die peinlich genau seine Abrechnungen mit der Manufaktur verzeichnen, geben Auskunft über Beginn und Fortgang seiner künstlerischen Arbeit oder über die Entwicklung des malerischen Dekors. Wir sehen nur die Resultate: immer wieder, vom König befohlen und vom Publikum ersehnt, die Imitation, und zwar, wie O. Walcha eindringlich darstellt, eine möglichst getreue Imitation ostasiatischer Vorbilder, besonders des →Kakiemon-Porzellans. Auf sie folgt dann die vielfältige und oft geistreiche Abwandlung chinesischer und japanischer Motive: darunter die →Indianischen Blumen, ins Flächenhaft-Ornamentale umgezeichnete Astern und Päonien, Chrysanthemen, Pfirsich- oder Pflaumenblüten, Granatäpfel, Lilien und Lotos. Auf Geschirren der königlichen Tafel erscheinen schließlich der rote Drachen, der gelbe und grüne Löwe, der fliegende Hund, das Eichhörnchen, das Tischchenmuster, die wirbelnden Phönixe, Bambus und Rebhühner zwischen löcherigem Felsgestein.

H.s eigenster Beitrag zum Repertoire des Meißner Gefäßschmucks sind →Chinoiserien, die »Lachenden Chinesen«, die er

Chinoiserie,
1. Hälfte 18. Jh.

wahrscheinlich als persönliche Gedächtnisstütze sowie als Anschauungsmaterial für Gesellen und Lehrlinge in sechs signierten Radierungen und in einem Skizzenbuch, mit rascher Feder zwischen 1725 und 1727 hingeschrieben, festgehalten hat (heute aufbewahrt in Leipzig, im sogenannten Schultz-Codex). An sich waren Chinoiserien gängige Muster, zur Dekoration zahlloser Dosen, Fächer, Tapeten und Möbel genutzt. Doch H. variiert dieses Modedessin des frühen 18. Jh. in sehr persönlicher Weise. Auf den glatten Gefäßwänden, oft in →Reserven und Kartuschen, von Goldspitzen umrahmt, entwickelt er eine Märchenszerie: locker, ungezwungen, amüsant, voller Abwechslung und Leben. Er fabuliert von einem arkadischen Dasein, bevölkert seine Bühne mit pittoresken Figurinen, die sich im munteren Behagen zwischen den Versatzstücken einer phantastischen Bühne tummeln. – Obwohl der Hof immer wieder auf Kopien »indianischer Stücke« drängte, waren H. schon im September 1720 von der Manufakturleitung 147 Kupferstiche holländischer, flämischer und französischer Radierer zugegangen. Um die Mitte der 20er Jahre wurde allgemein deutlich, daß sich der

Publikumsgeschmack wandelte und auch abendländische Themen als Porzellandekor erwünscht waren. Hafen- und Seeprospekte, Bataillen, Tierhatzen, Kauffahrteiszenen und mit dem fortschreitenden Jahrhundert galante Szenen à la Watteau oder Lancret lösen die Chinoiserien ab, während die Indianischen Blumen den →Deutschen Blumen weichen. H. und seine Werkstatt sind beweglich genug, um dem Wechsel des Geschmacks zu folgen. Neue Anregungen werden aufgenommen, jedes Thema ins Heiter-Gefällige, Graziös-Verspielte umgebildet. Ein Stil entwickelt sich, der Dekorationsstil des europäischen →Porzellans, aus vielerlei Ingredienzen destilliert, dennoch einmalig und unverwechselbar.

Dem beruflichem Erfolg, den er Intelligenz, Fleiß und Anpassungsfähigkeit verdankte, entsprach H.s sozialer Aufstieg. 1724 ist er (nach O. Walcha) Königlicher Hofrat; 1725 heiratet er die Tochter des Meißner Gastwirts und »Ratsverwandten« Johann Gottfried Keil. 1731 wandelt sich sein freies Arbeitsverhältnis in eine feste Anstellung; er wird Arkanist und Hofkommissar, ihm ist auch das Weiße Corps unterstellt. 1749 wird er zum Bergrat ernannt. 1756 entweicht er im eigenen

217

ab 1828 *geprägt*	*C. M. Hutschenreuther* *1900* *gestempelt*	*Sondermarke, gestempelt*	Theodor Holm af Holmskjold

Wagen beim Ausbruch des Siebenjährigen Kriegs nach Frankfurt a. M., wo er bei Weiterzahlung des vollen Gehalts bis zum Friedensschluß bleibt. 1763 ist er wieder in Meißen, läßt sich 1765 pensionieren und zieht sich auf sein Gut auf dem Plossen zurück. – H. hat sich selbst, ebenso wie seine Werkstatt, dem Gebot strikter Anonymität unterworfen. Nur drei von ihm signierte Arbeiten sind bekannt: eine gelbe Fondvase (im Krieg verloren), eine blaue Fondvase und eine Dose (Staatliche Slg., Dresden). Außerdem sind ein Walzenkrug, eine Bechertasse und zwei Tischkrüge überliefert; Geschenke, die er mit Widmungen versehen hat und von denen man annehmen darf, daß sie auch von ihm persönlich dekoriert wurden (MT). Nach 1731 hat er vermutlich kein Porzellan mehr bemalt.

Literatur: Das Meißener Musterbuch für Höroldt-Chinoiserien. Musterblätter aus der Malstube der Meißener Porzellanmanufaktur (Schulz-Codex), München 1978; Siegfried Ducret. Die Chinoiserievorbilder Joh. Gregor Höroldts, Pro Arte, Nr. 35, Genf 1945; Otto von Falke. Meißener Malereien von Höroldt und Herold, Pantheon, Bd. 15, München 1935; Adalbert Klein. Der Stil von Johann Gregor Höroldt, Keramos 50/1970; Arno Schönberger. Meißner Porzellan mit Höroldt-Malerei, Darmstadt 1953.

Hoffmann, Josef, s. Wien, *Wiener Porzellan-Manufaktur Augarten*

Hohenberg (Oberpfalz, BRD), Porzellanfabrik C. M. Hutschenreuther AG 1814 bis heute; gegr. von Carl Magnus Hutschenreuther, bis dahin Porzellanmaler in dem thüringischen →Wallendorf; 1845 von der Witwe und den Söhnen übernommen. 1857 scheidet Lorenz Hutschenreuther aus und eröffnet eine eigene Firma in →Selb. – 1909 Kauf der Porzellanfabriken M. Zdekauer, →Altrohlau (gegr. 1838), 1918 von →Arzberg (gegr. 1839) und C. Tielsch & Co., Altwasser (gegr. 1845); bis 1945 Besitz einer Handmalerei in Dresden. Diese wurde 1945 ebenso von H. abgetrennt wie die böhmischen und schlesischen Firmen von Altrohlau und Altwasser; sie existieren aber, teilweise umgesiedelt, im Verband der deutschen Firma weiter. 1961 Zusammenschluß der Hutschenreuther-Unternehmen von H. und Selb. – Die Produktion ist weit gefächert: Kaffee-, Tee-, Mokkaservice, Tafelgeschirr, Hotel- und Gebrauchsporzellan, Schalen und Vasen. Von der Gründung an ist man stets um gute Qualität bemüht. Seit Ende der 20er Jahre des 20. Jh. werden – gerade auch auf dem Gebiet der Serienproduktion – moderne Formen aufgenommen nach Entwürfen von Hermann Gretsch (Arzberg 1350, 1382, 1495, 1840) und Heinz Löffelhardt (Arzberg 1542, 2000). In H.

selbst sind als Mitarbeiter tätig: Franz Kinast (Carolus Magnus), Rudolf Lunghard (Favorit) und Chr. Modrack (Hutschenreuther Oval).

Marken: Ab 1828 Bienenkorb; »HR« (1); ab 1900 Firmenname und Ort in verschiedenen Anordnungen (2, 3); Werk Arzberg mit dem Zusatz »Arzberg«. Sämtl. gestempelt oder geprägt, verschiedenfarbig u'glas. oder ü'glas.

Hollins & Warburton-Werke, s. Shelton

Hollring, Johann Leonhard Gottlieb, s. Ansbach, *Porzellanmanufaktur 1758 bis 1860*

Holm, Jesper Johansen, 1748 Kopenhagen – 7. 1. 1828 ebd., Bildhauer, Medailleur und Modelleur. 1765 Schüler, 1787 Mitglied der Kopenhagener Kunstakademie, 1789 zum Hofmedailleur ernannt. 1780–1816 →Modelleur an der *Kgl. Porzellanmanufaktur* →Kopenhagen, ab 1796 deren Modellmeister.

Holm af Holmskjold, Theodor, s. Kopenhagen, *Kgl. Porzellanmanufaktur* (MT)

Holtzmann, Georg Heinrich, s. Fürstenberg

Holzapfel, Carl Gottfried, s. Volkstedt

Holzschnittblume, s. Deutsche Blumen

Homberg, Wilhelm, s. Tschirnhaus, E. W. v.

Honoré, Edouard, François Maurice und Théodore, s. Paris, *Petite rue Saint-Gilles*

1, 2 Hüttensteinach
gestempelt

Hoppe, Johann Andreas, um 1692 Meißen – 1731 ebd., seit 1710 →Böttgers Gehilfe; 1719 Brenner in →Meißen; 1723 Arkanist, entwickelt eine für die Unterglasurmalerei geeignete Masse. – Ein Arkanabuch, von ihm 1731 unter Zwang mühsam niedergeschrieben, bewahrt das Meißner Werkarchiv.

Hopstock, Christoph Ernst, s. Fürstenberg

Hosennestel, Sabina, s. Aufenwerth, Sabina

Housel, s. Paris, *rue Thiroux*

Hoyer, Bonaventura Gottlieb, s. Meißen, *Staatl. Porzellanmanufaktur*

Hubatsch, Hermann, s. Berlin, *Kgl. Porzellanmanufaktur*

Huber, Johann Adam, s. Nymphenburg

Hüttensteinach / Köppelsdorf-Nord (→Thüringen, DDR), Porzellanfabrik Gebr. Schönau, Swaine & Co. 1864 bis heute (?). Produziert Gebrauchs-, Luxusgeschirr und technisches →Porzellan. 1901 Verbindung zu Theo Schmuz-Baudiss (Ginster-Frühstücksservice).

Marken: Firmen- und Ortsname in unterschiedlicher Anordnung, gestempelt (MT).

Hütter, Elias, 1775 Wien – nach 1863 ebd., Bossierer und →Modelleur. 1789 Eintritt in die Porzellanmanufaktur →Wien als Schüler von A. →Grassi; 1807 dessen Nachfolger: Modellmeister bis zu seiner Pensionierung 1857. Zu seinen hervorragenden Leistungen zählt neben Biskuitbüsten »nach der Natur« ein Speiseservice »im gothischen Geschmack« für den Wiener Hof.

Hüttner, Johannes, s. Chodau und Elbogen

Huilier, auch Surtout oder Menage, ein Ständer mit Kännchen für Essig und Öl, häufig auch als Doppelflasche ausgebildet.

Hulst (Hults), s. Vincennes, *Porzellanmanufaktur 1718–1864*

Humboldt, Alexander v., s. Ansbach, *Porzellanmanufaktur 1758–1860*

Hunger, Christoph Conrad, aus Weißensee (Thüringen); Emailleur und Vergolder, seit seiner Bekanntschaft mit J. F. →Böttger angeblich im Besitz des Porzellanarkanums; dadurch einer der vagierenden Arkanisten der Zeit, wobei unklar bleibt, wie weit er sich selbst und wie weit er andere betrog. – Er war auf Wanderschaft über →Frankreich nach Dresden gekommen und hatte 1715 Zugang zu Böttger gefunden; ließ sich aber trotzdem 1717 nach →Wien, zur Unterstützung →Du Paquiers, abwerben. 1720 entwich er auch diesem und siedelte nach →Venedig zu den Brüdern Vezzi über, die eben-

Hünger. F.

Christoph Conrad Hunger

falls die Gründung einer Porzellanmanufaktur planten. 1724 taucht er dann wieder in Dresden auf, ist 1727–1729 »Emaillierer in Gold« an der Manufaktur (MT), verfeindet sich mit deren Leitung, zieht weiter nach Schweden, arbeitet ein Jahr in der Fayencefabrik →Rörstrand, wird hier 1733, 1741 und 1743 mit signierten und datierten Arbeiten erwähnt, versucht sich aber zugleich 1730 und 1737 erfolglos in →Kopenhagen als Arkanist und bewirbt sich ebenso vergeblich 1741 in →Berlin und 1742 in Wien um Anstellung. – 1744 taucht er schließlich in →Sankt Petersburg auf, wo Katharina II. mit der Einrichtung einer Porzellanmanufaktur beschäftigt ist, wird aber nach vier Jahren entlassen, da seine Experimente zu keinem positiven Ergebnis führen. – So dubios die arkanistischen Fähigkeiten H.s waren, so hübsch war sein Einfall, die Technik des erhabenen Transluzid-Emails, die er wohl durch Dinglinger, den berühmten Juwelier Augusts des Starken, kennengelernt hatte, zur Dekoration frühen →Meißner und Wiener Porzellans zu nutzen. Er verband transparente Emails in Grün, Rot, Blau und Braun mit einer aufgeschmolzenen Goldauflage auf vorgeätztem Grund. Nobelstes Beispiel dieser Technik ist der »Kaiserbecher«, entstanden um 1720 (Metropolitan Museum of Art, New York). Eine mit »Hunger. F.« bezeichnete →Kumme (Österreichisches Museum für angewandte Kunst, Wien) erlaubt, H. weitere Tassen und Teller in verschiedenen Sammlungen zuzuweisen, die die gleichen blühenden Bäumchen und die gleichen bunten, hüpfenden Figürchen zeigen wie die Wiener Schale.

Hutschenreuther, Carl Magnus, s. Hohenberg

Hutschenreuther, Friedrich Christian, s. Wallendorf

Hutschenreuther, Lorenz, s. Hohenberg und Selb

Hutter, Albrecht, s. Ansbach, *Porzellanmanufaktur 1758–1860*

I-hsing-Ware, Geschirr und Gerät für die zenbuddhistische Teezeremonie, seit etwa 1600 in I-hsing, einem chinesischen Töpfereizentrum südlich des Jangtsekiang, hergestellt. Die I.-h.-W., ein Steinzeug aus Bolus und Lehm, war Vorbild des europäischen →Roten Steinzeugs: unglasiert, mit stumpfer, von feinsten warzenartigen Körnchen bedeckter Oberfläche, meist vorzüglich gearbeitet, die Kannen kugelig, die →Koppchen sechs- oder achteckig. Neben den schlichten Formen kommen auch groteske Bildungen wie Teekannen als Hahn, Pfirsich oder Baumstumpf vor (→China).

Ilmenau (→Thüringen, DDR) Porzellanmanufaktur 1777 bis heute; finanziell gestützt durch Karl August von Weimar, im Jahre 1777 von Christian Zacharias Gräbner gegründet; 1782 unter herzogliche Administration gestellt; 1784–1786, da der schwer verschuldete Gräbner sich der Betriebsleitung durch eine fluchtartige Reise nach Rußland entzogen hatte, F. J. →Weber als Direktor eingesetzt; endlich 1786 in öffentlicher Versteigerung gegen 6000 Tl vom Staat erworben. 1786–1792 wurde die Manufaktur an Gotthelf →Greiner, anschließend an Ch. →Nonne verpachtet, der sie gegen 1808 kaufte, doch weiter, wie bisher, von Ernst Karl Rösch, seinem Schwiegersohn und Erben, verwalten ließ. – Beide Pächter, eminent tüchtige Geschäftsleute, schränkten die Produktion auf »gängiges Kaufmannsguth« ein, rationalisierten den Betrieb und erreichten rasch dessen Rentabilität. Allerdings schrumpfte diese wieder, als Rösch nach Nonnes Tod (1813) die Firma allein führte. Darum ging sie wohl gegen 1836 in die Hände eines Gothaer Kaufmanns über, um sich 1871 als Aktiengesellschaft zu konstituieren; nun ein moderner Industriebetrieb mit Hunderten von Arbeitern, der seit 1945 als »VEB Henneberg-Porzellan Ilmenau« firmiert. – Die Masse, später weiß und rein, die →Glasur, glatt und schimmernd, waren, bis Weber sie 1785 verbesserte, ungewöhnlich fehlerhaft. Dennoch muß die Produktion, wie Warenverzeichnisse und Preiskurant zeigen, ehe sie Greiner und Nonne nahezu ganz auf Kaffee- und Teegeschirr reduzierten, rege und vielgestaltig gewesen sein: neben →Galanterien und Luxusgeschirr eine bunte Auswahl an Figuren und Gruppen von der Götterstatuette bis zum Mops oder Pavian, wohl von Johann Lorenz Rienck aus Eisfeld modelliert, der

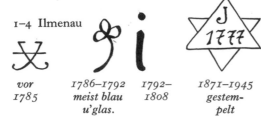

1-4 Ilmenau

| vor 1785 | 1786–1792 meist blau u'glas. | 1792–1808 | 1871–1945 gestempelt |

1781–1800 in I. war. Vielleicht arbeitete er wie Johann Christian Senfft auch an den Medaillons und Plaketten »im antikischen Geschmack« mit: Biskuitreliefs auf hellblauem Grund, mit dem Perlstab gefaßt, die Nonne um 1800 in die Produktion aufnahm. – Heute stellt die Firma Haushalts- und Hotelporzellan her.

Marken: Vor 1785 gelegentlich zwei spiegelbildlich gekreuzte »I« = Ilmenau (1); 1789 bis 1792 das Greinersche Kleeblatt (2); 1792 bis 1808 »i« = Ilmenau (3); nach 1808 auch »N&R« = Nonne & Rösch, sämtl. blau u'glas.; 1871–1945 u. a. »I 1777« im Stern, gestempelt (4); bis heute die Rebusmarke: Henne mit Berg.

Porzellanfabrik Galluba & Hofman, gegr. 1891. Produzierte Kleinplastik und Gebrauchsgeschirr.*

Porzellanfabrik Gebr. Metzler & Ortloff, gegr. 1875. Produzierte überwiegend Tafelporzellan.*

»Imari-Porzellan«, benannt nach dem Hafen Imari auf der südjapanischen Insel Kyushu, produziert in dem nahen →Arita. Im Gegensatz zu dem noblen →Kakiemon-Porzellan handelt es sich eher um Massenartikel, die vor allem für den Export nach Europa auf »Effekt« hin gearbeitet und hier auch vielerorts (→Meißen, →Worcester) kopiert wurden. Die Gefäßwandung ist in Unterglasurblau, ergänzt durch Gold und →Eisenrot, bemalt, bei den besseren Stücken in den Emailfarben Blau, Schwarz, Seegrün, Aubergine und Gelb, oft dicht mit Gitterornamenten oder Blütendekor überzogen. Daneben kommen ebenfalls Textilmuster vor, wie bei der »Brokatware«, die besonders üppig mit Gold gehöht ist.

Indianische Blumen, im Gegensatz zu den →Deutschen Blumen, die aber erst später Eingang in die Porzellanmalerei fanden, die fernöstlichen Chrysanthemen, die flatternden Prunuszweige, die Granatäpfel und Pfirsiche, die Päonien, der Bambus und die Orchideen, wie sie, in wenigen leuchtenden Farben flächenhaft-ornamental aufgefaßt, der chinesische und japanische Porzellandekor des 17. Jh. verwandte und →Höroldt nach 1720 in →Meißen übernahm. Ohne den Symbolgehalt dieser Blumensprache zu kennen, kopierte und variierte er die fremden, dem →Porzellan so adäquaten Muster. Er selbst wurde wieder von vielen Manufakturen kopiert, häufig aber auch auf produktive Weise »interpretiert«, so daß aus den immer gleichen Motiven überraschend neue Schmuckformen entstanden.

Irminger, Johann Jacob, kurfürstlichköniglicher Hofgoldschmied, 1682 zum ersten Mal in Dresden erwähnt, 1699 zum Zunftältesten ernannt, 1712 bis zu seinem Tode (1726?) Modellmeister in →Meißen. – Am 29.10.1711 war er zu einem ersten Besuch auf der Albrechtsburg gewesen, im November erkundigt sich →Böttger bereits ungeduldig nach den Modellen zu den »Stäbeknöpfen«, im

*Indianische Blumen,
1. Hälfte 18. Jh.*

Juni 1712 wird ihm mit einer Instruktion die Sorge um die künstlerische Gestaltung des →Böttgersteinzeugs übertragen, im Herbst ist er mit 20 Tl Monatsgehalt fest angestellt. Dreher und Former, um deren Qualifikation er sich ständig müht, haben sich ebenso wie die Spezialkräfte, Lackierer, Emailleure, Gold- und Filigranarbeiter seinen Anweisungen zu fügen. Er behält seinen Wohnsitz in Dresden, ist aber oft wochen- und monatelang in Meißen. Unter seiner Führung festigt und vergrößert sich die Produktion; mehr und mehr gewinnt sie gleichbleibende Qualität.

Isabey, Jean-Baptiste, s. Sèvres

Italien. Ein Venezianer, Marco →Polo, war der erste Europäer, der in →China Porzellanarbeiter am Werke sah. Er war es auch, der diesem keramischen Produkt den Namen der Porcella, einer perlmutterschaligen Seeschnecke, gab, als er, 1295 nach Venedig zurückgekehrt, seinen Landsleuten die zarte Schönheit des chinesischen →Porzellans, des »Yao«, zu beschreiben suchte. In der Schatzkammer von San Marco steht auch die kleine, vierhenkelige Vase aus weißgelblichem Ying-ch'ing-Yao, die, gemäß der Überlieferung, Marco Polo hier deponierte und die damit der erste nach Europa importierte Porzellangegenstand wäre. Nach I. gingen auch zuerst umfangreiche Sendungen der Potentaten des Vorderen Orients wie die 20 chinesischen Porzellangefäße, die 1461 der ägyptische Sultan an den Dogen von Venedig und ähnlich 1487 an Lorenzo de'Medici nach →Florenz schickte. Diese Ming-Porzellane, weiß, mit strahlenden Blaumustern dekoriert, mußten den venezianischen Glasmachern und den Töpfern des mittleren I.s wie die Kombination und Steigerung der Eigenschaften ihrer Gläser oder Majoliken erscheinen. Sie mußten sich aufgereizt fühlen, das Herstellungsgeheimnis zu entdecken und, nacherfindend, nachbildend, den Ming-Porzellanen verwandte Gefäße zu formen. Aber diese Glasmacher und Töpfer, als Meister ihres Faches geradezu prädestiniert, das Porzellanrätsel zu entschlüsseln, bewegten sich anscheinend, durch Erfahrung und Erfolg innerhalb ihres Metiers festgelegt, in falscher Richtung. Zudem fehlte ihnen das →Kaolin, das, wie sich auch später zeigte, in I. schwer aufzuspüren war. Abgesehen von dem Alchimisten Maestro Antonio, der angeblich (A. Lane) in der Pfarrei San Simeone 1470 eine Schale und eine Vase, »so fein wie das Porzellan der Barbaren«, produziert haben soll, gelang den venezianischen Arkanisten, wie 1504 und 1519 Käufe der Herzöge von →Ferrara bezeugen, nur ein Scherben, der, als »porcellana contrefatta« oder »porcellana ficta«, als Porzellan-Nachahmung bezeichnet wurde. Es handelte sich wohl lediglich um ein blau dekoriertes, opakes Milchglas, um ein »vetro di latte«, vielleicht identisch mit Gefäßen, wie sie sich im Museo Civico zu Turin und im Londoner British Museum finden. Experimente, 1561/62 in Ferrara unternommen, führten nur zu einer besonders sorgfältig gearbeiteten Majolika; dagegen ist das Medici-Porzellan, 1574 bis 1587 in Florenz produziert, zwar eine Fritte, trotzdem aber in Europa zum erstenmal ein keramisches Produkt, das dem chinesischen Porzellan ähnelte. →Weichporzellan sind ebenfalls die →Kummen aus →Padua, und Weichporzellan war wohl das Gefäß des Kanonikus →Settala in Mailand. – Die Brüder Vezzi in →Venedig stellten dagegen 1720–1727 das erste italienische →Hartporzellan her, und zwar auf Grund der →Meißner →Arkana, die ihnen widerrechtlich Ch. C. →Hunger ausgeliefert hatte. Er sorgte auch für die Zufuhr sächsischen Kaolins aus →Aue. Als Sachsen aber die Ausfuhr sperrte, waren die Brüder gezwungen, die Porzellanfabrikation einzustellen. Erst unter Graf Ginori, der die Suche nach geeigneten heimischen Erden energisch vorantrieb, wurden auch in I., vor allem in Tretto bei Vicenza, Kaolinlager entdeckt, deren Ausbeute zwar nicht den ersehnten weißen Scherben, doch immerhin ein brauchbares, etwas derbes und graustichiges Hartporzellan ergab. 1735 eröffnete Ginori in →Doccia, unweit von Florenz, seine Manufaktur. 1758 setzte das Ehepaar Hewelcke in Venedig einen Porzellanbetrieb in Gang, ihnen folgte hier 1764 Cozzi. Zwei Jahre zuvor hatte bereits Antonibon in →Le Nove mit der Produktion begonnen; kleinere Firmen entstanden in →Este, →Treviso und →Rom, ebenso in →Turin, →Vinovo und →Vische. Im Gegensatz zu diesen privaten Gründungen, die alle Hartporzellan herstellten, entwickelten die Manufakturen von →Capodimonte und →Neapel ein Weichporzellan mit hellem Scherben und glatter →Glasur. – Weder technisch noch stilistisch erreichten die italienischen Fabriken die Vollkommenheit und Originalität der großen deutschen oder französischen Manufakturen. Vorbild waren zunächst China, Meißen, auch →Wien, in der Folge dann →Sèvres. Die bewährten Muster und Formen werden wiederholt, gewinnen in den größeren Betrieben, wie Doccia, Le Nove oder bei Cozzi, ein eigenes Gepräge, gewinnen in Capodimonte einen leicht exzentrischen Charme und erreichen hier mit den plastischen Arbeiten Giuseppe Griccis auch »europäisches Format«.

Literatur: Arthur Lane. Italian Porcelain, London 1954; Giuseppe Morazoni. Le porcellane italiane, Mailand/Rom 1935.

Iwanow, Paul, s. Sankt Petersburg, *Kaiserl. Porzellanmanufaktur*

△ *106 Helmtasse. Paris, um 1800*   ▽ *107 Ein Paar Tassen. Paris, gegen 1800*

108 Helmkanne mit Schale.
Sèvres, 1808.
Modell von Charles Percier,
Bemalung von Jean Georget

110 Teekanne. Berlin, um 1815 ▷

111 Anbietplatte. Berlin um 1800 ▷▽

109 Ober- und Untertasse.
Wien, um 1798.
Malerei von A. Kothgasser

112 Tassen mit Untertassen.
Berlin, um 1800

113 Kühlgefäß. Gotha, um 1800

114 Déjeuner mit
Ansichten aus dem
Englischen Garten
in München.
Nymphenburg,
um *1810*.
Malerei von
P. Boehngen

115 Teller mit
Komödiantenszenen.
Sèvres, *1810*

116 Teller aus dem sächsischen Wellington-Service. Meißen, um 1818. Bemalung von G. F. Kersting

117 Ober- und Untertasse. Wien, um 1802

118 Teekanne. Derby, gegen 1790

Jacob, Benjamin, s. Fontainebleau

Jacobsen, Carl, s. Kopenhagen, *Bing & Grøndahl's Porcelaensfabrik*

Jacquemin, E., s. Fontainebleau

Jacques, Symphorien, gest. 1799; Porzellanmodelleur und Fabrikant, seit 1759 in →Paris; leitete außerdem gemeinsam mit J. →Jullien, die Porzellanmanufakturen in →Sceaux, →Mennecy und →Bourg-la-Reine.

Jäger, Wilhelm, Porzellanfabrik, s. Eisenberg

Jaeger & Co., s. Marktredwitz*

Japanisches Service, s. Berlin, *Kgl. Porzellanmanufaktur*

Jaqotot, Madame, s. Sèvres

Jardinière, ein Blumenkorb zur Aufnahme von Schnitt- oder Topfpflanzen, meist länglich geformt; der Rand ist oft durchbrochen gearbeitet.

Jarl, Karin, s. Wien, *Wiener Porzellan-Manufaktur Augarten*

Jaspisporzellan, s. Böttgersteinzeug

◁ *119 Prunkvase. Nymphenburg, 1821. Ansicht der Reise König Ludwigs I. mit seinem Begleiter Dr. Johann Ringseis von Syrakus nach Catania, nach dem Entwurf von Georg von Dillis*

Joh. Christoph Jucht

B·K·

Johann Christoph Jucht (signature)

Jaune clair, auch Jaune jonquille, ein lichtes Gelb, der Fondfarbe ähnlich, die →Höroldt bereits um 1725 in →Meißen fand; in →Vincennes um 1753 durch J. →Hellot entwickelt.

Jensen, Lauritz, s. Kopenhagen, *Bing & Grøndahl's Porcelaensfabrik*

Jesuitenporzellan, s. Mandarinenporzellan

Johann Friedrich, Fürst zu Schwarzburg-Rudolstadt, s. Volkstedt

Jolly, René François, s. Ottweiler

Josse, s. Paris, *rue du Faubourg-Saint-Denis*

Joubert, Jean, s. Limoges, *Porzellanmanufaktur 1795–1898*

Joullain, François, s. Höchst, *Porzellanmanufaktur 1746–1796*

Jucht, Johann Christoph, um 1736–1746 an der Fayencefabrik →Bayreuth; 1751 bis 1763 im Hofkalender als »Hofcabinetmahler« aufgeführt. Zugleich arbeitete er als Farbenlaborant und Porzellan-Hausmaler im Umkreis von J. F. →Metzsch, dessen Manier er, wie einige signierte Stücke zeigen (MT), in Farbtechnik, Komposition und Themenwahl übernahm.

Jüchtz(g)er, Christian Gottfried, 12.6. 1752 Meißen – 7.3.1812 ebd., Porzellanmodelleur; 1769 Eintritt als Lehrling in →Meißen; zunächst des alternden →Kaendler »getreuer Scholar«, nach dessen Tod aber auch williger und tüchtiger Mitarbeiter →Aciers; 1781 (nach O. Walcha) bereits Modellmeister, wenig später Obergestaltungsvorsteher. – Überzeugter Klassizist, schuf er, vor allem in →Biskuit – angeregt und bestätigt durch Studien in den Dresdner Antikensammlungen, der Originale sowohl wie der Mengschen Abgüsse –, Gruppen und Figuren, die, wenn nicht Kopie, so doch dem klassischen Vorbild nachempfunden waren. Genannt seien Apollo und Daphne, Unterricht in der Liebe, Die drei Grazien oder Die Knöchelspielerin.

Jullien, Joseph, um 1725 – 16.3.1774 Bourg-la-Reine; zunächst Porzellanmaler, seit 1754 an der Manufaktur in →Sceaux; 1763–1772 gemeinsam mit S. →Jacques Pächter dieser Firma; 1766 Kauf der Porzellanmanufaktur →Mennecy; 1772 Übersiedlung nach →Bourg-la-Reine.

Jullienne, s. Paris, *rue Thiroux*

Junge, Johann Ludwig Balthasar, s. Fürstenberg

Jungesblut, Anton Wilhelm, s. Fürstenberg

Just, Jakob, s. Rabensgrün

Juwelenporzellan. Schon →Böttger hatte durch den Besatz mit Türkisen und Granaten das →Rote Steinzeug »veredelt«; Ch. C. →Hunger erzielte mit seinen transluziden Emails ähnliche Wirkungen, ebenso C.F. →Herold in →Meißen. Trotzdem ist der Terminus den →Sèvres-Porzellanen vorbehalten, die um 1780 (wahrscheinlich durch →Cotteau) mit Tropfen transparenter Emailfarben über Gold- und Silberfolie Perlen und Juwelen vortäuschen. Um 1850 nahm →Worcester die Technik zur Dekoration des »Countess of Dudley-Services« noch einmal auf.

Kämpfe, Friedrich, s. Wallendorf

Kaendler, Johann Friedrich, s. Ansbach, *Porzellanmanufaktur 1758–1860*

Kaendler, Johann Joachim, 15. 6. 1706 Fischbach bei Dresden – 18. 5. 1775 Meißen; Bildhauer aus dem Umkreis Permosers, der vom Barock eines Bernini herkam; →Modelleur in →Meißen, hier zum ersten Porzellanplastiker Europas geworden. Er schuf dem →Porzellan, diesem noch unerprobten Werkstoff, die adäquate Form und unterwarf Gefäß und Figur – die bis dahin dem ostasiatischen Beispiel und Vorbildern süddeutscher oder französischer Silberschmiedekunst gefolgt waren – dem Kanon barocker Formensprache, die allmählich die Schmiegsamkeit anmutigsten Rokokos gewann. Seine Schöpfungen, allerorts imitiert und variiert, wirkten jahrzehntelang beispielgebend auf die Produktion vieler Manufakturen ein. Er kam aus einer Familie vogtländischer

F. J. Kaendler.

Joh. Joachim Kaendler

Steinmetzen. Der Vater, ein Pfarrer, vermittelte ihm das Bildungsgut der Zeit; d. h., vom späteren Werk her gesehen, vor allem die genaue Kenntnis antiker Mythologie und die Vertrautheit mit der vielfigurigen »Bildersprache«, den mühelosen Umgang mit Allegorie, Symbol oder den Emblemata, in denen sich die Epoche auszudrücken liebte. Trotz seines geistlichen Standes erkannte der Vater »frühzeitig die Funken eines lebhaften Genies und den Hang zu den schönen Künsten« im Sohn, weshalb er ihn 1723 zu Benjamin Thomä, einem tüchtigen Dresdner Bildhauer, in die Lehre gab. 1730 wurde der junge K., dessen Arbeiten durch »Kraft und Eleganz« auffielen, zum Hofbildhauer ernannt; ein Jahr später dirigierte ihn August der Starke, wieder einmal seine Witterung für eigenständige Begabungen beweisend, an die Manufaktur nach Meißen. K., hier »Modellirer« neben →Kirchner, war gehalten, entwerfend und modellierend den Plänen, Wünschen und Phantasien des Königs zu folgen, der die reiche Sammlung ostasiatischer Porzellane durch Erzeugnisse der eigenen Manufaktur komplettieren und das Japanische Palais in ein veritables Porzellanschloß, in ein einmaliges »Porcellain-Cabinett« umschaffen wollte. In Haltung und Geschmack ein Mann überschwenglichsten Barocks, forderte er auch von seinen Meißner Modelleuren die große barocke Form, obwohl die Herstellung überdimensionierter Porzellane immer noch Schwierigkeiten bereitete. 1733 rückte K. als Nachfolger Kirchners zum Modellmeister auf; 1740 wurden ihm – nach harten Auseinandersetzungen mit →Höroldt, der bis dahin die Oberaufsicht geführt und wenig Neigung gezeigt hatte, berechtigte Forderungen K.s zu berücksichtigen – Dreher, Former und Modelleure eindeutig unterstellt. Er konnte nun das Weiße Corps (oft mehr als 50 Mitglieder) zu einer willigen Mannschaft heranbilden, die befähigt war, seinen Intentionen zu folgen. 1749 wurde er mit dem Titel eines Hofkommissars ausgezeichnet. Anders als Kirchner, dem der Übergang von der Steinmetz-Werkstatt in den Fabrikbetrieb sauer angekommen war, der nur widerwillig den Meißel mit dem Modellierholz, das Behauen des Steins mit dem Kneten im Ton vertauschte, fügte sich K. leichthin der Manufakturdisziplin. Schon seine ersten Arbeiten verrieten subtilstes Fingerspitzengefühl für die Art des neuen Materials, und es zeigte sich bald, daß er auch die technischen Probleme zu durchschauen und nach wenigen Rückschlägen zu meistern vermochte. Er entwickelte einen unerhörten Fleiß, eine überbordende Erfindungsgabe und besaß die Fähigkeit zur raschen Konzeption. Die schönsten Stücke habe er, schrieb ein Zeitgenosse, aus »freyer Faust«, ohne Skizze und Zeichnung, gebildet, da er »über jene seltene Leichtigkeit verfügte, auf den ersten Blick das Eigene und Charakteristische jedes Gegenstandes zu ergreifen« und nachformend festzuhalten.

→Stichvorlagen aus dem Umkreis von Callot, Gillot, Watteau oder Engelbrechts Werk lieferten ihm die nötigen Kostüm-Informationen; Szenen des täglichen Lebens, sei es nun die rauschende Entfaltung höfischen Daseins, das Treiben auf Märkten und Straßen oder das Werken der arbeitenden Schicht, nährten die K.sche Phantasie. Naturstudien, anhaltend und mit Ernst in dem königlichen Naturalienkabinett betrieben, fortgesetzt im Löwen- und Bärenzwinger hinter der Dresdner Jungfernbastei und vor den Vogelvolieren der Moritzburg, waren für ihn Anschauungsunterricht, dem er die Exaktheit seiner künstlerischen Vorstellungen, die »Stimmigkeit« von Mimik und Gestik verdankte.

Die Fülle der Aufgaben, die Masse der andrängenden Bestellungen waren aber nur zu bewältigen, wenn Dreher, Former und Bossierer, von denen ein hohes Maß an Erfahrung, Sorgfalt und Geschick erwartet wurde, dem Modellmeister zur Hand gingen. Auch mußten die künstlerischen Mitarbeiter (→Fritsche, →Eberlein, →Ehder, →Reinicke, →Punct, F. E. →Meyer) in der Lage sein, jeden Wink ihres Meisters aufzunehmen und ein nur als Skizze oder Bozzetto angelegtes Modell selbständig aufzubauen, wobei sie sich dem K.schen Einfall, der in Bewegung, Gewand und Gesichtsausdruck festgelegt war, soweit anzupassen hatten, daß sein Stil gewahrt blieb.

Schon die knappe Aufzählung wichtigster Gruppen oder Einzelstücke machen Umfang und Vielfalt des Werks deutlich, das er selbst in den Manufaktur-Journalen (die Listen der Jahre 1748–1764 sind verloren) sowie in der »Taxa«, einem Verzeichnis seiner zusätzlichen Arbeiten (1740–1746), anschaulich beschrieben und registriert hat. Die »Pallais- oder Cabinettstücke« für das königliche Porzellanschloß (Glockenspiel, Orgel, Tür- und Kaminumkleidungen, mächtige Vasen, Apostelfiguren von fast 2 m Höhe, Tiergroßplastiken) beschäftigten K. bis 1736/37. Doch neben Auerochs, Reiher und Adler, in Lebensgröße modelliert, formte er schon jetzt vielerlei kleineres Getier, das dann in Rudeln und Schwärmen sein Werk durch die Jahrzehnte begleitete: Vögel aller Art, ebenso Hunde, Katzen, Affen, dazu Raubzeug vom Wolf bis zur Maus, Eichhörnchen, Frösche oder Ziegen, Schafe und das Federvieh der bäuerlichen Wirtschaft. – Der Bildung von Tafelservicen scheint sich K., der ja nicht von der Töpferei herkam, nur zögernd genähert zu haben. Doch der Zeitgeschmack, dem der malerische Dekor allein nicht mehr genügte, drängte ihn zur plastischen, barock bewegten Durchbildung auch des Geschirrs. Unter seinen Händen belebte sich der Umriß. Unterschiedliche Reliefmuster wurden gefunden: in den 30er Jahren das →Ozier, ein Korbgeflecht, im nächsten Jahrzehnt die Blatt- und Blütenreliefs. Stege, gerade oder geschwungen, unterteilten die Flächen; ihnen folgten »angeschnitten«, d. h. gebogt, die bis dahin glatten Ränder. Buckel, Kerben gliederten den sanft geschwellten Gefäßkörper. Neben »rechtschaffenen«, also funktionsgerechten Henkeln, Schnaupen, Knäufen, denen immer wieder K.s Aufmerksamkeit galt, verwandelten sich nun Stützen, Deckel,

Griffe des Geschirrs – das luxuriöseste Ansprüche befriedigen mußte – in Gebilde figuraler Kleinkunst. Unter dem Druck dieser Ansprüche wurde erst jetzt das Tafelgeschirr zum vollständigen, nach einheitlichem Plan durchgestalteten →»Service« entwickelt. Bestellungen des Hofs und des hohen Adels, die Einmaligkeit der Erfindung und höchsten Glanz der Durchführung forderten, trieben die Entwicklung voran. – 1731–1736 arbeitete K. an einem Service für den Grafen Friesen, unbemalt, nur mit reliefiertem Schmuck belegt. 1735–1739 folgte das Hennicke-Service, mit vollplastischen Blumen, Vögeln und Früchten verziert. 1736 entstand das Kleine Service für Graf →Brühl, 1735–1738 das →Sulkowsky-Service, die großen Terrinen noch den Schüsseln der Silberschmiede verpflichtet; dann 1736–1743, ein Höhepunkt, das →Schwanenservice, nun schon Ausdruck sublimster Rokoko-Eleganz. 1741 schlossen sich an das Jagdservice für Kurfürst Clemens August von Köln und 1739 ein Kaffeegeschirr, das Schneeballenservice, für die sächsische Kurfürstin, dessen wuchernder Dekor, ähnlich dem plastischen Belag der Elemente-Vasen von 1741 und 1747, den Umriß des Gefäßkörpers zu sprengen droht. Zu dieser Reihe kostbarster Einzelschöpfungen, die Zweckform und Kleinplastik zur Synthese zwingen, gehören auch die prunkenden Leuchter, Vasen, Uhrgehäuse und →Tafelaufsätze bis hin zum Großen Spiegel. Dieses Geschenk für die Dauphine war ein Nonplusultra K.scher Phantasie und Formungskraft, an dem 1745 die Arbeit begann und den der Mo-

dellmeister persönlich 1750 in Paris übergab. – Die noch junge Rekatholisierung des sächsischen Hofs, von Kardinal Albani sorgsam gefördert und durch die Kurfürstin, eine habsburgische Prinzessin, befestigt, verlangte immer dringlicher nach Ausformung religiöser Themen in Porzellan: Madonnen, Heilige, Kruzifixe entstanden, alle im mittleren Format und darum im Brand nicht so gefährdet. 1735 modellierte K. im Auftrag der römischen Kurie den Kreis der Apostel (etwa 42 cm hoch), eine am Vorbild Mattiellis orientierte Serie, die er, 1740 variiert als Geschenk für die kaiserliche Mutter der Kurfürstin, wiederholte. 1738 schuf er den Tod des hl. Franciscus Xaverius, eine figurenreiche Gruppe wie die Große Kreuzigung von 1743. – Auch das Porträt, als Vollplastik oder Relief, gehörte zu den immer wiederkehrenden Aufgaben des Modellmeisters: kraftvoll, eigenständig die Büsten der beiden Dresdner Hofnarren Schmiedel und Fröhlich (1739–1741), etwas matt und konventionell 1743–1746 die Habsburger Vorfahren der Kurfürstin. – Mit einem Chinesenpaar, en miniature, hatte schon 1735 das Gewimmel der Figuren und Figürchen (etwa 900 an der Zahl) eingesetzt: kaum spannhoch, in Haltung und Bewegung stets geistreich motiviert, voller Temperament, Witz und Charme, das Thema pointiert vorgetragen, ein buntes Treiben – Produkte der fröhlichsten Phantasie, der heitersten Laune. Fast jede Figur war einem Partner, dem »Gegner«, wie K. sagte, zugeordnet, zu Gruppen gesellt, in Serien gereiht (Commedia dell'Arte, Straßenhändler, Affenkapelle

1747 und 1765, Galante Kapelle, um 1755). Bauern wechseln mit Handwerkern, vom Bergmann bis zum Scherenschleifer, der Bettler mit dem Straßenmusikanten, dem Marktschreier und Wunderdoktor. Den Exoten folgen die Nationalitäten und heimischen Trachten. Der Harlekin, diese exzentrische Figur im grellbunten, engsitzenden Trikot, wird immer wieder anders ausgeformt; die Jagdszenen gehören vor allem den 40er Jahren. Das erste ländliche Liebespaar, Vorläufer der vielen Idyllen mit Schäfer und Schäferin, taucht 1736 auf; 1737 folgt Der Handkuß, die erste Krinolinengruppe, wohl K.s kapriziöseste Erfindung, die die lange Reihe der Sofa- und Kavaliersgruppen eröffnet. Jedes dieser Tête-à-têtes war ein galantes Aperçu, ein Kompliment voll Zärtlichkeit und Courtoisie; die plastische Formgebung gesteigert durch die einfühlsame →Staffierung, die mit strahlenden Farben Flächen zusammenfaßt und Bewegungsmotive energisch unterstreicht. Ebenso lebensvoll erscheint die Schar Putten und Kinder, diese oft als Winzer oder Gärtner verkleidet, alles Geschöpfe von graziöser Unbefangenheit und Frische. Sehr viel kühler und distanzierter fallen dann die allegorischen Deutungen aus, die in den 40er Jahren mehr und mehr herandrängen: Jahreszeiten, Nationen, Flüsse, Landschaften, Temperamente, Tugenden und Laster. Kühler, glatter auch geben sich die reichbestückten Assembleen antiker Gottheiten, die Musen, Grazien und Helden, die, von der barocken Parkplastik inspiriert, zu Tafelaufsätzen von oft geradezu monströsem Aus-

maß zusammengestellt oder zu Musenbergen, Apollohügeln, Götterwägen aufgetürmt sind wie die Neptunskaskade von 1745, der Herkulesbogen von 1748 oder der Ehrentempel (1754?); schließlich überreich und kalt die Große russische Bestallung, 1772–1774, eine der letzten Arbeiten des Meißner Modellmeisters.

K. war viel gelungen. Erfolg hatte ihn und sein Talent bestätigt. Doch er, im Grunde seines Wesens ein Mann des Hochbarock, wollte mehr als die zierlichen Püppchen, die er geschaffen hatte. Sein Ideal war die große Form, die triumphale Geste. Nur so glaubte er, Persönliches geben zu können. Neben Grabmälern, die er in Sandstein schuf, neben einem Altar, den er in Lindenholz schnitzte, ließ ihn, trotz der Fülle seiner Aufgaben, der Gedanke an ein Porzellan-Monument barocken Maßstabs nicht los: der König auf steigendem Roß, mit herrischer Gebärde, auf hohem Postament, zu seinen Füßen ein Getümmel allegorischer Gestalten. 1751 erhielt er endlich, wohl mit Hilfe des Grafen Brühl, den Auftrag; 1753 verließ das »Cabinettstück«, ein Modell in Porzellan (von 1,40 m Höhe), glücklich den Ofen; 1755 war das Gipsmodell, fast 10 m hoch, aufgebaut: eine Leistung, die nicht nur K.s Kraft, sondern auch, da der Hof versprochene Zahlungen nicht leistete, Teile seines Vermögens aufzehrte.

Er, der doch an entscheidender Stelle und in der produktivsten Weise an der Entwicklung eines Stils der Anti-Monumentalität, dem Rokoko, mitgewirkt hatte, konnte und wollte seltsamerweise nicht sehen, daß die Zeit der monumentalen,

Chinesenszene von Gabriel Huquier, um 1740

der aufgeregten, leidenschaftlichen Pose vorbei, daß ein Pathos, das einst als Ausdruck der Erhabenheit empfunden worden war, nun hohl und lächerlich klang. Auch sah er nicht, daß eine solche Monumentalität das Porzellan als Werkstoff überforderte, der nach Anmut, Grazie und zärtlichem Spiel verlangte. Seine Große Statua war der traurige Versuch, in der Zeit rückwärtszugehen. Sie war von ihm als Krönung seines Werks gedacht, sie wurde zu seiner herbsten Enttäuschung. Mit verlegenem Achselzucken besichtigte der Hof das Modell, doch es bedurfte kaum der Katastrophe des Siebenjährigen Kriegs, um deutlich zu machen, daß niemand das Denkmal ernstlich wünschte. Der Kopf des Königs wurde noch in Porzellan gegossen, das Gipsmodell verfiel und wurde schließlich samt seinem Schuppen achtlos fortgeräumt.

Im Gegensatz zu Höroldt, der dem Krieg auswich, war K. in Meißen geblieben. Unter großen Schwierigkeiten rettete er die Manufaktur durch die »Kriegstroublen«, mußte aber hinnehmen, daß man ihn nach Friedensschluß der Kollaboration zieh, wie er auch hinnehmen mußte, daß man den um 30 Jahre jüngeren →Acier ihm beiordnete. Er arbeitete weiter; Fleiß, Können, Erfahrung waren ihm geblieben, doch die Fähigkeit, neue Wege zu finden und zu gehen, hatte ihn verlassen: Routine schlich sich ein, wo einst frischestes Leben Gestalt gewonnen hatte (MT).

Literatur: Carl Albiker. Die Meißner Porzellantiere im 18. Jahrhundert, 2. Aufl., Berlin 1959; Helmuth Gröger. Johann Joachim Kaendler. Der Meister des Porzellans, Dresden 1956; Jean Louis Sponsel. Kabinettstücke der Meißner Porzellan-Manufaktur von Johann Joachim Kaendler, Leipzig 1900.

Kärner, Theodor, s. Nymphenburg

Kåge, Wilhelm, s. Gustavsberg

Kahn, s. Closter Veilsdorf

Kakiemon-Porzellan, in Katalogen des 18. Jh. als »première qualité coloriée de Japan« bezeichnet, Produkt des Familienbetriebs der Kakiemon in Minami Kawahara nahe bei →Arita; zunächst (um 1640 bis 1680) noch mit grauer →Glasur, in der Glanzzeit aber, etwa bis 1720, makellos, mit sahnig weißer Glasur und einem Dekor, von Künstlern ausgeführt, deren Arbeiten, »erlesen, raffiniert-sparsam, elegant, in leuchtenden Emailfarben aufgetragen, zur schönsten Keramik der Erde zählen« (R. Rückert). – Diese Technik soll, in der Nachfolge der ausgezeichneten chinesischen K'ang-Hsi-Maler (1662 bis 1722), Sakaida Kakiemon I. (1595 bis 1666?) eingeführt haben. In Europa, wo Kenner wie August der Starke K.-P. bevorzugt sammelten, wurde es vielerorts, ausgezeichnet aber in →Meißen, →Chantilly und →Chelsea nachgeahmt.

Kalhammer, Gustav, s. Wien, *Wiener Porzellanmanufaktur Josef Böck*

Kalleberg, Gert Nielsen, 1740–1811; 1763–1777 Schüler der Kopenhagener Kunstakademie; ab 1779 →Modelleur an der *Kgl. Porzellanmanufaktur* →Kopenhagen.

Kaltner, Joseph, s. Nymphenburg

1, 2 Kassel
blau u'glas.

Kamm, s. Baden-Baden

Kanunnikow, A., s. Sankt Petersburg, *Kaiserl. Porzellanmanufaktur*

Kaolin, seit →Entrecolles Bericht vom chinesischen Fundort der Porzellanerde am Kao-ling-Paß im nördlichen Kiang-si als Bezeichnung dieses erdigen, weißlichen Gesteins in Europa eingebürgert. Es ist wichtigster Bestandteil des →Hartporzellans, ein Verwitterungsprodukt tonerdehaltiger Silikate, vor allem des Alkalifeldspats an der ursprünglichen Lagerstätte, das neben Spuren von →Quarz, Muskovit, Magnetit usw. das Mineral Kaolinit (Tonerde, Kieselsäure, Wasser) enthält. Diese mikroskopisch kleinen, hexagonalen Plättchen machen die Plastizität des K.s aus. – Die ersten Fundstätten des 18. Jh. waren in →Deutschland →Aue und →Hafnerzell; in →Frankreich die Lager von →Saint-Yrieix bei →Limoges; in →England bei St. Austell in Cornwall; in →Italien in Tretto bei Vicenza; in Dänemark auf Bornholm. – Heute gibt es wichtige Vorkommen sowohl in Europa wie in den USA, in Brasilien, Südafrika und Australien.

Kapuzinerbraun, die erste Fondfarbe →Meißens, 1720 durch S. →Stöltzel aus Eisenoxid gewonnen.

Karl, Landgraf von Hessen-Kassel, s. Tschirnhaus, E. W. v.

Karl Alexander, Prinz von Lothringen, s. Brüssel, *Porzellanmanufaktur Schloß Tervueren*

Karl August, Herzog von Sachsen-Weimar, s. Ilmenau

Karlowsky, s. Sankt Petersburg, *Kaiserl. Porzellanmanufaktur*

Kassel (Hessen, →Deutschland), Porzellanmanufaktur 1766–1788. Wohl auf Initiative des Barons Waitz von Eschen, der seit Jahren mit feuerfesten Erden laboriert und seit 1740 die K.er Fayencefabrik in der Schäfergasse (gegr. 1680) geleitet hatte, ordnete Friedrich II., Landgraf von Hessen-Kassel, am 6. 5. 1766 die Einrichtung einer Porzellanmanufaktur an. Der Betrieb domizilierte zunächst in dem Gebäude der Fayencefabrik; 1773 wurden beide Firmen vor das Weißensteiner Tor (heute Königstor) verlegt. – Die Verwaltung übernahm unter des Barons Führung Johann Heinrich Schultz. Modellmeister wurde J. G. Palland; ihm beigeordnet waren die Bossierer Benedikt Fruth, Franz Joachim Hess (beide 1766–1788) und 1766 Friedrich Künckler. Arkanist war N. →Paul, der aber bereits ein Jahr später durch den »Porzellanmeister« Johann Carl Christian Schröder ersetzt wurde. – Trotz vieler Proben und Experimente blieb der K.er Scherben grau und derb, die →Glasur unrein, die Ausschußquote hoch, wohl Folge des Bemühens, neben dem guten

→Kaolin aus Passau und Abtsroda auch wenig geeignete heimische Erden zu verwerten. Zunächst beschränkte man sich auf die Produktion von Kaffee- und Teegeschirr, auf Tabatieren, Dosen, Obstkörbchen und →Galanterien; bald aber nahm man Tafelgeschirr mit Terrinen, Platten, Schüsseln, Leuchtern und Menagen (→Huilier) in das Programm auf. Formal hielt man sich an die gebräuchlichen schlichten Formen des Louis-seize, akzentuierte höchstens Henkel und Tüllen der bauchigen Kannen mit kräftigerem Schwung und betonte den Geschirrand durch das →Ozier-Geflecht. Ähnlich wie im nahen →Fürstenberg suchte man die Mängel des Scherbens durch flach aufgelegte Rocaillen, durch zarte Blatt- und Muschelornamente zu verdecken. Der malerische Dekor folgte mit →Indianischen und →Deutschen Blumen – oft auf geripptem Grund – dem →Meißner Vorbild, benutzte aber auch die üblichen Motive der Vogel-, Landschafts- und Figurenmalerei. Maler wie J. →Dortu, V. L. →Gerverot, Carolus Toscani (1767–1769) oder Johann Philipp Zisler (1766/67) tauchten auf; unter solchen, die länger blieben, wie Johann Conrad Fischer (1766–1788) und Uffelmann, ist nur J. H. →Eisenträger als künstlerische Individualität faßbar. Ihm ist wohl die Mehrzahl der »Tableaus«, der kleinen Porzellanbilder im breiten Rokokorahmen, zuzuschreiben, die man, auch wieder in Anlehnung an Fürstenberg, produzierte. – Figurales Porzellan verzeichnet erst das Inventar von 1773: Kopien nach →Kaendler, im Miniaturmaßstab die Nahlschen Rossebändiger; Putten und Kinder als Monate, Jahreszeiten oder Sinne von Fruth, ebenfalls von ihm Tiere und Tiergruppen, eine anmutige Entführung der Europa, eine Venus mit Cupido und schließlich mehrteilige Jahreszeiten. 1776 entstand die Büste des Landesherrn (1781 durch Eisenträger staffiert), mit einem unaufgeklärten »JHT« signiert. – Der Rocaillesockel herrscht vor, häufig blieb die K.er Plastik unbemalt. – Obwohl sich die Manufakturleitung mühte, sparsam zu wirtschaften, obwohl man Niederlagen in ganz Hessen eingerichtet und immer wieder Lotterien und »Glückshäfen« veranstaltet hatte, gelang es nicht, Produktion und Absatz aufeinander abzustimmen. Bereits 1783 wurde die Liquidation erwogen; doch erst 1788 befahl der Landgraf endgültig die Schließung seiner »der Meißenschen ähnlichen Fabrique«.

Marken: Der doppelschwänzige, steigende Löwe aus dem Wappen der Landgrafen (1); ein »H · C ·« = Hessen-Cassel (2), beide blau u'glas.

Literatur: Franz-Adrian Dreier. Die Beziehungen Johann August Nahls d. Ä. zur Kasseler Porzellanmanufaktur, Keramos 50/1970; Siegfried Ducret. Die Landgräfliche Porzellanmanufaktur Kassel 1766–1788, Braunschweig 1960.

Kauschinger, J., s. Höchst, *Porzellanmanufaktur 1746–1796*

Kayser, Bartholomäus, s. Frankenthal und Nymphenburg

Kean, Michael, gest. 1823, Miniaturmaler in London. Er assoziierte sich mit William Duesbury II in →Derby und war nach dessen Tod bis 1811 Alleininhaber der Manufaktur.

Kelsterbach
vor 1765 blau u'glas.

Keim, Benno, s. Nymphenburg

Kelsterbach (Hessen, →Deutschland), Landgräfliche Porzellanmanufaktur 1761 bis 1768; Laysche Porzellanmanufaktur 1789–1792, 1799–1802. Ludwig VIII. von Hessen-Darmstadt wünschte, seinen jüngeren Sohn Georg mit einer Porzellanmanufaktur auszustatten und erwarb deshalb 1761 die Fayencefabrik, die ein Jahr zuvor Caspar Mayntz und Johann Christian Frede in K. gegründet hatten, doch nicht zu halten vermochten. Der Betrieb war in einem »gemeinen Bauernhaus vorne an der Straße« untergebracht, geräumig und mit stattlichen Kellern ausgestattet, die sich zur Aufbereitung und Lagerung der Porzellanmasse eigneten. Als Leiter und Arkanisten gewann der Landgraf Ch. D. →Busch, dem die Herstellung eines brauchbaren →Porzellans gelang: der Scherben zwar leicht grau, die →Glasur aber dünnfließend und nahezu weiß. In kluger Abschätzung der schmalen Möglichkeiten des kleinen Betriebs beschränkte man sich, von wenigem Geschirr abgesehen, auf die Produktion von Figuren und vielerlei →Galanterien: Schachbrett mit Schachfiguren, Dosen, Pfeifenköpfe, Stockkrücken und Besteckgriffe, kleine Burschen mit allerlei Getier als Riechfläschchen, Stricknadelhülsen, Pfeifenstopfer, Hundepfeifen, Petschaften. Es war ein Arsenal zierlich erfundener Nichtigkeiten, denen aber C. →Vogelmann und P. A. →Seefried (unterstützt von den Bossierern Cornelius und Jakob Carlstadt) die gleiche Aufmerksamkeit widmeten wie den vielen olympischen Göttern, den Putti oder winzigen Büsten mit allegorischer Bedeutung, den Jägern, Schäfern, Musikanten oder den Damen und Kavalieren. Eigenwillige Geschöpfe waren sie allesamt, phantastisch, oft skurril, der Gesichtsausdruck lebhaft bis zur Grimasse, die Gestik heftig, ausfahrend, die Gewänder flatternd, wallend, fliegend; Geschöpfe eines späten Rokoko, Verwandte der mainfränkischen Parkplastik, en miniature wiederholend, was ein Ferdinand Dietz in den Gärten der Schönborns gewagt hatte. Von den 131 Modellen, die K. 1769 noch besaß, gehören Vogelmann 75, seinem Nachfolger Seefried 55, der zwar aus der Schule des großen →Bustelli kam, doch von der »uneleganten« leidenschaftlichen Phantasie seines Vorgängers so beeindruckt war, daß auch seine Arbeiten den Duktus der Vogelmannschen Handschrift annahmen (Lauscher am Brunnen, Türke mit Handpferd). – Die →Staffierung von Gregorius Ignatius Hess folgt mit simplen Müsterchen dem Schwung der plastischen Form, höht die Rokokosockel mit Purpur, Gold oder Silber und kontrastiert mit dem stumpfen Schwarz der Haare und Augen den Zusammenklang aus →Eisenrot, Veilchenblau, Smaragdgrün oder Lachsrosa. – Die gleichen Farben, wohl von Busch zubereitet, benutzten die Maler (Jacob Heinrich Eger, 1763–1765; J. G. K. →Rahner; F. J. →Weber) zur Belebung der zart relieferten Dosen und kleinen Gerätschaften, die sie in lockerer Manier mit Blumen und Früchten, mit Landschaften, Bataillen und Jagden, wohl auch mit einem Porträt oder einem mythologischen Thema dekorierten. – 1764 verließ Busch K. Mit ihm gingen – freiwillig, vielleicht aber auch von seinem Nachfolger, dem landgräflichen Kammerdiener und Kabinettskassierer Eberhard Dietrich Pfaff, geschoben – Vogelmann, die Carlstadts, Hess und Weber. Zwar engagierte Pfaff neben billigen und schwach begabten Kräften wie Ott, Amßler oder Johann Tobias Eckardt (1765/66) aus Darmstadt auch den tüchtigen Seefried, den befähigten F. K. →Wohlfahrt; doch sein Interesse galt der Fayenceproduktion, von der er sich den Gewinn erhoffte, den das Porzellan seinem Herrn nicht gebracht hatte. Mit Hilfe von Philipp Friedrich Lay, einem erfahrenen Fayencier aus Frankfurt, eröffnete er 1765/66 auf dem Grundstück der Manufaktur einen Betrieb, der bis zur Mitte des 19. Jh. Fayence und Steingut fabrizierte. Die Porzellanproduktion aber wurde 1768 eingestellt.

20 Jahre später, 1789 (und ein zweites Mal 1799), wagte Johann Jacob Lay, nun nach seinem Vater Leiter der Fayencefabrik, noch einmal den Versuch, in eigener Regie eine Porzellanmanufaktur zu betreiben. Mit einem Darlehen des hessischen Erbprinzen richtete er sich auf dem Vorwerk der Ruine Wolfenburg, dem alten Schloß, ein. Die Produktion kam mit Hilfe der beiden →Höckel rasch in Gang. Hergestellt wurden in den gängigen klassizistischen Formen Kaffee- und Teeservice, Leuchter, Vasen, Konfektkörbe, nicht originell, doch gut in Form und Dekor; daneben Figuren und Gruppen, meist nicht sonderlich geschickte Kopien von →Meißner und →Höchster Vorbildern oder Neuausformungen der Modelle aus der landgräflichen Zeit. – Die Folgen der Französischen Revolution, Krieg und wechselnde Besatzung, bereiteten diesen Anfängen ein rasches Ende. Auch die Wiederaufnahme der Produktion (1799 bis 1802) scheiterte.

Marken: »HD« = Hessen-Darmstadt, mit und ohne Krone (MT), blau u'glas. Das Landgräfliche Porzellan blieb häufig ungemarkt.

Literatur: Kurt Röder. Das Kelsterbacher Porzellan. Werden und Vergehen einer deutschen Porzellanmanufaktur, Darmstadt 1931.

Kempe, Samuel, Bergknappe aus Freiberg (Sa.); ab 1707 Gehilfe in den Dresdner Laboratorien von →Tschirnhaus und →Böttger. 1708 stiehlt und vergräbt er einen Porzellanbecher, Resultat der Tschirnhausschen Experimente, woraufhin er (1710?) auf dem Sonnenstein festgesetzt wird. Er entweicht 1713 nach Berlin, wo ihn Minister Görne anwirbt, um auf →Plaue eine Steinzeugfabrik nach →Meißner Vorbild anzulegen. K.s Kenntnisse reichen jedoch nicht aus; er verläßt Preußen, taucht 1714 in →Bayreuth auf, scheint hier kurz an der Herstellung des →Roten Steinzeugs teilgenommen zu haben, findet sich aber nach kurzer Zeit auf der Festung Kulmbach wieder in Haft.

Kestler, Joseph Ferdinand, Edler von Rosenheim, s. Wien, *Porzellanmanufaktur 1718–1864*

Kestner, I., s. Werbilki

Keyb, Georg Adam, s. Ellwangen

Khyn, Knut Carl Edvard, s. Kopenhagen, *Kgl. Porzellanmanufaktur*

Kieser, Hermann, s. Wallendorf

Kilber, Johann Christoph, s. Nymphenburg

Kinast, Franz, s. Hohenberg

Kind, Johann Christof, s. Fürstenberg

Kips, Alexander, s. Berlin, *Kgl. Porzellanmanufaktur*

Kirchner, Johann Gottlieb, geb. 1706 Merseburg, Vetter des Dresdner Hofbildhauers Johann Christian K. (O. Walcha), selbst zum Bildhauer ausgebildet. – Ende April 1727 wurde er ein erstes Mal als →Modelleur an die Porzellanmanufaktur in →Meißen berufen, ein Jahr später aber, obwohl man dringend dieses fähigen und geschulten Mannes bedurfte, wegen seines »flattrichten und leichtsinnigen Charakters« entlassen. Doch nach einem Zwischenspiel als Hofbildhauer in Weimar im Frühjahr 1730, und zwar durchaus von der Manufakturleitung gebeten, ist er wieder in Meißen. Das »Weiße Corps«, Dreher, Former, Bossierer, ist ihm jetzt unterstellt. 1731 wird er, als →Kaendler auftaucht, zum Modellmeister ernannt; der Unterricht der Lehrlinge im Zeichnen und Modellieren gehört zu seinen Pflichten. – K., der von der Arbeit am Stein herkam und auch in den Formen der Großplastik dachte, hatte Schwierigkeiten, sich in die Bedingungen des neuen Materials einzufühlen und den schöpferischen Einfall, gleichsam en miniature, in das Holz- oder Tonmodell, wie der Former es brauchte, umzusetzen. Trotzdem gelingt ihm als erstem, dem →Porzellan die adäquate Form zu geben. Bereits die Arbeiten des ersten kurzen Jahres – kleine Figuren, Uhrgehäuse, ein →Tafelaufsatz, »Venustempel« genannt, plastischer Geschirrdekor, Skizzen zu einem »Wasch- und Gießbecken«, später wahrscheinlich von Georg Fritsche ausgeführt – überzeugten durch ihren Reichtum im Detail und die Ausgewogenheit des Gesamtaufbaus. In den kurzen Jahren seines zweiten Meißner Engagements entstanden, im Auftrag des Königs und für das Japanische Palais bestimmt, teils in enger Zusammenarbeit, teils in lebhafter Konkurrenz zu Kaendler, die »bauchigen« Groteskvasen, merkwürdige Mixta composita aus Mensch und Gefäß (meist nach Stichen Jacques Stellas). Weiterhin fertigte K. Apostel- und Heiligenfiguren, darunter besonders eindrucksvoll die Statue eines hl. Petrus; schließlich Vögel und Tiere, viele von ihnen großartig konzipiert, die besten Exemplare zügig, kraftvoll, jede Linie geballte Energie (Luchs, Tiger, Bär, Kämpfende Hunde, Katze). – Obwohl diese Aufgaben, die K.s Begabung für die große Form entgegenkamen, ihn hätten befriedigen müssen, war ihm anscheinend die vom Fabrikbetrieb geforderte Disziplin unerträglich. Nach vielerlei Schwierigkeiten löste er im Einverständnis mit der Manufaktur Anfang

1733 seinen Vertrag, um, wie er schreibt, »noch etwas Mehreres in der Welt zu sehen und seine Wissenschaften zu excolieren«. 1737 erreichte ihn noch einmal ein Honorarauftrag Meißens. Unterdessen hatte er die Werkstatt des Vetters, der gestorben war, aufgelöst, war angeblich nach Berlin umgesiedelt, wo er in Ton und Öl weitergearbeitet haben soll.

Literatur: Ernst Zimmermann. Kirchner, der Vorläufer Kaendlers an der Meißner Manufaktur, Berlin 1929.

Kirschner, Friedrich, 1748 Bayreuth – 1789 Augsburg, Porzellanmaler, Miniaturist und Kupferstecher. Er kam gegen 1770 nach →Ludwigsburg und entwickelte sich hier als Schüler →Riedels rasch zu einem Blumenmaler delikatester Qualifikation. Seine Buketts, dicht aus strotzenden, naturalistisch aufgefaßten Blumen gebunden und in weich schattenden Übergängen gemalt, scheinen fast zu schwer für Tellermitte oder gebauchte Gefäßwand (bezeichnetes Kaffeeservice im Württembergischen Landesmuseum, Stuttgart). – Um 1775 siedelte K. nach Augsburg über, wo er ab 1785 in fünf größeren und zwei kleineren Folgen die in Paris gedruckten Cahiers des Fleurs herausgab. – Blumenstudien, 1771 signiert, bewahrt das Kupferstichkabinett der Stuttgarter Staatsgalerie (MT).

Kittel, Franz, s. Schlaggenwald

Klablena, Eduard, s. Berlin, *Kgl. Porzellanmanufaktur*

Klein, Gabriel, aus Lunéville (Lothr.), gest. vor 1818 Gießhübel (Böhmen), Bos-

Friedrich Kirschner *Kirſchner.*

sierer und Modelleur. Um 1770–1780 Schüler von P.-L. →Cyfflé in Lunéville; 1780–1790 →Modelleur an der Porzellanmanufaktur →Zürich, wo in engster Anlehnung an Cyfflé eine Reihe kleiner Genrefiguren entsteht, die Ducret zu den »schönsten Schöpfungen Zürichs« zählt. Um 1790 ist K. wohl in →Pontenx, was eine von ihm signierte Büste nahelegt; 1794–1800 in →Wallendorf, wo ihm das Brandbuch neben Geschirr und →Galanterien auch Figuren zuweist. Schließlich arbeitet er nach 1805 in →Gießhübel.

Klein, Johannes, s. Nymphenburg

Klinger, Johann Gottfried, 1711 Meißen – 17. 8. 1781 Wien; vorzüglicher Porzellanmaler (Ombrierte Blumen, Insekten), 1726–1746 in →Meißen, anschließend in →Wien. Hier Farbenlaborant und Arkanist, dem 1749 die Verbesserung des »Massivgoldes« (Ganzvergoldung der Gefäßinnenwand) gelang. 1750 zum Obermaler ernannt, 1772 erkrankt und durch Ph. E. →Schindler jun. abgelöst.

Klipfel, Karl Jakob Christian, 1727 bis 1802; ausgezeichneter Porzellanmaler, spezialisiert auf Blumen- und →Mosaik-Malerei. Bis 1763 in →Meißen, anschließend in →Berlin, hier zum Malerei-Inspektor ernannt, 1782 Hofkammerrat, 1786 Mitdirektor der Manufaktur. – Außerdem begünstigt durch Friedrich II., der das Klavierspiel K.s schätzte und ihn zu seinen Kammermusikabenden zuzog.

Klösterle/Klášterec(→Böhmen, ČSSR), Porzellanmanufaktur 1793 bis heute; auf einem Grundstück der Grafen Thun von dem Forstmeister Johann Nicolaus Weber mit Hilfe →Thüringer Arkanisten etabliert; 1794 an Ch. →Nonne verpachtet; 1801, beim Tod Webers, in Thunschen Besitz übergegangen; 1804 kurzer Versuch des Grafen, den Betrieb, nun »Gräfl. Thun'sche Porzellanfabrik« genannt, selbst zu leiten; 1805–1819 jedoch an Rentmeister Josef Melzer und den Keramiker Josef Andreas Raphael Haberditzel verpachtet; 1820 endgültig in die Regie des gräflichen Hauses übernommen; zunächst bis 1830 weiter mit Haberditzel als Werkleiter, dann nach fünf schwierigen Jahren mit rasch wechselnden Direktoren unter Johann Hillards Führung, der 1848 durch Karl Venier (bis 1872) abgelöst wurde. – War Hillard schon die Herstellung eines untadeligen →Porzellans gelungen, so entwickelte nun Venier den Ehrgeiz, die Produktion einem einheitlichen Stil zu unterwerfen. Tafelgeschirre wie das Kaiserservice von 1851 oder das Thunsche →Service von 1856, doch auch anspruchsvolle Vasen, Schalen, Leuchter und die Fülle figuralen Porzellans (meist von Ernst Popp in →Biskuit gebildet) folgen konsequent dem Gebot des Zweiten Rokoko, nicht ohne diesen abgeleiteten Formen durch Sorgfalt und Geschmack Frische, ja selbst Originalität abzugewinnen. Ähnlich wurden später Anregungen der Neurenaissance und besonders glücklich des Neuklassizismus mit seinen glatten und geschmeidigen Umrissen aufgenommen (Beispiele: Schloßmuseum zu K.). – Der

1, 2 Klösterle
1793–1803   *nach 1830*
blau u'glas.   *gestempelt,*
        blau u'glas., chromgrün

Erfolg gab Venier recht. Weber hatte etwa 20 Arbeiter beschäftigt, um 1850 waren es knapp 60; 1863 über 300 und 1945, als die Fabrik enteignet wurde, mehr als 400 Angestellte (Literatur →Böhmen).
Marken: 1793–1803 »K« = Klösterle, mit zwei Hirschstangen (1); 1803–1830 »K«, »TK« = Thun Klösterle, »HK« = Haberditzel Klösterle, sämtl. blau u'glas., verschiedenfarbig ü'glas.; 1830–1918 »TK«, auch mit Krone (2), unterschrieben »Thun«; nach 1918 »Czechoslovakia«, gestempelt oder gedruckt.

Klotz, Hermann, s. Wien, *Wiener kunstkeramische Fabrik A. Förster & Co.*

Knallgold, s. Poliergold

Knaute, Benedict, s. Gießhübel

Knipffer (Knüpfer), Johann Christian, aus Sachsen; Porzellanmaler, Arkanist, 1759 als Maler in →Frankenthal, anschließend in →Ludwigsburg, 1764 nach →Alcora berufen, »um dort Porzellan wie in Sachsen zu machen«, was ihm aber nicht gelang, worauf er bis 1778 als Keramikmaler weiterbeschäftigt wurde.

Knochenasche (bone ash), Zusatz bei der Herstellung von englischem Frittenporzellan, der das für englisches →Porzellan charakteristische transparente, glasige Aussehen verleiht.

Knochenporzellan, englisches Frittenporzellan, versetzt mit →Knochenasche;
eine 1748 patentierte Erfindung von Th.
→Frye. K. wurde erstmalig in →Bow
hergestellt.

Knoll, Karl, s. Fischern

Kobyletskaja, Z., s. Sankt Petersburg,
Kaiserl. Porzellanmanufaktur

Kockta, Ignaz Anton, s. Nymphenburg

Köhler, David, aus Freiberg (Sa.), gest.
30. 4. 1723 Meißen, ausgebildeter Bergknappe, später einer der fähigsten Brenn-
meister und Farblaboranten in →Meißen,
dem die Manufaktur (neben →Böttger
und →Funcke) die ersten →Schmelzfar-
ben zu verdanken hatte. Im Januar 1706
war er als Gehilfe Böttgers nach Dresden
beordert worden; 1712 wurde er Massebereiter in Meißen, 1719 Arkanist und im
Oktober des gleichen Jahres Obermeister
der Manufaktur. Um 1720 gelang ihm, in
systematischer Erprobung der Kobalt-
erze aus dem nahen Erzgebirge, die Entwicklung eines Unterglasurblaus, das
zwar noch zum Grauwerden und Zerlau-
fen neigte, oft aber auch schon, wie sich
K. notierte, »guth hoch blau, noch schöner blau und schöne lieblich blau« geriet.
August der Starke hatte bereits Jahre zuvor für die Erfindung dieser Farbe eine
Prämie von 1000 Tl ausgesetzt. Jetzt aber
zögerte man, diese Prämie dem Obermeister auszuhändigen. Vielmehr wollte man
sie in Lohnzulagen umwandeln, die
nicht nur K., sondern auch →Stöltzel
zugute kommen sollten, da dieser die für
das Scharffeuer-Blau unerläßliche Masse

und die →Glasur erarbeitet hatte. Durch
diese Maßnahme sollten die Laboranten,
die sich in eifersüchtiger Geheimniskrä-
merei gegeneinander abkapselten, gezwungen werden, ihre »arcana getreulich
und ohne die geringste Hinterhaltung«
einander mitzuteilen und so eine Fort-
entwicklung der Erfindung zu gewährlei-
sten. 1723 starb K., ohne daß das geschehen wäre. Das Unterglasurblau kam wieder »graulicht, schwärzlich und bley-
fleckig« aus dem Feuer, obwohl →Höroldt
dem Sterbenden das Farbrezept hatte
entlocken oder entwenden können. Ein
»kostbarer und sehr mühsamer Weg« war,
wie Höroldt schrieb, noch zurückzulegen,
bis es 1732 – eigentlich ganz sicher erst
1739 – möglich war, die schwierige Farbe
in gleichbleibender Qualität zu produzieren.

König, Alfred, s. Berlin, *Kgl. Porzellan-*
manufaktur

Königsglatt, s. Neuglatt

Kohl, Ernst, s. Fürstenberg

Kohmann, s. Baden-Baden

Kok, Juriaan, s. Rozenburg

Komander, I., s. Sankt Petersburg,
Kaiserl. Porzellanmanufaktur

Konisch, s. Berlin, *Kgl. Porzellanmanu-*
faktur

Kopenhagen (Dänemark)
Bing & Grøndahl's Porcelaensfabrik 1853
bis heute; gegr., im Verein mit dem Kera-

B & G   B.&G.

1, 2 Kopenhagen
Bing & Grøndahl
verschiedenfarbig gedruckt

miker Frederik V. Grøndahl, von den Brüdern M. H. und J. H. Bing. In den 8oer Jahren wurde unter der künstlerischen Leitung von Pietro K. Krohn (1885 bis 1895) und dem Maler J. F. Willumsen (1897–1904) der »Kopenhagener Stil« aufgenommen, wie ihn mit Unterglasurmalerei, Vereinfachung der Formen und Nutzung neuartiger Relief- und Durchbruchsmuster die *Kgl. Porzellanmanufaktur* entwickelt hatte. Allerdings scheinen die Vasen und Schalen von Bing & Grøndahl in ihrer Schwere eher aus Ton als aus →Porzellan geformt, und der Dekor verrät eine Neigung zu starrer Ornamentik (Krohns »Reiherservice« von 1888), zu einem ausdrucksvollen, ebenso sparsam wie raffiniert eingesetzten Linienspiel (unter den Malern F. August Hallin, Effie Hegermann-Lindencrone, Cathinca Olsen, Elias Petersen). Von kraftvoller Originalität sind die Tierplastiken, meist weiß, selten zartfarbig staffiert (Eisbären, Rangelnde Elefanten, Vögel); gleiches gilt von den Familiengruppen mit ihren schlichten Müttern und Kindern (Jens Dahl-Jensen, Carl Jacobsen, Lauritz Jensen, A. Locher u. a.).

Marken: Dreitürmiges Tor (1); auch »B. & G.«, umschrieben mit »Danish China Works Copenhagen« (2), verschiedenfarbig gedruckt. Außerdem zahlreiche Künstlersignaturen.
Literatur: F. Deneken. Die Porzellanfabrik Bing & Grøndahl, Die Kunst, Bd. 10, 1904.

Königliche Porzellanmanufaktur 1773 bis heute. Im Gegensatz zu L. A. →Fournier, der Niels Birchs Kaolinfund von 1755 auf Bornholm weder beachtete noch nutzte, sondern an der ihm gewohnten →Pâte tendre festhielt, suchte Frants Heinrich Müller, Chemiker und seit 1760 Münzwardein der Bank zu K., mit Hilfe des heimischen →Kaolins →Hartporzellan zu entwickeln. Beraten von dem Gründer →Fürstenbergs, dem Freiherrn von →Langen, konnte er, nach zehn Jahren mühseligen Experimentierens, 1773 Christian VII. drei gelungene Proben »echten« Porzellans vorlegen. 1774 bildete sich zur Gründung der »Danske Porcelaensfabrik« eine Aktiengesellschaft, deren Mitglieder meist Angehörige des Königshauses waren. Unter ihnen ragte vor allem die Königinwitwe Juliane Marie hervor, die sich, lebhaft an schönem Porzellan interessiert, immer wieder als Stütze der Manufaktur erwies. Ihrer fördernden Energie war es zu danken, daß das junge Unternehmen im März 1775 privilegiert und 1779, da die mißliche wirtschaftliche Situation es erforderte, als »Kongelige Porcelaensfabrik«, in königlichen Besitz übernommen wurde. Ein Jahr später schon konnte neben der Manufaktur eine Niederlage eröffnet werden, wo ein reichhaltiges Porzellansortiment in dreierlei Qualität zur Verfügung stand. Müller, bereits 1780 zum Hofrat ernannt, blieb Leiter der Firma, bis Ludwig Manthey 1801 den 73jährigen ablöste.
Wohl nicht nur aus technischem Unvermögen sondern auch in der richtigen Erkenntnis, daß die bürgerlichen und selbst die wohlhabenderen bäuerlichen Kreise

ab 1775 blau u' glas., eingepreßt, gedruckt; nach 1889 verschiedenfarbig

als Porzellankäufer gewonnen werden müßten, hatte sich Müller zunächst auf die Produktion einfacherer Geschirrtypen beschränkt, deren Wandungen, in der Nachfolge von Fürstenberg (letztlich von →Meißen), durch feine Riefelung und →Ozier-Geflecht belebt waren. Dazu kamen in Unterglasurblau das Strohblumenmuster, winzige Rosetten an dünnem Gerank, oder auf glatter Fläche die Blaa Blomster, eine Variation der →Deutschen Blumen in Monochromblau (Ch. →Ahrensborg, H. J. und L. →Hansen, F. A. →Schlegel, R. →Svardahlyn, →Weichardt, M. →Wolstrup u. a.). Noch zeigte der Scherben einen Stich ins Graublaue, das Kobaltblau geriet oft zu dunkel, und noch immer kam eine allzu hohe Rate des Porzellans verzogen aus dem Brand. Diese Mängel schwanden aber allmählich, wahrscheinlich unter der tatkräftigen Assistenz von A. C. →Luplau, der, aus Fürstenberg kommend (Bruder und Sohn nachziehend), in K. als Modellmeister und Arkanist wirkte. – Die Umwandlung der Fabrik in eine königliche Manufaktur brachte nicht nur die wirtschaftliche Sicherheit, sie erforderte auch die Steigerung der Qualität und eine Bereicherung des Angebots. Nun tauchen im Produktionsprogramm elegant dekorierte →Déjeuners auf; neben den üblichen Terrinen, Dosen, Leuch-

tern und Schüsseln werden anspruchsvolle →Brûle parfums, wie die Konfekt- und Obstkörbe mit reicher Durchbrucharbeit, es werden die eigentümlichen Blumensteckvasen mit hochaufgereckten weiblichen Halbfiguren oder martialischen Löwen als Griff produziert. Die Verkaufslisten nennen außerdem →Jardinièren, Spiegelrahmen, Übertöpfe, →Kühlgefäße und in vielerlei Abwandlungen Deckelvasen, deren Vorbild in Fürstenberg zu suchen ist. Fand sich bei der Bildung des Geschirrs, der →Galanterien oder der schlankeren Vasen in dem Eirund des Gefäßkörpers, in der Schweifung der Ränder, im zierlich gebogenen Henkel, Blütengriff, verspielten Putto oder winzigen Rocaillefuß noch ein verspäteter Anklang an Rokoko und Louisseize, so versteifen sich die Formen nach 1780 unter dem Gesetz des aufkommenden Klassizismus. Sie werden immer eckiger und ungelenker und neigen, gerade bei den K.er Luxusporzellanen, zu einer Schwere und Gedrungenheit, die die plastischen Zutaten nicht aufheben, sondern eher verstärken: dicht in Schals eingemummte »Weibspersonen« als Deckelfigur, Widderköpfe zur Betonung der Ecken und Kanten, wuchtige Pranken oder dickmäulige Delphine als Stützen des Gefäßes. Um dessen Wandung schlingt sich nun ein Gewinde aus üppigen Blüten und fleischigem Blattwerk, das ähnlich den Medaillons zum Rahmen dient (G. N. →Kalleberg, S. →Preuß, wahrscheinlich auch die Mitarbeit der →Modelleure A. M. →Hald, J. J. →Holm, J. J. →Schmid, J. →Schmidt, F. →Sigmann). – Anders der malerische Dekor, der sich, zart und leicht, in kühl abgestufter Farbigkeit über das Porzellanweiß breitet. Die reiche Palette der Blumen- und Früchtemalerei scheint von Berlin inauguriert, woher M. →Cadewitz, der hoch begabte P. H. B. →Lehmann und C. F. →Thomaschefsky kamen. Ihnen folgen in Pinselstrich und Farbnuance die Dänen J. L. →Camradt oder N. Ch. →Faxoe. Vielseitig und geschickt war ein Buntmaler wie J. →Arentz, neben ihm die beiden →Duve, N. P. →Rasmussen, auch P. →Schandorff oder N. →Bau, deren Talent man sicher die amüsanten →Quodlibets zuschreiben darf. Lebhaftesten Reiz besitzen die Vögel eines J. J. →Lyng und J. Ch. →Weidemann. Voller Poesie sind die Landschaften und Veduten, graziös die ländlichen oder mythologischen Szenen von H. →Clio, A. B. →Lehn oder des vorzüglichen E. →Meier. Er beherrscht außerdem ebenso meisterhaft wie H. Ch. →Ondrup oder F. Ch. →Camradt die subtilste Putten- und Porträtmalerei, während J. →Schandorffs Spezialität die dunkle Silhouette auf hellfarbenem Grund ist. – Als Fond nutzte die Manufaktur nur das Blaa Lazur, ein Königsblau, wobei die Ungleichmäßigkeit des Auftrags durch Marmorierung und Goldmuster kaschiert wird. – Ein Beispiel für die Lust der Zeit an enzyklo-

pädischer Bildung ist das Flora-Danica-Service, das als Geschenk für Katharina II. von →Rußland gedacht und 1790 mit 1602 Teilen durch Friedrich VI. seiner Fabrik in Auftrag gegeben war. Die Geschirrformen, von A. C. Luplau entworfen, sind klassizistisch; als plastischer Schmuck erscheint lediglich der stets gleiche Rand aus Perlschnur, Scheibenfries und enggereihtem, spitzgezacktem, vergoldetem Blatt. Sog. »botanische Blumen«, d. h. Pilze, Gräser, Kräuter, wie sie in den »Königreichen Dänemark und Norwegen wild wachsen«, bilden den malerischen Dekor, der wohl durch Theodor Holm af Holmskjold, einst Schüler Linnés in Uppsala, nun administrativer Direktor der Manufaktur, angeregt wurde. Als Vorlage dienten die »Flora Danica« des Botanikers Georg Christian Öder mit 1080 minuziös gezeichneten und kolorierten Kupfern, in Lieferungen 1766 bis 1792 erschienen, die mit sorglichster Akkuratesse von J. Ch. →Bayer benutzt wurden, wobei er scheinbar leichthin die schwierige Aufgabe löste, einen Porzellandekor zu schaffen, ohne den Anspruch gelehrter Akribie außer acht zu lassen. 1796 starb die Zarin, ehe das →Service (an dem noch bis 1802 weitergearbeitet wurde) vollendet war, worauf Friedrich beschloß, es von 60 auf 100 Gedecke zu erweitern und in eigenen Gebrauch zu nehmen (heute mit etwa 1600 Teilen in Schloß Rosenborg aufbewahrt). – Die plastischen Arbeiten der Manufaktur, die Reihen der Bauern und Bürger, der Komödianten, Kavaliere und Damen, der allegorischen oder der Genregruppen, bestechen nicht durch Witz oder Originalität des bildnerischen Einfalls; sie sind aber dennoch liebenswert, wenn dem Sujet Bescheidenheit eignet: eine Bäuerin, von pickenden Hühnern umgeben, aufmerksam dem Futtergeschäft zugewandt; ein zärtliches Liebespaar (durch A. M. Hald 1797 bezeichnet); wohl von dem gleichen begabten Modelleur ein still in sich versunkener Flötenspieler. Vieles aber ist (wie andernorts auch) nur Kopie: eine schöne Badende nach Falconets berühmtem Modell, ein Faun nach Saly, ein Bacchus nach Permoser; weiter Jahreszeiten, durch Boucher angeregt; über 50 norwegische Volkstypen (darunter werden 21 Luplau, einige auch C. R. →Tvede zugeschrieben), die die Parkplastik von Nordmandsdalen zum Vorbild haben; vielerlei Statuetten, die auf Meißen, Bergleute, die auf Fürstenberg verweisen; schließlich Putten und Kinder, die an P. →Melchiors liebliche Erfindungen denken lassen. Die →Staffierung der Figuren und Gruppen, mit viel Grau und Braun der Palette von Johann Ludwig Werner in feinen Strichlagen aufgetragen, entbehrt nicht der Sorgfalt, läßt aber Glanz und Frische vermissen. – Nur ein kleiner Teil dieses figuralen Porzellans zeigt noch Stileigentümlichkeiten des Rokoko (Sultanin mit Eunuch, 1785, vielleicht von Luplau). Die Haldschen Statuetten sind bereits durch die »Bürgerlichkeit« des Louis-seize geprägt, während andere Arbeiten die klassizistischen Züge C. F. →Stanleys besitzen, wobei zu beachten ist, daß Biskuitnachbildungen Thorwaldsenscher Plastik erst nach 1867 anzusetzen sind. – Unter den Medaillons und Porträtbüsten ist die Büste der Köni-

ginwitwe Juliane Marie durch die Signatur »Luplau fec: 1781« für den Modellmeister gesichert; doch im ganzen sind Zuschreibungen schwierig, trotz der Monogramme »A. H.« = Andreas Hald und »I. H.« = Jesper Holm, die lediglich die Bossierarbeit der beiden Modelleure anzeigen. – Die Sockel, auf denen Figur oder Gruppe meist etwas steif posieren, wechseln zwischen der grasbelegten Plinthe und dem zierlich geschmückten, oval oder eckig zugeschnittenen, niedrigen Podest.

Zu dem in den Jahrzehnten nach 1800 immer deutlicher hervortretenden Qualitätsschwund und Stilverfall gesellte sich der wirtschaftliche Niedergang der Manufaktur. 1868 trennte sich die Krone von dem Unternehmen, das, zunächst von A. Falck aufgekauft, 1882 mit der Fayencefabrik »Aluminia« fusionierte. Privilegien, Name und →Marke der königlichen Manufaktur blieben den Nachfolgefirmen erhalten. Für Philip Schou, Ingenieur und befähigter Geschäftsmann, seit 1863 Direktor der »Aluminia«, war die Fayencefabrik die willkommene finanzielle Basis, von der aus die Entwicklung eines neuen Porzellanstils, woran er leidenschaftlich interessiert war, und der Aufstieg der alten Manufaktur aus Lähmung und Schlendrian erzwungen werden konnte. – 1885 gewann er den jungen Arnold Krog als künstlerischen Leiter der Fabrik, obwohl Krog Architekt und nicht Keramiker war. Zwar hatte er sich auf einer Italienreise mit der Majolika von Bologna und Urbino beschäftigt; er kannte und bewunderte auch die Delfter Fayence, doch den entscheidenden An-

Tasse und Kannen,
Anfang 19. Jh.

stoß zu eigenen Schöpfungen sollte er erst 1885 in Paris empfangen. Gemeinsam mit Schou kam er dorthin, als gerade die Avantgarde der Impressionisten, hoch enthusiasmiert, dabei war, die Kunst des fernen →China und Japan zu entdecken. Krog fand als Gast Siegfried Bings, dessen Ostasiatika-Sammlung wohl die umfangreichste des damaligen Paris war, ausreichend Gelegenheit, sich über Bedingung, Gesetz und Ziel fernöstlicher Kunstübung klarzuwerden. Zugleich gaben ihm die japanisierenden Porzellane von Felix Bracquemond, Albert Louis Dammouse und Theodore Deck erste Fingerzeige, wie die Resultate einer neuen Sehweise in die Praxis der Gefäßdekoration umzusetzen waren. – Vorbedingung war die radikale Vereinfachung der Form, war die Schaffung glatter, großräumiger Flächen als Malgrund. Vorbedingung war aber auch (wie in →Sèvres, →Berlin oder Meißen) die Entwicklung neuartiger →Glasuren und →Scharffeuerfarben. Zu dem alterprobten Kobaltblau traten ein stumpfes Grün, ein blasses Rot und – durch die Beimischung von Gold – Braun und Grau: Farben, die nicht des spitzen Pinsels bedurften, sondern in weichen Abstufungen über den unglasierten Scherben versprüht wurden. – Krog ging zunächst von Motiven aus, wie sie ihm der japanische Holzschnitt bot: Hokusais »Welle«, die in Krogs Interpretation das Vasenrund steil aufschäumend »umzischt« (1888), oder Morikunis ziehende Gänse, der verschattete Gipfel des Fuji, segelnde Schiffe oder fliegende Reiher. Zugleich aber entdeckte er, ebenso wie in seiner Nachfolge Schüler und Mitarbeiter (V. Th. Fischer, Carl Mortensen, Johanne Oppermann, Anna Smidth u. a.), den dekorativen Stellenwert heimischer Flora und Fauna. Nur ein Ausschnitt wird gewählt, meist winzig, doch prägnant gesehen und stets flächenhaft als Ornament aufgefaßt. Geringstes genügt als Schmuck der Wandteller, der schlanken Vasen und dünnhalsigen Flaschen, der breiten Schalen und hochhenkeligen Becher, der Büchsen und rundbauchigen Deckelgefäße: Blätter des Fettwurz oder der Taubnessel, Schachtelhalme, vielästeliger Tang, doch auch, als Fries gereiht, struppige Krähen, sturmgepeitschte Weiden, dann wieder die Blumen der Vorgärten, wie Mohn, Stiefmütterchen, Tulpen. – Ebenso nutzt das figurale Porzellan, Relief und Statuette – von den preziösen Märchenträumen wie der Prinzessin auf der Erbse (von Gerhard Henning) abgesehen – mit Vorliebe das heimische »Anschauungsmaterial«: ganz Spannung und Beutegier die Katze von Carl Frederic Liisberg; von Knut Carl Edvard Khyn, Theodor Christian Madsen oder Christian Thomsen in Rudeln Hunde, Kaninchen, Vögel, Eisbären und Panther. Ebenso finden sich alte Weiber auf dem Kirchweg, ein junger Bauer bei der Vesper, der Gänsehirt, der seine Prinzessin küßt, ein galantes Paar auf dem

Spaziergang. – Die Pariser Weltausstellung von 1889 brachte der Manufaktur mit dem Grand Prix d'honneur eine erste Bestätigung; 1900 war klar, daß K. unter den großen Manufakturen die Führung übernommen hatte. Der »Kopenhagener Stil«, eindrucksvoll und unverwechselbar, war gefunden; der wirtschaftliche Aufstieg der Fabrik, die klug die brauchbaren überkommenen Muster neben dem Neuen pflegte, war die Folge.

Marken: Auf Vorschlag der Königinwitwe Marie Juliane seit 1775 bis heute drei Wellenlinien, die die drei Wasserwege Dänemarks (Großer und Kleiner Belt, Öresund) symbolisieren; ab 1929 mit Krone, u'glas. blau, heute gedruckt (1–5). Dazu zahlreiche Maler- und Modelleursignaturen oder -monogramme.

Literatur: Victor P. Christensen. Den Kgl. Porcelainsfabrik i. 18. aarhundrede, Kopenhagen 1938; Bredo L. Grandjean. The Flora Danica Service, Kopenhagen 1950; ders. Den kongelige Porcelainsfabriks Udsalg 1780–1955, Kopenhagen 1955; Arthur Hayden. Kopenhagener Porzellan, Leipzig 1924.

Porzellanmanufaktur am Blauen Turm 1759–1766. Schon ehe Friedrich V., dem damaligen Europa als großzügiger Förderer der Schönen Künste und Wissenschaften bekannt, den französischen Modelleur Fournier zur Ingangsetzung eines ersten Porzellanbetriebs nach Dänemark berief, hatten, seit Jahrzehnten vom Glanz der dänischen Hofhaltung angezogen, immer wieder Arkanisten, Modelleure und Porzellanmaler in K. ihre Dienste angeboten. – Als erster tauchte 1730 und noch einmal 1737 Ch. C. →Hunger auf. Ihm folgte, dubios wie er, E. →Vater. Nach einer Pause von etwa zwei Jahrzehnten meldete sich 1754 J. G. →Mehlhorn. Um die gleiche Zeit kam der hochfahrende J. Ch. L. →Lück(e),

Kopenhagen
*Am Blauen Turm
blau u'glas.*

und D. MacCarthy, Engländer oder Ire, modellierte 1754 zum Beweis seiner Fähigkeiten ein Porträtmedaillon, das er Friedrich V. mit der Inschrift widmete: »God Bless your Mayes, and I wish you a happy New Yr. 17DMC54« (heute Schloß Rosenborg). Wahrscheinlich hatten diese »Porzelliner« alle, wenigstens für kurze Zeit, experimentiert und laboriert, mit Sicherheit aber hatte keiner Porzellan zustande gebracht. – Selbst Fournier stellte in der Fabrik am Blaataarn, dem Blauen Turm, nur eine Pâte tendre in französischer Manier her, obwohl ihm die Kaolinlager, 1755 durch Inspektor Niels Birch auf Bornholm entdeckt, bekannt sein mußten. Sein Scherben war von unterschiedlicher Qualität, die Glasur matt und mit leichtem Gelbschimmer; die Produktion, von der sich etwa 30 Beispiele erhalten haben, umfaßte Vasen, Dosen, Schalen, kleine Terrinen und Deckeltassen, dazu die hübschen Senf- und Sahnetöpfchen sowie einiges an Tee- und Kaffeegeschirr. Der schlichte Umriß der Gefäße, die Einfachheit der Formen erinnert ebenso wie der zartfarbige Dekor (J. →Brecheisen, J. →Gylding, G. Ch. →Sciptius) mit Blumen, Putten und Landschaften an →Vincennes und →Chantilly, woher Fournier kam. – Obwohl neben ihm 1759–1761 als zweiter Modelleur S. C. →Stanley arbeitete, sind an figuralem Porzellan nur eine Büste Friedrichs V. und je ein Porträt-

medaillon des Königs und des französischen Gesandten Ogier überliefert. – Beim Tod Friedrichs 1766, vielleicht schon ein Jahr zuvor, wurde die kostspielige Produktion eingestellt.
Marke: »F5« = Friedrich V., blau (MT).

Koppchen, henkellose niedere Tasse nach chinesischem Muster. Als »Türkenkoppchen« war es ein wichtiger Exportartikel in die Länder des Vorderen Orients. →Meißen lieferte bereits 1732 bis zu 3600 Dutzend; →Wien, →Nymphenburg, →Ansbach folgten mit ähnlichen Zahlen. Im ausgehenden 18. Jh. produzierten vor allem die kleinen thüringischen Fabriken die Becher, die dann in Regensburg, dem Umschlagplatz für den Wasserweg nach dem Orient, von →Hausmalern (Amberg, Haag, Jakob Sausgruber, Wieland) billiger, als es die großen Manufakturen vermochten, dekoriert wurden.

Korb, Alois, s. Pirkenhammer und Schlaggenwald

Korzec (Wolhynien, ehemals →Polen), Porzellanmanufaktur 1790–1797; als gesonderte Abteilung der Fayencefabrik angegliedert, die Fürst Czartoryski 1783 hier gegründet hatte; geleitet von den Keramikern Michael und Franz Melzer. Nach erfolgreichem Anlauf der Produktion, die vor allem Kaffee- und Teegeschirr im Stil →Sèvres' umfaßte, zerstörte ein Brand die Fabrikanlage. Sie wurde aber sofort auf Wunsch des Fürsten in →Gorodnitza, etwa 50 km nordöstlich von K., wieder aufgebaut, wo der Betrieb bis 1832 bestand.

Korze

1, 2 Korzec
verschiedenfarbig,
Ziffern eingepreßt

Marken: Lateinisch, doch auch kyrillisch »Korzec« (1), oft verbunden mit dem »Auge der Vorsehung« (2); verschiedenfarbig, eingeritzt, eingepreßt.

Kothgasser, Anton, 9. 1. 1769 Wien bis 3. 6. 1851 ebd., Porzellan- und Glasmaler; 1784–1851(?) Dessinmaler an der Porzellanmanufaktur →Wien; ab 1811 vor allem Glasmalerei.

Kotta (Cotta), Franz, 22. 2. 1760 Veilsdorf – 8. 8. 1821 Rudolstadt; ein begabter Maler und Modelleur, nachzuweisen an den Porzellanmanufakturen →Closter Veilsdorf 1778, noch im gleichen Jahr in →Großbreitenbach und der Hofkonditorei zu Gotha, um 1779 wohl wieder in Veilsdorf, im Frühjahr 1783 mit Sicherheit in →Volkstedt. Hier hoch geschätzt, 1797 zum Hofmaler in Rudolstadt ernannt. – Von einigen ausgezeichneten signierten Büsten und Porträtzeichnungen ausgehend, ist A. Kurzwelly überzeugt, K. den größeren Teil der glasierten und unglasierten Porträtbüsten und Medaillons wie auch den figuralen Dekor des Louis-seize-Geschirrs zuschreiben zu dürfen; ebenso die Bildtafeln im goldenen Rokokorahmen und die in leuchtendem →Eisenrot gemalten Chodowiecki-Szenen eines Kaffeegeschirrs. Die Arbeiten zeigen die gleiche sichere Hand, den gleichen frischen Realismus, der sich aufs reizvollste mit der steifen Grazie der Zeit verbindet.

Krasnik, Antoinette, s. Wien, *Wiener Porzellanmanufaktur Josef Böck*

Kratzenberg, Johann David Christian, s. »Delffter Rund- und Stein Backerey zu Altendreßden« und Böttgersteinzeug

Kriegel, Karl Ludwig, s. Prag

Krimmer, E., s. Sankt Petersburg, *Kaiserl. Porzellanmanufaktur*

Krog, Arnold, s. Kopenhagen, *Kgl.Porzellanmanufaktur*

Krohn, Pietro Købke, s. Kopenhagen, *Bing & Grøndahl's Porcelaensfabrik*

Kronach, Porzellanfabrik, s. Selb, *Rosenthal-Porzellan AG*

Krüger, C. G., s. Volkstedt

Krumbholtz, Johann Georg, s. Böttgersteinzeug

Kruse, Johann, s. Fürstenberg

Kühlgefäß, auch Glacière, ein hoher, steilwandiger Topf mit gewölbtem Dekkel. Dieses Luxusgeschirr des 18. Jh. diente, mit Eis gefüllt, zur Kalthaltung der Speisen (Crèmes, Eis, Kompotte), die in einem passenden, flachen Napf in das K. eingesetzt wurden.

Kühn, Heinrich Gottlob, s. Meißen, *Staatl. Porzellanmanufaktur*

Kühne, Friedrich Christian, s. Brüssel, *Porzellanmanufaktur Etterbeek*

Christian Friedrich Kühnel

C.F.Kühnel.

Kühnel, Christian Friedrich (MT) und Samuel Gottlieb, s. Meißen, *Staatl. Porzellanmanufaktur*

Künckler, Friedrich, s. Fürstenberg, Kassel und Volkstedt

Künersberg/Memmingen (Allgäu, →Deutschland), Fayencefabrik 1745 bis 1767 (?), wo um 1747 →Benckgraff, vielleicht gemeinsam mit →Ringler oder Ch. D. →Busch, →Porzellan hergestellt hat (Krug im Memminger Museum; signierte Kaffeekanne im Bayerischen Nationalmuseum München).

Künzli, Johanna, s. Nymphenburg

Kumme, eine kleine Schale, im 18. Jh. Zubehör jedes Kaffee- oder Teeservices, die man beim Ausschwenken der Tassen benutzte.

Kunckel, Johann, s. Böttger, J. F., und Böttgerporzellan

Kurländer Muster, →Berliner Tafelgeschirr, um 1790 auf Bestellung des letzten Herzogs von Kurland aus dem Hause Biron entwickelt; neben dem Perlservice von →Nymphenburg ein gültiges Beispiel nobler klassizistischer Geschirrform. Es wird noch heute hergestellt, teils mit malerischem Dekor, teils weiß oder die Reliefzone farbig, meist zartgrün, gehalten.

Kusnetzow, V., s. Sankt Petersburg, *Kaiserl. Porzellanmanufaktur* und *Nowo-Charitonowo*